CO

Marguerite Duras

# Cahiers de la guerre

et autres textes

*Édition établie*
*par Sophie Bogaert et Olivier Corpet*

P.O.L

Pour l'établissement de cette édition, nous tenons à remercier tout d'abord Yann Andréa et Jean Mascolo, qui l'ont autorisée et encouragée ; Jean Vallier, qui nous a aidés pour la datation et la contextualisation biographique des textes ; et tous les collaborateurs de l'Imec qui ont accompagné ce travail.

# *Préface*

Une œuvre sans restes : rien de ce qu'écrit Marguerite Duras n'est laissé à l'abandon. Personnages, lieux, motifs, circulent d'un texte à l'autre et se font écho ; les bribes abandonnées d'un manuscrit sont reprises dans le suivant, intégrées à une nouvelle composition. En un mot, toute l'archive est passée dans l'œuvre. Et lorsqu'ils arrivent à l'Imec, en 1995, les « papiers » de Marguerite Duras produisent ce même effet sur ceux qui les découvrent et se chargent de les classer. Les manuscrits de chacune des œuvres, aussi divers qu'ils soient parfois par l'aspect, ne paraissent pas, comme souvent, une accumulation de pièces disjointes — mais un ensemble où tout se tient, qui semble d'une seule coulée d'écriture.

Parmi la richesse de ces archives, se détachent d'emblée les *Cahiers de la guerre*. Ces quatre petits cahiers (ils font partie des pièces les plus anciennes) étaient conservés dans une enveloppe où Marguerite Duras elle-même les avait réunis sous cette appellation, que nous avons choisi de retenir pour titre. Ils constituent, de fait, un ensemble homogène : l'unité matérielle établie par Marguerite Duras s'explique par leur cohérence à la fois chronologique et thématique, puisqu'ils ont été rédigés pendant et juste après la guerre, entre 1943 et 1949, et que dans des proportions diverses, tous évoquent cette époque cruciale dans la vie de l'écrivain.

Le premier cahier, outre un long récit autobiographique retraçant son enfance et sa jeunesse en Indochine, contient des ébauches de ce qui deviendra *Un barrage contre le Pacifique*, ainsi que les premières versions de récits que Marguerite Duras publiera, de nombreuses années plus tard, dans le recueil *La Douleur*[1]. Les deux cahiers suivants, presque entièrement consacrés à la version originelle de *La Douleur*, ont été rendus fameux par le préambule où l'auteur évoque, en 1985, les « armoires bleues de Neauphle-le-Château » où elle les aurait oubliés. Dans le dernier cahier enfin, les ébauches de romans futurs (*Le Marin de Gibraltar*, *Madame Dodin*...) sont entrecoupées de longs textes autobiographiques, où le quotidien de la rue Saint-Benoît dans l'immédiat après-guerre se mêle aux exercices d'une écriture fictionnelle qui fait ses premières armes. Les dix « autres textes » inédits proposés en fin de volume, écrits environ à la même période que les *Cahiers*, constituent des documents essentiels pour éclairer cette période charnière, qui voit Marguerite Donnadieu devenir Marguerite Duras.

Sur le plan biographique, l'intérêt des *Cahiers de la guerre* est considérable ; l'attention toute particulière que leur ont accordée deux biographes de Marguerite Duras en témoigne[2]. Cette édition per-

1. *La Douleur*, Paris, Éditions P.O.L, 1985.
2. Laure Adler, *Marguerite Duras*, Paris, Gallimard, 1998 ; Jean Vallier, *C'était Marguerite Duras*, Paris, Fayard, 2006.

met à cet égard de donner à lire dans leur continuité des textes qui n'ont encore été cités que de façon partielle ; et d'établir, notamment, le fait qu'on n'y trouve pas à proprement parler de journal intime, bien que la rédaction suive de près les événements relatés dans *La Douleur*[1].

Ces cahiers ont pour Marguerite Duras elle-même un statut d'exception, et leur évocation intervient de manière récurrente dans son œuvre. Après en avoir publié certains extraits en revue en 1976[2], elle en fait mention dans *Les Yeux verts* en 1980[3] ; dans le préambule de *La Douleur*, elle va jusqu'à désigner « cette chose qu'[elle] ne sait pas encore nommer et qui [l]'épouvante quand [elle] la relit » comme « une des choses les plus importantes de [sa] vie ».

Nombre de récits publiés ici touchent, en effet, à des événements centraux, et très vraisemblablement fondateurs, de son existence (la mort de son premier enfant, celle de son frère ; ses activités dans la Résistance ; la déportation et le retour de Robert Antelme ; la naissance de son fils Jean...), et l'on y voit déjà se dessiner les figures primordiales

1. Si Marguerite Duras elle-même, dans son préambule, désigne son texte par le terme de « Journal », elle y écrit aussi qu'il « ne [lui] semble pas pensable de l'avoir écrit pendant l'attente de Robert L. ». Elle confie également à Marianne Alphant dans *Libération*, le 17 avril 1985 : « À mon avis, j'ai dû commencer à écrire *La Douleur* quand on est allé dans des maisons de repos pour déportés », c'est-à-dire plusieurs mois après le retour de Robert Antelme.

2. Cf. p. 413.

3. « J'ai envie que vous lisiez ce que je fais, de vous donner, à vous, des écrits frais, nouveaux, de frais désespoir, ceux de ma vie de maintenant. Le reste, les choses qui traînent dans les armoires bleues de ma chambre, de toutes façons elles seront publiées un jour, soit après ma mort soit avant, si une fois, de nouveau, je manque d'argent. » *Les Yeux verts*, « La Lettre », Paris, Petite bibliothèque des Cahiers du cinéma, 1996, p. 10.

de son œuvre (sa mère, ses frères, son premier amant...). On comprend aisément que ces textes occupent, à ses propres yeux, une place unique et capitale.

Mais c'est, de manière plus criante encore, d'un point de vue littéraire que ces textes sont précieux. Car si une grande part des *Cahiers* est faite d'ébauches reprises plus tard, ce ne sont ni de simples esquisses, ni d'imparfaits croquis : il est frappant de constater combien, par exemple, le travail réalisé par Marguerite Duras pour établir le texte de *La Douleur* est un travail de mise en forme qui n'attente ni à la linéarité du premier jet ni à la spontanéité vive, parfois brutale, qui fait toute la force du récit[1]. On trouve ainsi dans les *Cahiers* une fraîcheur et un rythme qui rappellent, de façon troublante, ceux des écrits les plus tardifs de l'auteur. Ainsi s'explique, sans doute, l'incrédulité que certains ont manifestée lors de la parution de *La Douleur*, et qui a tant blessé Marguerite Duras[2], au sujet de l'existence réelle de ces « cahiers des armoires bleues ».

À cette étonnante modernité stylistique s'ajoute l'entrelacement affiché de l'autobiographie et de la fiction, caractéristique de la dernière manière de Duras. Tandis que les romans qu'elle publie dans les décennies 1940-1950 restent d'une facture assez

1. Marguerite Duras évoque notamment son travail de réécriture dans son entretien avec Marianne Alphant : « Le texte du livre n'a pas été travaillé : il est jeté sur le papier pour plus tard l'écrire. Et puis, voyez, je ne l'ai pas écrit. Le principal de mon travail pour la publication a été d'enlever, par exemple ce qui avait trait à la religion, à Dieu. » *Libération*, 17 avril 1985.

2. Ainsi qu'elle le confie, notamment, à Luce Perrot dans l'entretien « Au-delà des pages » réalisé pour TF1 en 1988.

classique, où le parti pris fictionnel est manifeste, les *Cahiers de la guerre* révèlent une sensibilité qui appréhende d'emblée l'intime à travers un prisme littéraire. Cette intrication entre le réel et l'imaginaire culmine avec *L'Amant* — et ce n'est sans doute pas un hasard si le roman qui valut à son auteur la reconnaissance du plus large public mêle aussi, comme ces *Cahiers*, l'évocation de l'enfance à celle de la guerre. La parenté étroite entre ces deux périodes y est explicite : « Je vois la guerre sous les mêmes couleurs que mon enfance[1]. » Dans les brouillons de *L'Amant*, cette filiation est plus affirmée encore : « La guerre fait partie des souvenirs d'enfance. [...] Elle n'est pas à sa place dans le temps de ma vie, dans ma mémoire. L'enfance déborde sur la guerre. La guerre est un événement qu'il faut subir pendant toute sa durée. De même, l'enfance qui subit son état [...][2]. »

Aux yeux de Marguerite Duras, le temps de l'enfance et celui de la guerre ont donc ceci de commun qu'ils imposent l'expérience de la soumission, et poussent à une révolte dont l'écriture se fait l'instrument. On peut comprendre ainsi que l'évocation du passé, dans ces textes comme dans le reste de l'œuvre, ne soit jamais guidée par la fascination complaisante qui imprègne certains écrits autobiographiques. Le passé, loin de toute nostalgie, s'enracine au contraire dans le présent le plus actuel, faisant de l'enfance de l'écrivain « un temps inépuisable, inouï, qu'il [lui] semble ne jamais pouvoir mesurer ». Cette « enfance illimitée », suivant la belle expression par laquelle elle désigne l'atmosphère qui règne dans sa famille, anime ces *Cahiers*

1. *L'Amant*, Paris, Éditions de Minuit, 1984, p. 78.
2. Manuscrits de *L'Amant*, *in* Fonds Marguerite Duras / Imec.

dans leur imperfection même, comme elle donne souffle aux livres publiés.

C'est donc la rencontre avec des textes d'une actualité et d'une force évidentes qui a inspiré cette édition. Les *Cahiers de la guerre*, ni simples brouillons ni fragments épars, sont une expression de l'œuvre à l'état naissant ; de manière frappante, cttc matrice des écrits à venir contient l'architecture primitive de tout l'imaginaire durassien. Ces textes, qui provoquent chez le lecteur familier de l'écrivain un sentiment mêlé de découverte et de reconnaissance, constituent ainsi, incontestablement, un éclairage essentiel pour la lecture de l'œuvre de Marguerite Duras.

Une fois cette certitude acquise, demeurait la question de savoir de quelle manière rendre accessibles ces textes manuscrits, parfois morcelés ou difficiles à déchiffrer. Une possibilité, de prime abord séduisante, consistait à présenter la totalité de ces textes en fac-similés, accompagnés de leur transcription et d'un appareil de notes conséquent. Mais il est apparu que cette option pouvait dénaturer le texte à plusieurs égards : elle aurait fétichisé l'objet-manuscrit dans sa matérialité, en faisant courir à la lecture le risque de se concentrer sur la dimension esthétique et visuelle des cahiers au détriment de leur contenu. De plus, les dimensions nécessairement imposantes, et donc le coût, d'un tel ouvrage, auraient de fait limité son public à une assemblée restreinte de spécialistes et de fidèles, alors même que le texte est en soi d'une grande limpidité. À l'examen, s'est donc imposé un protocole éditorial qui privilégie la lisibilité ; il s'est agi d'établir le texte sans toutefois le rendre trop lisse, et sans faire oublier son statut de document d'archive, dont témoignent les deux cahiers d'illustrations.

La présentation finalement retenue s'oriente donc vers une lecture libre et continue, en même temps que les tables et l'index proposés en fin de volume permettent à ceux qui le souhaitent d'établir des passerelles entre ces textes, l'œuvre publiée et la biographie de Marguerite Duras.

Cette édition ayant délibérément écarté la présentation de notes explicatives, le lecteur pourra se reporter aux travaux biographiques existants pour toutes les précisions concernant les noms de personnes, de lieux, et les événements évoqués dans ces textes. L'ensemble des textes originaux étant par ailleurs consultable à l'Imec, les spécialistes pourront examiner de près, si nécessaire, le travail d'édition présenté ici[1]. Reste que nous avons cherché, avant tout, à respecter le statut intermédiaire des *Cahiers de la guerre*, à mi-chemin de l'œuvre assumée et du document d'archive ; c'est à ce point d'équilibre fragile que se tient, ici, l'enfance d'une œuvre.

SOPHIE BOGAERT
et OLIVIER CORPET

1. Imec, Abbaye d'Ardenne, 14280 Saint-Germain-la-Blanche-Herbe.
Voir www.imec-archives.com pour les modalités de consultation.

## *Note sur la transcription*

Sans autre parti pris de départ que celui de la fidélité au texte, la transcription des *Cahiers de la guerre* a imposé la nécessité de faire des choix et d'adopter certaines conventions.

Les textes sont transcrits dans leur continuité, à l'exception du quatrième cahier dont les feuillets épars ont été rassemblés thématiquement ; ils sont également présentés dans leur intégralité, à l'exception très rare des quelques fragments trop brefs ou illisibles, qui ont été supprimés. Les phrases inachevées (qui suivaient ou précédaient une page manquante, la plupart du temps) ont également été écartées.

Les crochets [ ] signalent toute intervention significative de notre part, c'est-à-dire soit lorsque le mot restait illisible, soit lorsqu'il était incertain, soit lorsqu'il était syntaxiquement nécessaire et manifestement oublié par l'auteur.

Par souci de lisibilité, nous avons enfin choisi de supprimer les ratures, et d'opter le cas échéant pour la correction de Marguerite Duras qui paraissait être la dernière (les seuls mots raturés qui ont été conservés sont ceux qui n'avaient pas été remplacés, et restaient indispensables au sens). La ponctuation a été très légèrement et occasionnellement modifiée : principalement, des virgules dans les phrases les plus longues ont été ajoutées, et des guillemets ou des tirets de dialogue lorsqu'ils faisaient évidemment défaut. Certains passages particulièrement compacts ont été aérés par des retours à la ligne. Les chiffres ont été écrits en toutes lettres ; enfin, les fautes d'orthographe ont été corrigées (accords, concordance des temps...).

# CAHIERS DE LA GUERRE

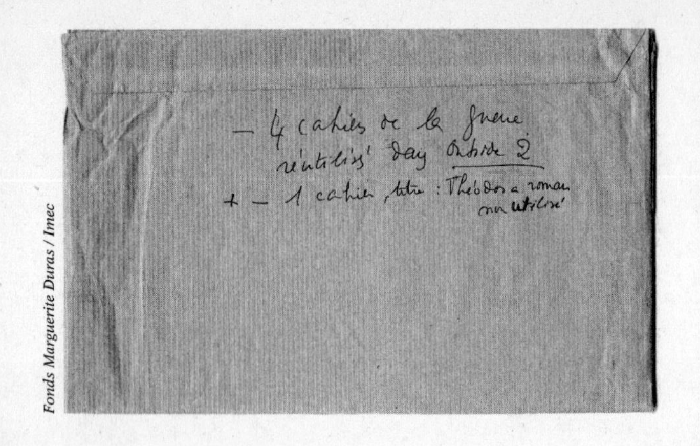


Fonds Marguerite Duras / Imec

*L'enveloppe qui contenait les quatre « cahiers de la guerre » et le cahier intitulé « Théodora, roman » (voir p. 153)*

*Les couvertures des quatre « cahiers de la guerre »*

*Fonds Marguerite Duras / Imec*

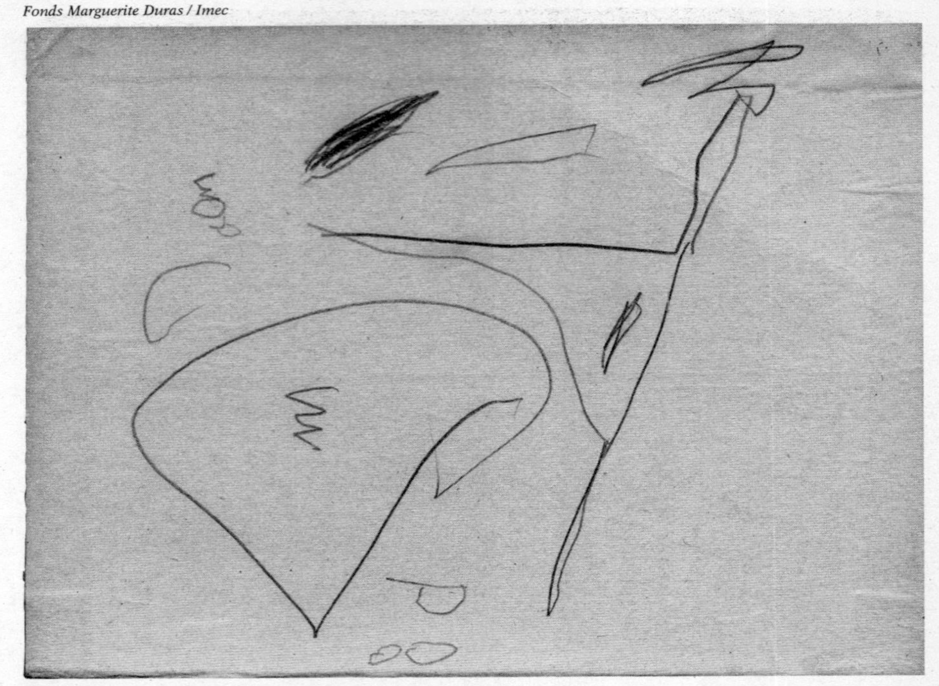

1

Ce fut sur le bac qui se trouve entre Sadec et Saï
que je rencontrai Léo pour la première fois. Je rentrais
à la pension de Saigon et quelqu'un (je ne sais plus qui) m'avait pris en charge
dans son auto en même temps que Léo. Léo était indigène
mais il s'habillait à la française, il parlait parfaitement le français
il revenait de Paris. Moi je n'avais pas quinze ans, je
n'avais été en France que tout jeune, je trouvais que Léo
était très élégant. Il avait un gros diamant au doigt et il
était habillé en tussor de soie grège. Je n'avais jamais vu
pareil diamant que sur des gens qui jusqu'ici ne m'avaient pas
remarquée et mes frères eux s'habillaient en cotonnade blanche.
Étant donné notre fortune il m'était à peu près inimaginable
qu'ils puissent un jour porter des complets de tussor.
Léo me dit que j'étais une jolie fille
— « Vous connaissez Paris ? »
Je dis que non en rougissant. Lui connaissait Paris.
Il habitait Sadec. Il y avait quelqu'un à Sadec qui
connaissait Paris, je ne le savais pas jusqu'alors. Léo me
fit la cour et mon émerveillement était immense.
Le docteur me déposa à la pension de Saï et Léo
se débrouillait pour me dire qu'il se reverrait. J'avais
compris qu'il était d'une richesse extraordinaire et j'étais
éblouie. Je ne répondis rien à Léo tant j'étais émue et
incertaine. Je rentrais chez Mlle C où j'étais en pension
avec trois autres femmes, deux professeurs et une fille de



*Première page et deuxième de couverture du « Cahier rose marbré » (p. 31-32). À gauche, un dessin d'enfant qui est probablement du fils de Marguerite Duras, Jean Mascolo.*

AB 30 Fait

empêcher. Parfois derrière l'allemand il y a Fresnay mais ça ne dure pas. Je suis fatiguée. La seule chose qui me fasse du bien c'est de m'appuyer la tête contre le panneau à gaz, contre la vitre de la fenêtre. Je ne peux plus porter ma tête. Mes jambes et mes bras sont lourds mais moins lourds que ma tête. Ce n'est plus une tête mais un abcès. La vitre fraîche dans une heure de ma tête. Je ferme les yeux. S'il revenait nous irions à la mer. C'est ce qui lui ferait le plus de plaisir. Je crois que de toutes façons je vais mourir. S'il revient je mourrai aussi. S'il sonnait : « Qui est là ? » – « Moi, Robert. » Tout ce que je pourrais faire c'est d'ouvrir ~~et~~ et puis mourir. S'il revient nous irons à la mer, ce sera l'été, le plein été. Entre le moment où j'ouvrirai la porte et celui où nous serons à la mer, je serai morte. Dans une espèce de survie je vois un océan vert, une plage un peu orange je sens une brise salée à l'intérieur de ma tête, je ne sais pas où il est au moment où je vois la mer mais il est. Quelque part sur terre il respire, je peux m'étendre sur la plage et me reposer. Quand il reviendra nous irons à la mer. C'est ce qui lui fera le plus plaisir. Il aime la mer. Et puis ça lui fera du bien. Il sera debout sur la plage et il regardera la mer, moi il me suffira de le regarder qui regarde la mer. Je ne demande rien pour moi. Du moment qu'il voit la mer, je la vois. La tête



*Page du Cahier « Presses du XX^e siècle » (p. 193-194)*

7

Ce n'est pas une douleur générale, c'est un ~~Chef~~ cadre, [illegible] on a des manières. Jour de deuil national : la France en deuil pour Roosevelt. ~~Le deuil du~~ peuple ne porte pas

— — — — —

Je n'en peux plus. Je me dis : il va arriver quelque chose ce n'est pas possible. Je devrais raconter cette attente en parlant de moi à la troisième personne. Je n'existe plus à côté de cette attente. Il n'y a pas plus d'images dans sa tête qu'il y a des images sur les routes d'Allemagne. Rafales de mitraillettes à chaque minute à l'intérieur de la tête. Mais je dure, elles ne tuent pas. Fusillé au cours de route, fusillé, fusillé. Mort le ventre vide. La faim, la faim tourne dans la tête. Il a [illegible] rien lui donner. Je peux tendre du pain dans le vide. Je ne sais même plus s'il a besoin de pain. S'il est mort, inutile. J'ai acheté du miel, du sucre, du riz, des pâtes. Je me dis : « S'il est mort, je brûlerai tout, [illegible]... » Mais rien ne peut diminuer la brûlure que me fait sa faim. On meurt d'un cancer, d'un accident d'automobile. On meurt aussi de faim, on se meurt de faim et on est achevé. Ce que la faim a fait a été achevé par une balle dans le crâne. Je voudrais pouvoir lui donner ma vie, je ne peux pas lui donner un morceau de pain. ~~[illegible]~~ Je ne peux plus, ça ne s'appelle pas penser. Tout est suspendu. Mme Bordes ne pense plus. Je suis Mme Bordes. Mme Bordes est moi-même. Nous sommes interchangeables : « Toutes les commères se disent des [illegible], des idioties, vous les avez dites... » Mme Bordes aussi. Il y a en ce moment des gens qui pensent. « Il faut penser l'événement. » D. me dit : « Il faudrait essayer de lire... On devrait pouvoir lire jusqu'à ce qu'il arrive... » J'ai essayé de lire. Je ne comprends plus rien. L'enchaînement des phrases [illegible]



Page du « Cahier de cent pages » (p. 206-207)

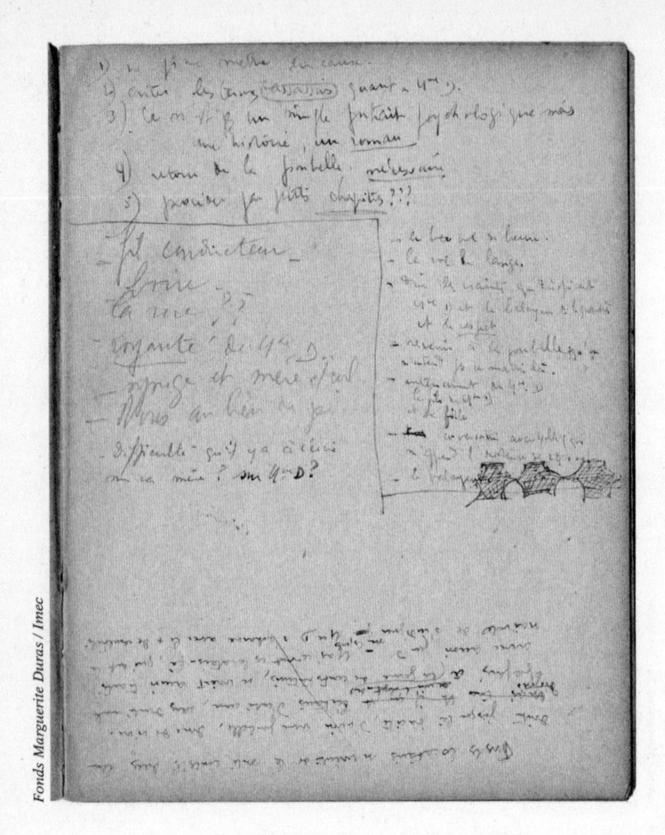



*Page du « Cahier beige » (p. 311-312)*

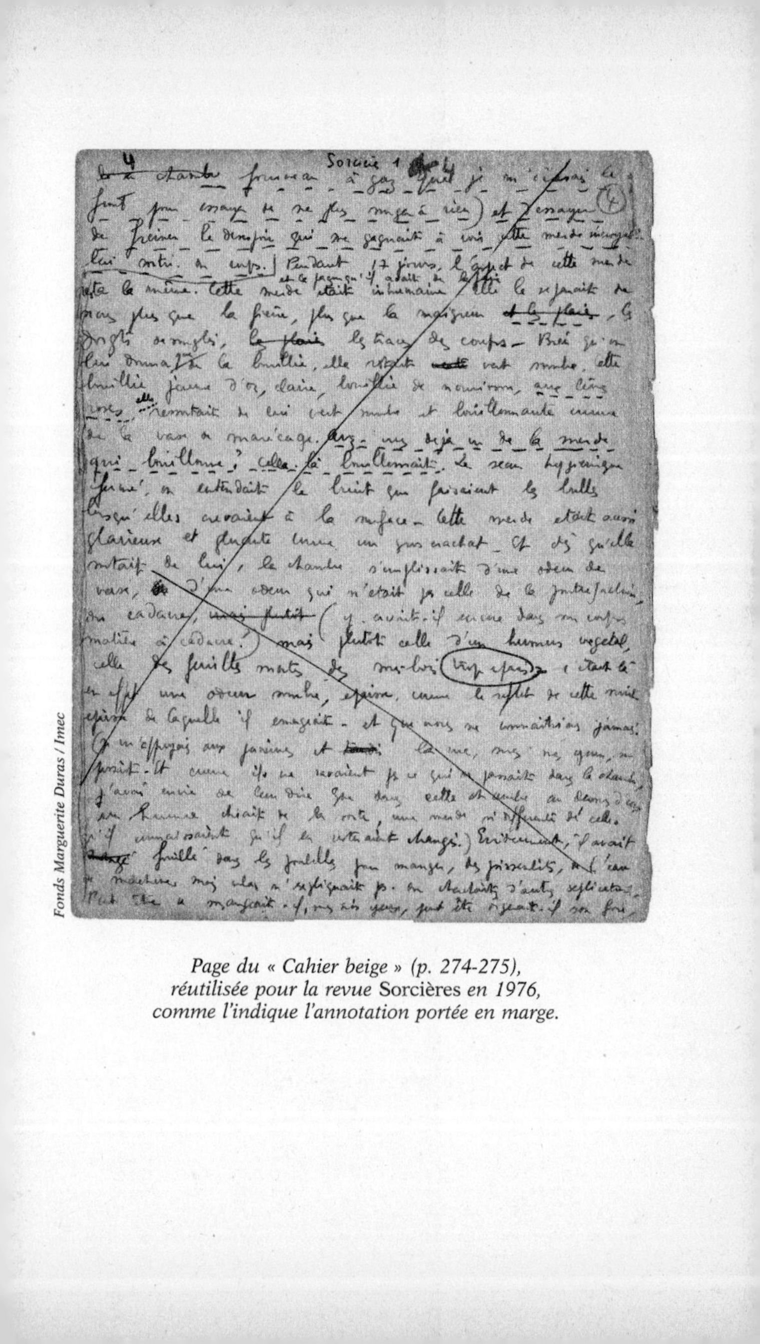

*Page du « Cahier beige » (p. 274-275),*
*réutilisée pour la revue* Sorcières *en 1976,*
*comme l'indique l'annotation portée en marge.*

# CAHIER ROSE MARBRÉ

Le premier des *Cahiers de la guerre*, baptisé « Cahier rose marbré », est le plus long des quatre. Ce cahier à la couverture en carton épais contient cent vingt-trois feuillets, dont une quinzaine est remplie par des dessins d'enfant (probablement ajoutés plus tard par le fils de Marguerite Duras, Jean Mascolo, né le 30 juin 1947).

Les repères chronologiques du texte indiquent que Marguerite Duras a commencé à le rédiger au cours de l'année 1943. Les soixante-dix premières pages sont occupées par un long récit autobiographique, centré sur les événements de l'enfance et de l'adolescence de l'auteur en Indochine (notamment la première version connue de sa relation avec celui qui deviendra « l'Amant »). Peu raturé et d'une écriture régulière, ce long passage paraît avoir été écrit de manière assez continue. Bien que le texte fasse parfois allusion aux réactions d'un potentiel lecteur, évoqué par un impersonnel « on », les seules motivations explicites de l'écriture sont personnelles : « Aucune autre raison ne me fait écrire [ces souvenirs], sinon cet instinct de déterrement. C'est très simple. Si je ne les écris pas, je les oublierai peu à peu » (p. 71). Certains épisodes se retrouveront pourtant, sous une forme parfois à peine modifiée, dans des œuvres publiées (la nouvelle *Le Boa*, et surtout *Un barrage contre le Pacifique*).

La suite du cahier est plus raturée et plus morcelée. Elle contient divers fragments d'*Un barrage contre le Pacifique* (où la première personne laisse progressivement la place aux personnages fictifs, Suzanne et Joseph), puis des textes réécrits et publiés dans le recueil *La Douleur*, sous le titre de « Ter le milicien » et d'« Albert des Capitales ». Dans la version publiée, les noms des personnages, notamment, sont changés : le personnage principal, « Théodora » (ou « Nano »), devient « Thérèse ». Dans le premier récit, « Albert » est désigné par l'initiale « D. » et « Jean » devient « Beaupain » ; dans le second, on retrouve « Albert » et « D. », initialement baptisés « Jean » et « Albert ».

Ce fut sur le bac qui se trouve entre Sadec et Saï que je rencontrai Léo pour la première fois. Je rentrais à la pension de Saigon et quelqu'un, je ne sais plus qui, m'avait pris en charge dans son auto en même temps que Léo. Léo était indigène mais il s'habillait à la française, il parlait parfaitement le français, il revenait de Paris. Moi je n'avais pas quinze ans, je n'avais été en France que fort jeune, je trouvais que Léo était très élégant. Il avait un gros diamant au doigt et il était habillé en tussor de soie grège. Je n'avais jamais vu pareil diamant que sur des gens qui jusqu'ici ne m'avaient pas remarquée, et mes frères, eux, s'habillaient en cotonnade blanche. Étant donné notre fortune, il m'était à peu près inimaginable qu'ils puissent un jour porter des complets de tussor.

Léo me dit que j'étais une jolie fille.

— Vous connaissez Paris ?

Je dis que non en rougissant. Lui connaissait Paris. Il habitait Sadec. Il y avait quelqu'un à Sadec qui connaissait Paris, je ne le savais pas jusqu'alors. Léo me fit la cour et mon émerveillement était immense. Le docteur me déposa à la pension de Saï, et Léo se débrouilla pour me dire qu'on « se reverrait ». J'avais compris qu'il était d'une richesse extraordinaire et j'étais éblouie. Je ne répondis rien à Léo tant j'étais émue et incertaine. Je rentrai chez Mlle C. où j'étais en pension avec trois autres personnes, deux professeurs et une fille de deux ans plus jeune que moi qui s'appelait Colette. Mlle C. prenait à ma mère à peu près le quart de son traitement d'institutrice, moyennant quoi elle lui garantissait une éducation accomplie. Seule Mlle C. savait que ma mère était institutrice, elle et moi le cachions soigneusement aux autres pensionnaires qui en auraient pris ombrage. La condition d'institutrice d'école indigène était si mal rétribuée qu'on la tenait en grand mépris. Moi-même, je le cachais soigneusement et autant que je le pouvais. En rentrant ce soir-là chez Mlle C., je tombai dans le désespoir — je me disais que Léo, qui habitait Sadec, ne saurait manquer d'apprendre la condition de ma mère, et qu'il ne pourrait que s'éloigner de moi. Je ne pouvais le dire à personne — surtout pas à Colette qui était fille d'un administrateur principal — ni à Mlle C. qui m'aurait renvoyée de chez elle, ce qui, je n'en doutais pas, aurait tué ma mère à bref délai. Mais je me consolai. Bien que Léo connût Paris et fût très riche, il était indigène et j'étais blanche ; peut-être s'accommoderait-il d'une fille d'institutrice.

Cette condition de fille d'institutrice m'avait valu des déboires au collège où je ne frayais qu'avec les filles des postiers et des douaniers, seules conditions équivalentes à celle d'institutrice d'école indigène. Mlle C. avait bien voulu m'accepter parce qu'elle était large d'idées, et que ma mère avait encore une grande réputation d'honnêteté. Cependant elle était à la fois plus dure et plus intime avec moi qu'elle ne l'était avec Colette. Ainsi, Mlle C. avait un cancer sous le sein gauche et ne le montrait qu'à moi dans toute la maison. Elle me le montrait en général le dimanche après-midi, lorsque tout le monde était sorti, après que nous avions goûté. La première fois où elle me le montra, je compris pourquoi il se dégageait de Mlle C. une telle puanteur — mais de ne le montrer qu'à moi dans toute la maison nous conférait une sorte de complicité, que j'attribuais à ma condition de fille d'institutrice. Cela ne m'offusquait pas, je le dis à ma mère qui tira quelque fierté de cette marque de confiance. La scène se passait dans la chambre de Mlle C. Elle découvrait son sein, s'approchait de la fenêtre et me le montrait. Je poussais la délicatesse jusqu'à contempler le cancer pendant deux ou trois bonnes minutes. « Tu vois ? » me disait Mlle C. Je disais : « Ah ! oui, c'est bien ça, je vois. » Mlle C. renfermait son sein, je recommençais à respirer, elle renfilait sa robe de dentelle noire et soupirait — alors je lui disais qu'elle était vieille et que ça n'avait plus d'importance, elle m'approuvait, se consolait et nous allions faire un tour au jardin botanique.

•

Ma mère avait obtenu du gouvernement général, au titre de veuve de fonctionnaire et à titre de fonctionnaire (elle enseignait depuis 1903 en Indochine), une concession de rizières située dans le Haut-Cambodge. Ces concessions se payaient alors en annuités très minimes, et ne revenaient à son bénéficiaire que si au bout de *x* années elles étaient mises en culture. Ma mère, après des démarches interminables, obtint une immense concession de huit cent cinquante hectares de terres et forêts dans un endroit perdu du Cambodge, entre la chaîne de l'Éléphant et la mer. Cette plantation se trouvait à soixante kilomètres de piste du premier poste français, mais cet inconvénient aurait été à la rigueur négligeable. Ma mère engagea une cinquantaine de domestiques qu'il fallut transplanter de Cochinchine et installer dans un « village » qu'il fallut construire entièrement en plein marécage, à deux kilomètres de la mer. Cette époque fut pour nous tous marquée par une joie intense. Ma mère avait attendu ce moment-là toute sa vie. Outre la construction du village, nous construisions une maison sur pilotis en bordure de la piste qui bordait notre plantation. Cette maison nous coûta en 1925 cinq mille piastres, somme énorme pour l'époque. Elle était bâtie sur pilotis à cause des inondations, entièrement en bois qu'il fallut couper, équarrir et mettre en planches sur place. Aucun des énormes inconvénients que cela pouvait présenter n'arrêta ma mère. Nous avons vécu six mois d'affilée à Banteaï-Prey (nom de la plantation), ma mère ayant obtenu de la Direction de l'Enseignement de Saigon une mise en disponibilité. Pendant la construction de notre maison, nous habitions, ma mère, mon jeune frère et moi, une paillote attenante à celle des domestiques « du haut » (le village étant situé à quatre heures de barque de la piste, donc de notre maison). Nous partagions complètement la vie de nos domestiques, à ceci près que ma mère et moi disposions d'un matelas pour la nuit. J'avais alors onze ans, et mon frère treize. Nous aurions été parfaitement heureux si la santé de notre mère n'avait pas flanché. L'énervement et la joie de nous voir si près d'être sortis d'affaire coïncida avec son retour d'âge qui fut particulièrement pénible. Ma mère eut alors deux ou trois crises d'épilepsie qui la laissaient dans une espèce de coma léthargique, qui pouvait se prolonger pendant une journée entière. Outre qu'il était impossible de trouver un médecin, le téléphone n'existant absolument pas à cette époque-là dans cette région du Cambodge, les crises de ma mère consternaient et apeuraient les domestiques indigènes qui chaque fois menaçaient de s'en aller. Ils avaient peur de ne pas être payés. Ils cernaient la paillote et s'asseyaient en silence sur les talus qui la bordaient pendant toute la journée que duraient ces crises. Dans la paillote, ma mère était couchée sans connaissance et râlait doucement. De temps en temps, mon frère ou moi en sortions pour dire aux domestiques que ma mère n'était pas morte, et les rassurer. Ils ne le croyaient que difficilement. Mon frère leur disait que même si notre mère mourait, il faisait le serment de les ramener en Cochinchine coûte que coûte, et qu'il les paierait. Mon frère, je l'ai dit, avait treize ans à cette époque-là ; il était déjà l'être le plus courageux que j'aie jamais rencontré. Il trouvait à la fois la force de me rassurer et me persuadait qu'il ne fallait pas pleurer devant les domestiques, que c'était inutile, que notre mère vivrait. Et effectivement, lorsque le soleil disparaissait de la vallée derrière les monts de l'Éléphant, notre mère reprenait connaissance. Ces crises avaient ceci de particulier qu'elles ne lui laissaient aucune trace et que ma mère, dès le lendemain, reprenait son activité coutumière.

La mise en culture de deux cents hectares de cette plantation dès la première année, jointe à la construction de notre maison, à celle du village, au transport et à l'aménagement des domestiques, absorba intégralement toutes les économies réalisées par ma mère en vingt-quatre ans de fonctionnariat. Mais cela nous était secondaire, car nous comptions bien que la première récolte nous dédommagerait à peu près complètement des dépenses d'installation. Ce calcul fait par ma mère, et révisé par elle durant des nuits et des nuits d'insomnie, devait s'avérer infaillible. Nous y croyions d'autant plus que ma mère « savait » que nous devions être millionnaires au bout de quatre ans. À cette époque-là, elle se tenait encore en communication avec mon père, mort depuis de longues années ; elle ne faisait rien sans lui demander conseil, et c'était lui qui lui « dictait » tous scs plans d'avenir. Ces « dictions », d'après elle, ne se faisaient que vers une heure du matin, ce qui justifiait les nuits de veille de ma mère et lui conférait à nos yeux un prestige fabuleux. La première récolte se solda par quelques sacs de paddy. Les huit cent cinquante hectares de terre accordés par le gouvernement général étaient des terres salées et inondées par la mer une partie de l'année. Toute la récolte « brûla » sur pied en une nuit de marée, à l'exception des quelques hectares qui entouraient la maison et qui se trouvaient assez éloignés de la mer. Dès qu'elle redescendit et que la rivière qui bordait notre plantation fut de nouveau praticable, nous allâmes voir nos deux cents hectares de riz brûlés par le sel — nous fîmes ainsi huit heures de barque aller et retour pour constater notre ruine totale. Mais le soir même, ma mère avait décidé d'emprunter trois cent mille francs pour construire des barrages qui mettraient définitivement nos rizières à l'abri des raz de marée. Nous ne pouvions hypothéquer notre plantation, étant donné qu'elle ne nous appartenait pas encore et que même dans cette éventualité, étant donné qu'elle était comprise dans des terrains alluvionnaires salés et régulièrement envahis par la mer, elle n'avait aucune espèce de valeur. Toutes les banques de crédit auxquelles ma mère s'adressa refusèrent formellement de lui prêter cette somme importante que nous ne pouvions gager sur rien. En fin de compte, ma mère s'adressa à un « chetty », c'est-à-dire à un usurier hindou, qui consentit à lui prêter cette somme moyennant une hypothèque sur son traitement d'institutrice. La chose ne put pas se faire à l'insu de la Direction générale de l'Enseignement, à notre grande honte à tous trois. Ma mère dut alors reprendre du service. Elle partait de Sadec où elle enseignait le vendredi soir, faisait huit cents kilomètres en auto et repartait dans la nuit du dimanche au lundi. L'intérêt que prenait le chetty était tel qu'à lui seul il absorbait à peu près le tiers du traitement de ma mère. Pendant tout le temps que durèrent ces tractations, ma mère ne se découragea jamais. La construction des barrages, qui devaient être géants, la plongeait dans une exaltation sans bornes. Nous étions très étroitement liés à elle et nous la partagions. Ma mère ne consulta aucun technicien afin de savoir si ces barrages seraient efficaces. Elle le croyait, elle agissait toujours en vertu d'une logique supérieure et incontrôlable. On fit venir plusieurs centaines d'ouvriers, et les barrages furent construits en saison sèche sous la surveillance de ma mère et de nous-mêmes. La majeure partie de l'argent prêté par le chetty y passa. Malheureusement les barrages furent rongés par les nuées de crabes qui s'enlisaient lors des marées — et lorsque la mer monta l'année d'après, les barrages construits en terre meuble, minée par les crabes, fondirent à peu près complètement.

Toute la récolte fut perdue une deuxième fois. Il était évident qu'on ne pouvait faire des barrages sans les étayer de pierres. Ma mère le comprit, elle ne put trouver des pierres et parla de mettre des troncs de palétuviers en quadrillé à la base des talus. Encore une fois elle avait trouvé. Les soirs où elle faisait de pareilles découvertes et où elle nous les communiquait sont parmi les plus beaux de ma vie. Sa propre ingéniosité la plongeait dans une extase si communicative que les quelques domestiques « du haut » qui nous restaient encore à la maison finissaient par la partager aussi. Ceux du bas, qui vivaient isolés de nous, ne restaient que parce que ma mère se montrait avec eux d'une générosité exorbitante. Ils étaient venus s'installer en fermiers, mais les rizières ne produisant à peu près rien, ma mère s'était vue dans l'obligation de les traiter en ouvriers — ce qui n'arrangeait pas nos affaires. Le système des palétuviers finit d'absorber ce que le chetty avait prêté. Il n'était pas si mauvais, une partie des talus tint bon, l'autre s'effondra. Les quarante hectares de rizières que maman baptisait « d'essai concluant » faisaient sa joie et son orgueil. La récolte poussa et nous allions la voir chaque samedi. Hélas, lorsqu'il s'agit de faire la récolte, nous fûmes une fois de plus déçus. Les domestiques du village, s'étant concertés, la firent en cachette, et prirent la mer pour rejoindre la Cochinchine — avec le seul paddy que nous avions jamais été capables de récolter en trois ans. Une fois de plus, ma mère en prit son parti. La construction des barrages l'avait tenue en haleine pendant trois ans. Le fait qu'une partie de ceux-ci avait tenu la récompensait largement. La pureté d'âme de ma mère n'avait d'égal que son désintéressement. Elle se lassa des barrages et voulut ignorer que l'année d'après, ceux mêmes qui avaient réussi à tenir s'écroulèrent à leur tour. Néanmoins, par la suite, elle continua à faire semer chaque année quelques hectares à titre d'essai. Elle prétendait que la mer ne saurait tarder à se retirer de ses rizières et qu'elle serait récompensée de ses efforts. L'échéance de nos millions était plus lointaine, mais non moins certaine, d'après elle. Parfois nous doutions qu'un terrain alluvionnaire pût se combler en si peu d'années, mais ma mère nous rassurait. Elle avait ainsi des certitudes sentimentales que nous partagions encore.

Nous étions complètement ruinés. Ma mère délaissa la plantation, plus ou moins, et s'ingénia à payer les chettys. Elle s'occupa alors de moi et se décida à me faire faire des études, elle mit autant d'acharnement dans ce projet qu'elle en avait mis à la construction des barrages et à celle de la maison. Elle ne s'occupa pas de mon frère, qu'elle disait inintelligent, et m'entreprit. Elle me jugeait plus apte aux études que lui, mais ce n'était pas sans un certain mépris. Mon frère non plus. Mon frère me disait : « Moi qui ne suis pas intelligent, je resterai aux plantations », ou encore : « Moi qui n'ai pas ton intelligence, je ne mérite pas les sacrifices que maman fait pour toi. » Il était sincère. Il me disait encore : « Il faut bien que je reste à Sadec pour te permettre de faire des études. » Il resta à Sadec. L'humilité de mon frère était pour moi un motif de tristesse constant. Ma mère avait décidé qu'il était dénué d'intelligence, et il s'accommodait de cette condition de « déclassé » avec simplicité. De même, ma mère avait décidé que j'étais faite pour les études. Les notes que j'obtenais au lycée étaient catastrophiques, jusqu'en première j'étais exactement dernière en toutes les matières, mais de temps en temps il arrivait qu'en français j'obtinsse une note convenable — alors ma mère pleurait de joie et elle se disait être récompensée de ses sacrifices. Elle venait souvent me voir au début chez Mlle C. avec mon frère, dans notre vieille Citroën. Mais étant donné qu'ils vivaient alors grâce à des tours de force incroyables de ma mère, leurs visites se firent rapidement plus rares. C'est alors qu'il m'arrivait d'aller à Sadec par mes propres moyens, et de partir le samedi par le car que les Français n'empruntaient jamais, parce qu'il mettait huit heures pour faire un trajet qui normalement en demandait quatre. C'est ainsi que je profitais parfois d'occasions de retour, et qu'au cours de l'une d'entre elles je rencontrai Léo.

Le lendemain de mon arrivée chez Mlle C. après cette rencontre, j'entendis à l'heure de la sieste un grand coup de klaxon. C'était Léo. J'étais avec Colette, je n'osai pas sortir sur le balcon. Trente-cinq fois de suite Léo passa dans sa voiture. Il ralentissait devant la maison mais n'osa pas s'arrêter. Je ne parus pas au balcon. Personne ne songea à regarder, il faut croire que j'attendais Léo et que j'étais particulièrement sensible aux bruits de la rue. D'ailleurs, j'étais assez humiliée en pensant que Léo se donnait tant de mal pour me plaire. Néanmoins je m'habillai le mieux que je pouvais et à deux heures, je descendis pour aller au lycée. Léo m'attendait sur le parcours, appuyé à la portière de son auto, toujours vêtu d'un costume en tussor grège. Il vint à ma rencontre et me dit : « C'est pas facile de vous rencontrer. » Il me pria de monter dans son auto. L'auto de Léo exerçait sur moi une vraie fascination. Aussitôt montée, je demandai de quelle marque elle était et combien elle coûtait. Léo me dit que c'était une « Morris Léon-Bollée » et qu'elle coûtait sept mille piastres. Je pensai à notre Citroën qui avait coûté quatre cents piastres, et que ma mère avait payée en trois fois. Léo me dit aussi que ce n'était pas sa seule auto, qu'il en avait une autre aussi belle que celle-ci mais torpédo, que c'était également une Morris Léon-Bollée, que c'était sa marque préférée. Léo avait l'air très heureux que nous nous engagions dans une conversation aussi aisée. Il me demanda où je voulais qu'il me conduise. « Au lycée, dis-je, je suis en retard. » En termes jolis et choisis, Léo me demanda si je ne voulais pas faire un tour, je dis que non. Il me conduisit devant le portail du collège et me demanda la permission de venir me chercher le soir même. Il vint le soir et revint le lendemain et les jours qui suivirent. J'étais si fière de son auto que je comptais bien qu'on la verrait, et je faisais exprès d'y rester de crainte de passer inaperçue aux yeux de mes camarades. J'étais alors sûre que de disposer d'une telle auto ne saurait manquer d'intriguer, et que je pourrais alors frayer avec les filles des hauts fonctionnaires indochinois. Aucune d'entre elles ne disposait d'une pareille limousine avec chauffeur en livrée, limousine noire et verte, commandée spécialement à Paris, de dimensions impressionnantes, d'un goût aussi royal. Malheureusement Léo était annamite, malgré sa merveilleuse auto. Celle-ci m'éblouit à un tel point que j'oubliai cet inconvénient. Mes camarades du lycée s'éloignèrent définitivement de moi. Les seuls qui me voyaient jusqu'alors n'osèrent plus se compromettre en ma compagnie. Je n'avais pas d'amies et cela ne me frappa pas outre mesure. Je continuai à voir Léo pendant plusieurs semaines. Je m'arrangeais toujours pour le faire parler de sa fortune. Il avait à peu près cinquante millions d'immeubles disséminés dans toute la Cochinchine, il était fils unique, il disposait d'un argent considérable. Les chiffres par lesquels s'évaluait la fortune de Léo me confondaient, j'en rêvais la nuit et j'y pensais sans cesse le jour. Ils n'avaient aucun rapport avec ceux que j'avais entendus jusqu'ici chez moi. Du plus loin que je me souvienne, j'ai su que ma mère manquait d'argent. Son seul souci était d'en gagner, bien que son humeur aventureuse lui ait fait prendre bien souvent des moyens très détournés pour y arriver. Peu importe, ma mère nous avait inculqué un sentiment quasi sacré de l'argent. Sans lui, on était malheureux. Sans lui, la vertu ne « passait » pas et l'innocence était condamnable. Ma mère était persuadée que si elle réussissait à gagner de l'argent, il s'ensuivrait une série de conséquences heureuses.

— Il y a des institutrices d'école indigène dont les filles sont mariées à des banquiers. Ça existe, croyez-moi, j'en connais. Mais ce sont celles qui ont réussi à leur faire des dots.

Au moment où je connus Léo, nous n'arrivions à vivre et à régler les chettys qu'en vendant chaque mois ce qui nous restait de bijoux et de meubles. Nous le faisions en cachette. Nous revendions nos bijoux à des bijoutiers indigènes dans le plus grand secret. « Si on l'apprend, nous sommes déshonorés », disait ma mère. Elle avait néanmoins conservé notre vieille gouvernante et le cuisinier, car si on avait su à Sadec que ma mère faisait sa cuisine, personne n'aurait consenti à nous voir. Or maman se devait de faire et de recevoir quelques visites officielles. Ma mère ne jugeait d'ailleurs pas, elle n'en avait ni le goût ni le loisir. Je ne l'ai jamais entendue se révolter contre la primauté de l'argent sur toutes les autres valeurs dans le monde colonial indochinois. À ce moment-là, les fortunes poussaient comme des champignons en Indochine. Les planteurs de caoutchouc déferlaient sur la colonie et gagnaient des millions. Saigon était une des villes les plus riches et les plus corrompues de l'Extrême-

Orient. La hiérarchie la plus stricte y régnait, basée sur la fortune et ses signes extérieurs. Les planteurs venaient en tête, et ensuite les corps des hauts fonctionnaires indochinois. La concussion était admise et organisée, et nous facilitait l'accès de la haute société — ainsi tel douanier qui avait réussi à passer trois millions d'opium en contrebande se voyait peu après reçu chez l'administrateur du poste. Le corps des hauts fonctionnaires annamites achetait à prix d'or (tarifé) des distinctions honorifiques. Tout le monde savait que la Légion d'honneur valait dix-huit mille piastres.

Si ces considérations débordent le cadre de mon récit, elles s'y rattachent par le fait même que nous n'avions jamais accès à cette société, et que l'humilité native de ma mère l'a toujours portée à désirer y rentrer coûte que coûte et par tous les moyens. J'oublie de dire que parmi les Français de la colonie, l'annamitophobie faisait loi. Quelques très rares Annamites frayaient avec les Français. Un fonctionnaire annamitophile était en principe condamné à ne jamais « avancer ». Nous étions, du fait de la condition de ma mère, au dernier échelon de l'échelle des fonctionnaires. On disait de ma mère qu'elle avait du mérite, mais elle n'était reçue nulle part. Les seuls amis que nous avions étaient soit postiers, soit douaniers, soit membres, comme elle, de l'enseignement primaire. Le fait même que ma mère n'avait jamais quitté la colonie et qu'elle y comptait de nombreux amis annamites achevait de la déconsidérer auprès des Français. Sur ce point, ma mère était particulièrement indécise et incertaine.

Je ne veux pas m'embarquer dans une peinture de l'Indochine en 1930, mais avant tout parler de ce que fut ma jeunesse. Ma mère était incertaine de par sa nature, et non tant des conditions et conventions extérieures. Ainsi, quand la question se posa plus tard de me marier à Léo, ma mère hésita parce qu'il était indigène et que cela achèverait cette déconsidération dont elle souffrait avec tant de simplicité. L'important c'est qu'elle hésita — bien que sachant, au fond, que ç'aurait été jugé par n'importe qui parfaitement inadmissible.

Nous souffrions beaucoup de notre pauvreté et notre misère était de la cacher. À la plantation, où nous vivions parfaitement isolés, elle passait encore. À Sadec, il fallait empêcher par tous les moyens que les soixante Français du poste apprennent quoi que ce soit de notre situation. Ainsi ma mère allait, la veille du premier de chaque mois, remettre au chetty le tiers de sa solde en paiement des intérêts, elle y allait en cachette et à la nuit tombée. Plusieurs fois, elle ne put le faire, je ne sais plus pourquoi. Les chettys vinrent alors chez nous. Ils prirent place au salon et attendirent. Plusieurs fois maman pleura devant eux en les suppliant de s'en aller, parce que les domestiques pouvaient les voir. Les chettys ne partaient pas. Ils restaient, silencieux. Ils savaient qu'ils n'avaient qu'à se montrer, que pour une Blanche c'était la pire des hontes que d'emprunter à des chettys. Finalement maman leur jetait l'argent à la figure. Ils s'en emparaient et s'en allaient en souriant.

Dans ces cas-là je m'enfermais dans une chambre de la maison et maman était obligée de venir m'y chercher. En général une correction en règle s'ensuivait. Maman me battait souvent et c'était en général lorsque « ses nerfs la lâchaient », elle ne pouvait faire autrement. Comme j'étais la plus petite de ses enfants et la plus maniable, c'était moi que maman battait le plus. Elle me faisait valser avec légèreté et me donnait des coups avec un bâton. La colère lui faisait monter le sang à la tête et elle parlait de mourir de congestion. Alors la peur de la perdre l'emportait toujours sur ma révolte. J'étais toujours d'accord sur les motifs qui faisaient que maman me battait, mais pas sur les moyens. Je trouvais radicalement dégoûtant et inesthétique l'emploi du bâton, dangereux les coups sur la tête. Mais les gifles qui marquaient mes joues faisaient mon désespoir — surtout lorsque je connus Léo auquel il m'était impossible d'avouer « ce qui se passait à la maison ». Je savais qu'il ne comprendrait pas, qu'il n'adhérerait jamais à l'attitude de maman à mon égard, or j'étais profondément d'accord avec elle et n'aurais pu supporter que quiconque, même Léo, la blâmât.

J'aurai à revenir sur les coups. J'en ai vraiment reçu de très nombreux. Quand j'eus quatorze ans, peu avant que je connusse Léo, mon frère aîné qui faisait des études en France revint en Indochine. En vertu d'une étrange émulation, lui aussi prit l'habitude de me battre. C'était à qui me battrait. Quand maman ne me battait pas de la façon qui lui convenait, il lui disait : « Attends », et la relayait. Mais elle le regrettait vite, parce que chaque fois elle pensait que je resterais sur le carreau. Elle poussait des hurlements épouvantables mais mon frère s'arrêtait difficilement. Un jour il changea sa tactique et m'envoya rouler contre le piano, ma tempe heurta un coin de meuble et je me relevai avec peine. La peur de ma mère fut telle qu'elle vécut par la suite dans la hantise de ces batailles. La force herculéenne de mon frère (qui, pour comble de mon malheur, avait une hypertrophie musculaire des biceps) en imposait à ma mère, et par contraste sans doute, lui donnait plus encore envie de me battre. J'étais très petite et maigre et n'avais nullement l'allure superbement sportive de mes deux frères. Dans ses bons moments, ma mère me disait : « Toi, t'es ma petite misère. » Ces marques de tendresse, qui révélaient que ma mère m'aimait pour ces raisons mêmes qui l'indisposaient si souvent à mon égard, avaient un prix infini — d'autant plus qu'elles étaient fort rares. Avec l'arrivée de mon frère à la maison coïncida celle des injures et de la grossièreté. Nous avions été jusque-là polis par ignorance. Mon frère aîné revenait de France avec un bagage (il n'avait que celui-là, car quatre ans d'études chez un précepteur prêtre ne lui avaient pas permis à dix-huit ans de passer son bachot) d'injures nouvelles, qui tombait à propos dans une maison où l'énervement atteignait un comble. Ma naïveté peut paraître exagérée, mais elle n'était pas moins réelle. Lorsque mon frère me battait et me traitait de « sale morpion », j'ignorais tout du sens de ce mot, et en toute vérité je ne l'ai appris que des années plus tard, n'ayant jamais eu l'occasion dans ma jeunesse de le savoir. Ce qui ne signifie pas que je ne ressentais pas l'injure « morpion », je la ressentais au contraire d'autant plus violemment que je confondais à peu près *microbe* et *morpion*, ce qui faisait que je me révoltais d'autant plus d'être battue à cause de mon exiguïté que je n'y pouvais rien. Mon frère battait en insultant. Ses injures habituelles, outre morpion, étaient « espèce de fumier », « tu n'es même pas digne qu'on te crache dessus », « ordure », et « sale pute », qui resta également un mystère pour moi, mais que je recevais je ne sais pourquoi (peut-être à cause de la consonance obscène du mot pute) en plein cœur. « Salope » me semblait particulièrement inadmissible — beaucoup plus que « saloperie » dont je croyais que c'était le diminutif de « salope ». L'injure « pourriture » me touchait dans la conscience et me troublait, surtout quand je connus Léo, parce que c'était à l'occasion des relations que j'avais avec lui que mon frère me les envoyait, de même que « serpent qui cache son jeu » et « venin du serpent » qui, quoique plus intellectuels, me paraissaient plus perfides. « Merdeuse », « sale cul », « sale con » ou « chienne » n'impliquaient pas les coups à l'appui, ils étaient passés dans le langage courant. Il y en avait d'autres et ma tristesse est grande de ne pas m'en souvenir. Je ne peux les entendre sans qu'il me monte jusque dans l'âme le goût même de ma jeunesse, elles ont le nimbe des étés passés à jamais, des colères vives et crues de mes quinze ans. Je les recevais avec une gravité qui peut faire sourire, mais que je ne retrouverai plus à l'occasion de rien de ce qu'on peut me dire. J'y croyais. Je n'y crois plus. J'en souffrais comme une damnée. Même Léo, à qui je me confiais au sujet de mon frère, n'arrivait pas à comprendre comment je pouvais tant en souffrir.

La différence entre les coups de ma mère et ceux de mon frère, c'est que ceux-ci faisaient beaucoup plus mal, et que je ne les admettais en aucune façon. Chaque fois, il arrivait un moment où je croyais que mon frère allait me tuer et où je n'éprouvais plus de colère, mais la peur que ma tête se détache de mon corps et aille rouler par terre, ou aussi d'en rester folle. Lorsque mon frère se mit à l'opium, sa violence augmenta encore, je ne pouvais alors lui adresser la parole sans qu'il me tombe dessus. Alors qu'il avait trop fumé, il battait avec art — lentement, attendant après chaque coup afin de jouir pleinement de l'effet. Il battait aussi mon frère au début, mais l'opium l'ayant un peu fatigué, il avait de moins en moins le dessus, il n'osa plus.

On peut se demander pourquoi mon frère me traitait de la sorte. Je me le demande aussi. Les raisons me fuient de la tête dès que je les entrevois. Il me battait parce qu'il ne pouvait pas me souffrir. Ma mère non plus ne pouvait pas me souffrir, bien qu'elle m'aimât d'un amour profond. Je constate qu'au lycée je n'avais pas d'amis non plus, et que j'étais antipathique aux filles de ma classe et même à la plupart des garçons. Lorsque par la suite ma mère me retira de chez Mlle C. et qu'elle me mit dans un pensionnat d'État, j'étais la bête noire des surveillantes et de la plupart des élèves (il est vrai que j'y comptais aussi une amie, Hélène, ainsi que trois autres amies qui me vouèrent une espèce d'adoration équivoque, mais très loin de l'amitié vraie). Dans ce temps-là je ne cherchais pas à comprendre, je subissais la chose comme une fatalité. Elle ne m'attristait pas. J'étais détestable comme les autres étaient aimables ; j'étais aussi indifférente à la plupart des jeunes filles de mon âge qu'elles ne m'étaient des objets de curiosité car avant d'entrer au lycée, avant quinze ans, je n'avais exactement jamais fréquenté de jeunes Françaises. Il y avait des raisons précises à cette antipathie et à cette indifférence. Tout d'abord une espèce de sauvagerie bien compréhensible, que j'essayais de masquer par une arrogance, sinon une méchanceté certaine. Je n'étais jamais aimable avec personne. L'amabilité, terre inconnue. Quand j'arrivai dans la société blanche de Saigon, j'y découvris l'amabilité. Je la croyais l'apanage de la richesse et du bonheur. Jamais il ne me vint à l'esprit de sourire. Je n'avais jamais eu de plaisir qu'avec ma mère et mes frères, et à la maison on ne connaissait que le fou rire, le sourire était banni de nos relations. Nous étions pudiques et durs les uns avec les autres, nous nous adressions la parole pour nous insulter ou pour nous renseigner sur certaines choses strictement matérielles. Le bavardage était inconnu à la maison, sauf certains soirs de liesse générale comme il y en a dans toutes les familles, mais qui dans la mienne prenaient une allure orgiaque, sans doute parce qu'ils arrivaient après des mois de silence. Et ce bavardage, en fait, n'en était pas. Le principal était de rigoler, parce qu'on n'en pouvait plus de ne pas rigoler. Alors on pouvait rire de tout, on est même allés jusqu'à faire de l'histoire de notre plantation une irrésistible farce. Et cela pour les besoins de la cause. « C'est à se taper le derrière par terre, l'histoire de nos barrages, disait mon frère aîné. Je ne connais rien de plus marrant. Tout s'est mis contre nous, même les crabes qui nous les ont bouffés, il y a que maman qui a des idées pareilles. » Dans ces soirs-là je suis sûre que nous atteignions tous le ravissement le plus pur. On avait tout perdu mais on se marrait formidablement (il n'y a pas d'autre mot) d'avoir tout perdu.

Or, lorsque j'arrivai à Saigon, je ne pensais pas à changer. Je me souviens de la corvée douloureuse que représentait pour moi le serrement de mains de mes camarades. Pendant les trois ans que je restai au lycée, je ne m'y suis pas faite. J'y mettais une sécheresse involontaire, de même que je ne pouvais répondre aux interrogations des professeurs que d'une façon arrogante. J'ai eu un professeur d'anglais qui me prit en grippe jusqu'à éprouver un vrai malaise à ma vue, il ne *pouvait* plus me voir, et contrairement à l'usage en cours dans les écoles mixtes, il me mit au dernier rang de la classe en prétextant ma nullité en anglais. En pension, il m'est arrivé de

« faire tomber malade » une surveillante par ma seule présence à l'étude et au dortoir. Elle ne pouvait me parler sans éprouver des étouffements. Pourtant je n'étais pas dissipée, et étant indifférente ou antipathique à la plupart des autres élèves, je n'aurais pu les dissiper.

Si j'insiste sur cet aspect de mes relations avec les autres (tant avec ma famille qu'avec mes camarades de classe), c'est qu'il a son importance — et qu'il m'a marquée pour de longues années. Je vivais dans un état de culpabilité à peu près constant — ce qui ne faisait qu'ajouter à mon arrogance et à ma méchanceté, car j'avais l'orgueil de ne jamais m'en attrister. Un seul être, avant Léo, s'intéressa à moi. C'était un des cancres de la classe, un métis. Je ne lui permettais pas de me toucher parce qu'il avait des dents pourries. Il était l'objet d'un mépris général. Son père tenait un magasin dans les quartiers chinois, il avait plus de vingt ans quand il était en troisième tant il avait redoublé de classes. Nous étions tous les deux au fond de la classe en cours d'anglais et régulièrement, il me demandait la bague que je portais au doigt ; je la lui donnais, il la tenait serrée dans sa main en disant qu'elle était encore chaude de ma chaleur, il la portait à sa bouche, l'embrassait et fermait les yeux, il respirait très fort et je craignais chaque fois qu'il n'avale la bague. Je le regardais avec curiosité, je ne savais pas de quoi il parlait lorsqu'il me disait qu'il était excité à cause de la bague. Cet être était une calamité. Je ne pouvais pas le voir parce qu'il incarnait l'espèce que je voulais fuir — l'espèce pauvre et méprisée à laquelle j'appartenais ; il me poursuivit comme un sort pendant plus d'un an. Il y avait alors au collège de Saigon des fils de planteurs ou de gouverneurs qui disposaient de leur auto personnelle, et qui traversaient la cour des filles avec des jeux de raquettes sous le bras et qui arrivaient avec « leur » fille. Il y en avait qui étaient beaux parmi ceux-là. Je me cachais et je les regardais venir. Leur vue me faisait souffrir, parce que je savais d'avance qu'ils ne m'emmèneraient jamais dans leur auto. Je les contemplais comme des objets de vitrine, parfois je rêvais que l'un d'eux me remarquait et je me réveillais en pleurant.

Je crois que je manquais du moindre charme à un point inimaginable — d'autant plus que ma mère m'accoutrait à sa façon qui devait retarder de dix ans sur la mode en cours. Contrairement aux autres jeunes filles qui portaient des chapeaux de paille, j'étais affublée d'un casque colonial à larges bords ronds qui devait m'abriter aussi bien la nuque que les épaules. C'était un modèle d'un calibre impressionnant que ma mère avait commandé spécialement pour la vie à la plantation, et que je traînai pendant des années. Lorsque enfin je réussis à le perdre (il tomba dans un fleuve lors du passage d'un bac), ma mère m'acheta un feutre d'homme, qui à l'origine était bois de rose et qui devint par la suite d'un jaune marbré de vert. Tout le monde alors portait des sandales blanches. Ma mère, elle, m'accablait d'escarpins noirs vernis dans lesquels j'étais pieds nus. Les robes que je portais étaient régulièrement faites sur les indications de ma mère par notre gouvernante annamite. Elles étaient strictement les mêmes que celles que je portais à onze ou douze ans, on défaisait les ourlets à mesure que je grandissais, et le tour était joué. Ces robes étaient si vastes (« Soyons pratiques avant tout », disait maman) qu'à quinze ans elles m'allaient encore. Elles étaient en général en tissu indigène ou japonais et ma mère, par mesure d'hygiène, les faisait lessiver, ce qui faisait qu'en très peu de temps elles déteignaient complètement. Je me souviens d'une robe en cotonnade (coutures aux épaules et sur les côtés : modèle observé pendant seize ans de ma vie) bleu vif dont le motif représentait une branche de cerisier fleurie qui s'étalait de mon épaule droite à mon genou gauche, et sur laquelle se déployait à hauteur de ma taille un énorme oiseau rose vif en position d'envol — ce motif se répétait en sens inverse dans le dos. Si je me souviens de cette robe, c'est que je doutais qu'elle fût de bon goût, il me semblait que le tissu dont elle était faite aurait plutôt convenu à un paravent. Ma mère m'affirma péremptoirement qu'elle était admirable et je la crus. Il est vrai qu'elle-même s'habillait de façon à peu près analogue, et qu'elle était célèbre (je ne le sus que bien après) dans toute la Cochinchine par la façon assez unique dont elle s'habillait. Je croyais en ma mère à l'égal de Dieu. Si une robe lui plaisait, je crois bien que je l'aurais portée avec fierté sous les risées du monde entier. J'oublie de dire que lorsque je rencontrai Léo, je portais entre autres le feutre d'homme bois de rose que maman affectionnait particulièrement et dont elle me coiffait elle-même d'une façon assez inattendue, penché sur le côté, et qui rappelait celle des cow-boys des films américains de 1900. Léo mit un bon mois pour essayer de me faire comprendre par des allusions de plus en plus directes (et pour cause) que ce chapeau ne convenait pas à une jeune fille. Mais la foi que j'avais dans le bon goût de ma mère était telle que, bien que je n'eusse jamais vu quiconque porter un chapeau pareil, et bien que Léo finît par me dire carrément qu'il l'indisposait, je le portais quand même, en cachette de Léo et sous les yeux et à la barbe de tout le lycée.

Outre que je manquais de charme et que j'étais habillée d'une façon dont il est difficile de rendre le ridicule, je ne me distinguais pas par la beauté. J'étais petite et assez mal faite, maigre, criblée de taches de rousseur, accablée de deux nattes rousses qui me tombaient jusqu'à moitié des cuisses (je dis nattes et ce serait *câbles* qui conviendrait tant ma mère serrait et tirait mes cheveux), j'étais brûlée par le soleil car à la plantation nous vivions à peu près toujours dehors (et à ce moment-là, la mode était à la peau blanche à Saigon). Mes traits, assez réguliers, auraient pu passer pour beaux mais l'expression ingrate, taciturne et butée de mon visage les dénaturait complètement et on ne les remarquait pas. J'avais un mauvais regard que ma mère qualifiait de « venimeux ». Pour tout dire, lorsque je retrouve des photos de cette époque-là, je cherche en vain une douceur sur mes traits, une mollesse. Les rares amis de ma mère lui disaient que je deviendrais jolie — que j'avais de beaux yeux mais qu'il fallait que je porte des lunettes parce que j'avais sûrement quelque chose, que mon regard n'était pas naturel. Déjà, toute petite, ce regard avait provoqué des remarques de la part de la femme de l'administrateur du poste de Vinh Long où ma mère enseignait alors. Je m'étais retournée sur elle à la messe et mon regard l'avait paraît-il « effrayée ». Par bonté d'âme, elle dit à ma mère qu'il fallait s'occuper de mes yeux. Ma mère ne s'en occupa jamais, elle savait que je n'avais rien aux yeux, elle, elle prétendait que si j'avais un regard venimeux il était aussi intelligent — elle me disait aussi que j'étais très jolie, elle me le disait en cachette : « Ne t'en fais pas, tu es fichtrement jolie. » Je ne m'en faisais pas. Je crois que ma mère essayait de se persuader elle-même qu'elle avait une jolie fille. Mon frère aîné, au contraire, affirmait péremptoirement : « À part moi c'est des ratés tes enfants. » Il est vrai qu'il était d'une beauté assez étonnante ; je ne le dis pas à la légère, un mois après son arrivée en Cochinchine, il passait pour le plus bel homme de la colonie. Mon frère avait ceci de particulier qu'il ne pouvait pas parler d'une femme qu'il trouvait jolie sans ajouter à mon intention : « Tu pcux courir », ou à celle de ma mère : « Ta fille peut toujours courir. » Quelquefois il se regardait devant la glace et m'appelait : « T'as déjà vu une bouche comme ça ? » me demandait-il en désignant la sienne. Je répondais prudemment que ça pouvait peut-être se trouver en cherchant bien. « Merdeuse, me disait mon frère, tu peux courir... »

Rien ne peinait plus ma mère que lorsque mon frère doutait de ma beauté. Il est vrai que je n'avais pas de dot, et ma mère était angoissée à la pensée qu'il faudrait un jour me marier. Dès que j'atteignis quinze ans il en fut question à la maison. « Tu peux courir, disait mon frère aîné, pour la caser, à trente ans tu l'auras encore sur les bras... » C'était un point sensible chez ma mère et elle se fâchait : « Demain, si je veux, je la marie et à qui je veux encore... » La perspective de rester vieille fille me glaçait, la mort elle-même me paraissait être à côté un moindre mal. J'écoutais. Je savais que ma mère mentait en disant qu'elle pourrait me marier à n'importe qui, mais j'espérais quand même que je réussirais à trouver « un parti ». Ma mère se confiait plus volontiers à mon frère cadet : « Comment la mariera-t-on ?... » soupirait-elle. Mon frère cadet était idéaliste, et il m'aimait bien. « On ne sait jamais, répondait-il. Mais il faudrait la sortir. » C'est lui qui insista pour qu'on me mette en pension. « Si elle est bien élevée et si elle a un métier entre les mains, même si elle n'a pas de dot, il n'est pas impossible qu'elle trouve un mari. » Je crois que toutes les mères de famille ont de ces préoccupations. Mais chez moi on jugeait utile de me mettre au courant : « Il faut qu'elle sache, disait ma mère, ce que c'est que la vie. » Les métiers qu'on voulait me « mettre entre les mains » varièrent d'une année à l'autre. On envisagea successivement que je serais rien moins que professeur, avocate, médecin, directrice de journal ou exploratrice. Je n'étais pas de cet avis, jusqu'à l'âge de quinze ans je désirais devenir trapéziste ou star de cinéma. « Tu feras ce qu'on te dira », disait ma mère. Le plus remarquable, c'est que mes frères ne se préoccupaient nullement de leur avenir. « Ils auront la plantation », disait ma mère, ce qui n'était pas une solution ; bien après que l'expérience eut prouvé qu'on ne pouvait pas compter sur la plantation, elle continua à dire que mes frères « auraient la plantation », ce qui la rassurait quand même. Jamais mes frères ne fréquentèrent le lycée ou une école quelconque. Il n'en fut jamais question. Ils vivaient à Sadec, et l'oisiveté totale de ces jeunes gens de dix-sept et dix-huit ans paraissait à tous inadmissible, sauf bien entendu à nous-mêmes. Nous ne cherchions pas à la justifier. « C'est un bien grand malheur », disait-on à ma mère à ce propos, ce à quoi elle répondait régulièrement : « À qui le dites-vous ! », mais sans vraie conviction. Mon frère cadet avait décidé qu'il serait chasseur, qu'il deviendrait le plus grand chasseur d'Indochine, qu'il se passerait de la plantation. Il chassait dès quatorze ans dans la chaîne de l'Éléphant, et à vingt et un ans il comptait à son actif douze tigres et une panthère noire. « C'est un métier de con », lui disait mon frère aîné, ce à quoi il répondait que c'était le seul qui convenait à un homme « courageux mais pas doué pour les études ».

L'intrusion de Léo dans la famille changea tous les plans. Dès qu'on connut le montant de sa fortune, il fut décidé à l'unanimité que Léo paierait les chettys, financerait diverses entreprises (une scierie pour mon frère cadet et un atelier de décoration pour mon frère aîné) dont les plans furent soigneusement étudiés par ma mère, qu'en outre et accessoirement il munirait chaque membre de la famille d'une auto particulière. J'étais chargée de transmettre ces projets à Léo et de le « sonder » à cet effet, sans rien lui promettre en contrepartie. « Si tu pouvais ne pas l'épouser, disait ma mère, ce serait mieux, il est tout de même un indigène, tu me diras ce que tu voudras... » Je me révoltais et je disais que j'épouserais Léo, ce à quoi ma mère me répondait : « Si tu es habile et si tu sais y faire, tu peux très bien l'éviter... » Si j'insistais, je recevais une volée. Ma mère me faisait jurer « sur sa tête » que je ne me donnerais jamais à Léo : « Tu peux faire exactement tout ce que tu veux, mais ne couche pas avec lui, tires-en tout ce que tu peux, tu en as le droit, pense à ta pauvre mère, mais ne couche pas avec lui — sans ça personne d'autre ne voudra de toi. » Ma mère avait une croyance absolue dans la virginité des jeunes filles : « Le plus grand bien d'une jeune fille, c'est sa pureté. » Si je couchais avec Léo, à jamais personne d'autre ne voudrait de moi, même pas Léo. Plus tard, un an après ma rencontre avec Léo, celui-ci déclara qu'à sa grande douleur il ne pouvait m'épouser que totalement déshérité par son père, qui ne voulait à aucun prix de ce mariage. Ma mère alors parla de « l'attaquer en justice » pour m'avoir compromise. Elle avait tellement compté sur Léo que ce refus lui apparaissait être un désastre, non seulement pour moi mais pour mes frères qui avaient eu la naïveté de compter sur lui. Mais ma mère était bonne et elle permit néanmoins à Léo de continuer à me fréquenter, elle le voyait elle-même assez souvent, peut-être ne désespérait-elle pas tout à fait qu'il m'épouserait — en attendant, elle et mes frères en tiraient quelques avantages appréciables sur lesquels je reviendrai.

Comment Léo me remarqua-t-il ? Il me trouva à son goût. Je ne m'explique la chose que parce que Léo lui-même était laid. Il avait eu la petite vérole et il en avait gardé des traces — il était nettement plus laid que l'Annamite moyen mais il s'habillait avec un goût parfait, il était d'un soin et d'une propreté méticuleux, il était d'une politesse dont il ne se départit jamais, même chez moi où la grossièreté régnait en permanence, même à son égard. Par ailleurs Léo était d'une générosité vraie, mais suffisamment éclairée pour qu'on ne puisse pas lui « demander n'importe quoi ». Il était assez fin pour ainsi saisir dès son entrée dans ma famille le danger qu'il y courrait s'il se laissait faire. Cette méfiance native n'empêchait pas que Léo fût à peu près inintelligent. Il était d'un snobisme européen du pire goût, ce qui n'empêche qu'il m'en imposait drôlement parce qu'il savait danser le charleston, qu'il commandait ses cravates à Paris, qu'il avait vu en chair et en os Joséphine Baker aux Folies-Bergère. Il s'ennuyait de Paris et traînait une nostalgie qui n'était pas sans charme. Pendant près de deux ans il nous traîna, ma famille et moi, dans toutes les boîtes de nuit de Saigon. Il venait me chercher dans sa Léon-Bollée, dans laquelle il trimballait ma mère et mes deux frères. Ma mère demandait « une permission spéciale » à la directrice du pensionnat Barbet, et je sortais. C'est ce que Léo appelait « faire une descente » ou encore « faire la bringue ». Ma famille l'importunait et il aurait aimé s'en débarrasser, mais je lui avais dit une fois pour toutes que s'il ne « descendait » pas avec elle, je ne sortirais pas avec lui. Ma mère avait là-dessus une conviction inébranlable : une jeune fille ne doit pas sortir seule avec un jeune homme, ou alors elle est compromise à jamais et elle ne trouve pas de mari. Mais dans mon refus de sortir avec Léo seul il y avait surtout, outre la foi que j'avais dans les paroles de ma mère, le désir le plus sincère et le plus constant de voir mes frères et ma mère profiter également de ma bonne fortune. J'avais l'impression que je « les sortais » à mon tour, car sans Léo il n'en aurait pas été question, ma mère se trouvant à cette époque dans l'impossibilité d'acheter même dix litres d'essence pour venir me chercher à Saigon.

Combien de fois Léo nous trimballa-t-il de la sorte ? Sans doute de très nombreuses fois. Elles se confondent toutes. Nous étions connus dans tous les bars, thés, boîtes de nuit de la ville. Nous allions surtout à « La Cascade » qui se trouvait à une vingtaine de kilomètres de la ville, et où il y avait une piscine « de nuit » creusée à même le lit d'un torrent dont le cours avait été capté ; l'intérieur de cette piscine était éclairé à l'électricité et les corps s'y dessinaient, fluides et souples. Nous nous y baignions, mes frères et moi, avant de prendre le souper froid rituel et de danser. Ces soirées étaient curieuses, elles n'étaient pas gaies. Mes frères, qui tenaient Léo dans un grand mépris, arboraient une attitude silencieuse et digne. Ma mère souriait continûment d'une façon triste et gentille, elle contemplait ses enfants qui dansaient avec fierté. Elle portait toujours les mêmes robes qui ressemblaient à des peignoirs, cousues sur le côté et aux épaules, sans ceinture, elle portait des bas de coton dans des souliers éculés. Elle se tenait un peu à l'écart de la table, son gros sac « qui ne la quittait jamais » sur ses genoux, dans lequel il y avait en permanence le plan-cadastre de la plantation et les reçus des chettys. À ce moment-là on disait d'elle que c'était une « martyre » à cause de ses deux fils, surtout à cause de son fils aîné pour lequel elle s'endettait chaque jour davantage, sans savoir du tout comment elle arriverait à s'en sortir. Elle-même disait qu'elle était une martyre et nous nous en étions persuadés, elle le disait chaque jour, chaque fois qu'elle me battait, chaque fois qu'elle se reposait et prenait le temps de réfléchir, pour nous elle était passée insensiblement à la condition de martyre comme on avance dans les grades du malheur. Elle était « martyre » comme on est autre chose. Elle disait : « Je suis attelée à mon malheur », « Je suis usée, ce qui peut m'arriver de mieux c'est de mourir », « Jusqu'au bout il faudra que je traîne mon fardeau », « Parfois je me demande ce que j'ai fait au ciel pour mériter un pareil calvaire ». Elle le disait trop, on y était devenus insensibles. On la disait alors très coupable de faiblesse, surtout à cause de cette histoire avec Léo qui lui porta un très grand tort. On disait : « Mme D. laisse sa fille sortir avec des Annamites, cette petite est complètement perdue, c'est malheureux. » On nous voyait toujours en compagnie de Léo et de ses amis, on disait de moi que « je couchais avec des indigènes ». J'avais quinze ans. Léo ne m'avait pas encore touchée que j'étais considérée à Saigon comme « la pourriture de la ville ». On s'en doutait bien, mais ces racontars, nous les interprétions d'une façon rassurante. Lorsque finalement plus personne ne consentit à nous fréquenter, maman dit : « Ils sont jaloux, laissons faire. » Je crois que ma mère trouvait un vrai repos dans ces nuits passées dans les cabarets. Elle ne touchait pas au champagne. Ses grosses mains sur son sac, elle se tenait à notre disposition, jamais elle ne parlait de rentrer. De temps en temps elle disait un mot gentil à Léo, parce qu'elle jugeait que mes frères étaient trop froids avec lui et en signe de gratitude. (Je revois ces mains de ma mère agrippées sur son sac comme à sa destinée. Les mains de Dieu ne me semblent pas plus belles. Quand j'étais toute petite et que j'avais par hasard aperçu quelque chose qui m'obsédait ou qu'une pensée terrifiante me venait, par exemple celle de la mort possible de ma mère, lorsque à cinq ans je la découvris mortelle, j'allais vers elle et le lui disais. Ma mère passait alors sa main sur mon visage, doucement, et me disait : « Oublie. » J'oubliais et repartais rassérénée. Avec ces mêmes mains, plus tard, elle me battait. Et elle gagnait mon pain en corrigeant des copies ou en faisant des comptes à longueur de nuit. Elle y mettait la même générosité. Elle battait fort, elle trimait fort, elle était profondément bonne, elle était faite pour les violentes destinées, pour explorer à coups de hache le monde des sentiments. Elle était fort malheureuse, mais elle trouvait son compte de bonheur dans ce malheur même parce qu'elle aimait le travail et le sacrifice, et ce qu'elle préférait à tout c'était s'oublier, s'étourdir dans des illusions sans fin. Ma mère rêvait comme je n'ai jamais vu personne rêver. Elle rêvait son malheur même, elle en parlait avec fierté, elle ne connaissait pas la vraie tristesse mais seulement la douleur, parce qu'elle avait une âme d'une violence royale qui ne se serait pas complue dans l'acceptation que toute tristesse comporte.)

Si lorsque nous dansions elle avait l'air triste, c'était sans le savoir, elle ne l'était pas en fait, elle était simplement contente. C'était son air qui pouvait tromper. Léo n'aurait pas accepté que je danse avec quelqu'un d'autre que lui, sauf avec mes frères. Mes frères passaient leur temps à épier les filles qui leur plaisaient dans le cabaret. Quand il s'en trouvait une que mes deux frères trouvaient trop à leur goût, il était rare que ça ne finisse pas mal. Aussi maman, qui avait l'œil, proposait de partir et se disait fatiguée. Je n'aimais pas danser, sauf avec mon frère cadet avec qui je valsais. Léo dansait régulièrement à contretemps, il croyait très bien danser. Au début nous attirions les rires des clients, mais à la fin tout le monde nous connaissait et personne n'y prêtait attention. Il était petit et portait des costumes à épaules tombantes, ce qui ne l'avantageait pas. Il y avait un tango qu'il jugeait irrésistible parce qu'il l'avait dansé à Paris : « Je ne suis pas curieux mais je voudrais savoir pourquoi les femmes blondes ont toujours des poils noirs. »

Léo était le ridicule même et j'en souffrais beaucoup. Il avait une tournure ridicule, parce qu'il était si maigre et petit et qu'il avait les épaules tombantes. Puis il s'en croyait tant. En auto il était sortable, parce qu'on ne voyait pas sa taille mais seulement sa tête qui, si elle était laide, n'était pas dénuée d'une certaine distinction. Jamais je n'ai consenti à faire avec lui cent mètres à pied dans une rue. Si la faculté de honte d'un être pouvait s'épuiser, je l'aurais épuisée avec Léo. C'était tout simplement terrible. Je ne consentais à danser avec lui que les tangos parce que les lumières vives s'éteignaient et qu'une lumière très tamisée, rougeoyante, les remplaçait, ce qui permettait à notre couple de passer plus inaperçu. Je m'étais arrangée avec lui pour ne danser que le tango : comme à cette époque cette danse était en vogue, je dansais suffisamment avec Léo pour qu'il jugeât encore utile de nous sortir. Je prétendais que je n'aimais aucune autre danse que le tango (que d'ailleurs je n'ai jamais réussi à aimer depuis). Je n'aimais déjà pas, instinctivement, cette danse, et je me mis à la détester en peu de temps. Comme elle a été pour Léo pendant des mois la seule occasion de se rapprocher de moi, il la dansait d'une façon assez lubrique, collé à moi, le ventre dehors et avec un air de contention douloureux. Quant au charleston, il battait son plein à Paris, mais à Saigon il commençait seulement à se danser. Léo connaissait le charleston et l'aimait à la folie. Il me supplia pendant des mois de l'apprendre afin que nous puissions le danser ensemble. La perspective de le danser avec lui sur une piste à moitié vide m'a toujours fait reculer. Jamais je n'appris le charleston. J'étais faite de telle façon que cette perspective me mettait au désespoir, lorsque par malheur Léo insistait pour que nous essayions. Quelques rares fois, hors de lui, et dans le désir exaspéré de danser le charleston, il le dansa avec des jeunes filles qui se trouvaient dans la salle ; comme il était indigène et pour ne pas essuyer de refus, il ne pouvait se permettre d'inviter que celles dont l'aspect dénotait une certaine vulgarité et une condition sociale très moyenne. Il croyait que ces décisions extrémistes (parce qu'on ne savait pas, il pouvait tout de même essuyer un refus) me feraient de l'effet. Il est vrai qu'elles ne me laissaient pas indifférente, mais avant tout le supplice était de voir se ridiculiser de la sorte l'homme qui passait pour mon amant et avec lequel je devrais passer ma vie.

Les propos que me tenait Léo étaient exclusivement d'ordre amoureux. En général il se plaignait de moi, et prétendait que je le faisais beaucoup souffrir. Il était d'une jalousie qui empoisonnait nos relations. Mais à quinze ans de distance, je vois bien que sans cette jalousie je n'aurais jamais pu continuer à le voir. Il me faisait des scènes et imposait des conditions aux « sorties » dont il avait compris qu'elles me plaisaient bien. Il me disait : « Maintenant que je vous ai sortie de la panade, vous allez me tromper. » Il vivait dans cette hantise, ça devait être en vertu d'une disposition native à la jalousie car dès le début je pris nos relations très au sérieux, et ne lui donnai jamais l'occasion d'être jaloux. Après le charleston, c'était le cinéma que Léo aimait, le cinéma américain. Aussi me disait-il : « C'est bien simple, si tu me trompes je te descends. » Comment l'aurais-je trompé et avec qui ? Je ne couchai avec lui qu'une seule fois et au bout de deux ans de supplications. Ce qu'il appelait « le tromper », ç'aurait été par exemple embrasser quelqu'un d'autre que lui, ou danser avec un Européen. Je me pliais à toutes ses exigences, je lui donnais un emploi détaillé de mon temps. Je m'y pliais avec un vrai sérieux. J'ai passé ainsi une certaine partie de mon existence à me créer des obligations imaginaires et à les observer avec une rigueur peu commune. Je croyais vraiment que j'étais coupable vis-à-vis de Léo, et j'étais au supplice de ne pouvoir « faire plus ». Une bonne partie de mon temps avec lui, je le passais à jurer sur la tête des divers membres de ma famille que je lui étais fidèle. Mais Léo ne me croyait jamais tout à fait. Mon frère aîné lui disait : « Ma sœur est une grue », et Léo me [tenait] de lui donner des explications que j'étais incapable de lui fournir. Aussi bien que je m'en souvienne, les rares moments que je passais seule avec Léo étaient des interrogatoires en règle. Ou bien, quand l'endroit s'y prêtait, [des] corps à corps sérieux lors desquels Léo essayait de m'embrasser sur la bouche. Pourtant j'en étais amoureuse à ma façon, et lorsque pour me punir il restait une semaine sans me voir, j'étais très malheureuse. J'étais amoureuse de Léo-dans-sa-Léon-Bollée. Assis dans sa magnifique limousine, il me faisait un effet considérable et auquel je ne m'habituais pas. J'étais aussi amoureuse de Léo lorsqu'il payait les dîners froids et le champagne des boîtes de nuit. Il le faisait négligemment, avec une désinvolture qui m'allait droit au cœur. Jamais, exactement jamais, ma mère ou mes frères n'auraient proposé de régler quoi que ce soit, jamais (si, peut-être une fois en deux ans, et encore je n'en suis pas sûre) il ne fut invité à déjeuner chez moi. Souvent, avant d'aller dans les boîtes de nuit, il nous invitait à dîner dans un restaurant chinois de Cholen. Cela arrivait lorsque j'avais été « gentille » ; il s'en tapait alors pour cent piastres (mille francs en 1931), et ce n'était qu'un commencement. Ma mère et mes frères trouvaient qu'il n'en faisait jamais assez. Ils s'en irritaient bien souvent, mais ils n'osaient pas le lui dire directement.

C'était à moi qu'ils le disaient ou qu'ils le démontraient : « Il devrait être déjà très heureux de sortir avec une Blanche », disait ma mère. Mon frère aîné, lorsqu'il en parlait, ne le nommait jamais autrement que « le fœtus » ou « ton espèce de fœtus », ou encore « ta pourriture syphilitique ». J'avais de la bonne volonté, je n'avais même que ça et vraiment très peu d'esprit : je commençai à me plaindre timidement à Léo de manquer d'argent. Je me demande encore comment je suis arrivée à cette extrémité. J'ai beau chercher, je ne retrouve plus un clair motif à cette décision. Évidemment, avant tout, je me cherchais un sens, j'avais amené Léo à la maison et avec lui le confort appréciable de ses autos, et aussi la distraction et le luxe des soirées qu'il nous offrait. Mais ce n'était pas suffisant. Léo se rebiffait, il faisait beaucoup mais pas *tout* ce qu'on voulait de lui. Par exemple, il avait bien consenti à mettre une de ses autos à notre disposition, mais il entendait qu'elle serait conduite par son chauffeur et que mes frères n'y toucheraient pas. Cette condition fut prise par eux comme un affront très grave, et considérée par mon frère aîné comme une provocation. Il ne pouvait monter dans l'auto sans s'en souvenir : « Si c'est pas malheureux de voir des choses pareilles… Si je ne me retenais pas, je lui briserais les côtes à ton espèce de fœtus. » Et ma mère ajoutait : « Laisse faire, ça ne se passera pas toujours comme ça. » Cette naïveté peut paraître excessive, mais elle ne peut être comprise si on ne sait que nous étions tous abîmés dans une enfance illimitée, et qu'en somme nous tentions vainement d'en sortir. On passait même sa vie entière à tenter [d']en sortir par n'importe quel moyen.

Lorsque je dis que je cherchais un sens, je l'entends de façon particulière. J'en cherchais un à l'intérieur de ma famille, où mon insignifiance était telle que chaque fois que j'essayais de m'affirmer, ne serait-ce qu'en donnant mon avis, j'étais énergiquement remise à ma place. Lorsque j'amenai Léo à la maison, j'espérai devenir un personnage intéressant, et peut-être même indispensable. Ma famille s'habituait rapidement aux facilités et aux aises que lui procurait Léo. Ils s'habituaient à tout avec une facilité déconcertante. Quand un avantage venait à leur manquer, ils s'indignaient le plus sincèrement du monde. Quand par hasard Léo « descendait » à Saigon sans les emmener, ils considéraient que c'était là une crasse qui en disait long sur ce qu'était véritablement Léo : « Il y a longtemps que je l'ai repéré, cette espèce de crevé », disait alors mon frère aîné, et il ajoutait : « Un jour il me paiera tout ça... » Je dois dire qu'on s'habituait aussi bien aux pires inconvénients qu'aux changements heureux. Tout aussi bien on s'était habitué à manquer d'argent, à vendre les bijoux qui nous restaient et plus tard les meubles, pour arriver à manger jusqu'à la fin du mois, on s'habituait aux médisances (calomnies, disait ma mère, ou encore « ils peuvent baver sur nous, ils n'ont pas la conscience aussi nette que la mienne »). De même on s'habitua à Léo, mais avec cette différence que les avantages acquis passaient d'emblée au stade des exigences les plus fondées. Ce qui était acquis l'était à jamais, et les yeux se tournaient vers ce qui pouvait encore s'acquérir. Aussi, les avantages qu'offrait Léo par le truchement de ma personne, je n'avais aucunement le droit de m'en prévaloir. C'est pourquoi j'étais toujours en haleine, et cherchais toujours ce que Léo pouvait faire de nouveau pour ma famille. Il se faisait tirer l'oreille, il était dur à la détente, il me disait que ma famille le dégoûtait profondément, ce qui ne me fâchait ni ne me troublait nullement.

Lorsqu'il voulut bien me donner de l'argent, je lui fis croire que c'était pour m'acheter diverses choses dont j'avais besoin. Ces sommes n'étaient pas considérables, mais c'était toujours ça. Je m'amenais, triomphante, à la maison, je calculais mes effets et je déclarais : « Léo m'a donné cinquante piastres. » Ma mère s'amenait alors vers moi et me disait : « Donne. » Je n'étais pas si bonne au fond, je me faisais prier : « Il n'y a pas de raison », disais-je. Mon frère aîné arrivait à son tour ; lorsqu'on parlait d'argent, lorsque dans une conversation il entendait qu'il en était question, il arrivait frémissant, tel le chasseur qui entend le cri du tigre. « Combien ? » disait mon frère aîné. Mon frère cadet déclarait : « Je trouve ça dégueulasse. » Moi, j'avais encore l'argent sur moi et tant que je l'avais, je connaissais le bonheur. Ça ne durait pas longtemps. « Donne-moi cet argent », insistait ma mère, et elle ajoutait des considérations de cet ordre : « Tu ne peux pas garder ça sur toi, ce n'est pas convenable, donne, je te le rendrai. » Jamais elle ne me rendit quoi que ce soit la pauvre, elle en aurait été bien incapable — le peu d'argent que je lui donnais était immédiatement englouti dans les besoins de la famille. Je me faisais prier, c'était une manière de vengeance. Pendant un instant je vivais l'illusion du pouvoir. Je ne dis pas que ma mère n'était pas effleurée par la honte dans ces moments-là, mais l'argent exerçait sur elle un attrait extraordinaire. Lorsqu'elle savait que j'en avais, elle entrait dans une sorte d'hypnose. Elle me suivait pas à pas dans la maison : « Donne. » Mon frère rôdait autour de nous, torse nu dans son pantalon de soie. Je le faisais exprès d'annoncer la chose à voix haute, parce que ma mère m'avait dit un jour : « Ne dis rien à tes frères, ce n'est pas la peine. » Je voulais savoir jusqu'où, jusqu'à quelle extrémité irait ma mère, j'éprouvais une joie terrible à constater que les limites de son injustice s'éloignaient chaque jour davantage. Ma mère le savait, mais elle n'eut jamais la force de faire autrement. Après je recevais des corrections mais je les méritais, je le savais aussi. Il ne fallait pas trop insister, même là, il y avait une mesure à garder. Le moment où je devais donner l'argent arrivait toujours : « Tu vas me le donner immédiatement. » La main était tendue au-dessus de mon visage, prête à tomber. Je donnais. L'argent était enfermé dans le sac — on n'y pensait plus — c'est une façon de parler d'ailleurs, car à partir du moment où Léo me donna de l'argent, les injures de mon frère se nuancèrent. De « morpion » je passai au stade de « grue », « fille entretenue » et « chienne qui couche avec les indigènes ». Ma mère, parlant de cet aspect de mes relations avec Léo, disait : « C'est un bien grand malheur. » N'empêche que cinquante piastres, c'était toujours bon à prendre.

Ces réflexions prouvent bien qu'ils se rendaient compte plus ou moins clairement que la chose était tant soit peu scandaleuse, mais ils s'arrangeaient toujours pour que je sois seule à en porter la responsabilité. D'autant plus que ma mère n'ignorait pas qu'une telle habitude pouvait présenter (j'avais seize ans) quelques inconvénients pour l'avenir. Le caractère particulier de son attitude venait précisément de la contradiction qui existait entre sa conduite et ses propos. Ma mère avait sur la conduite des jeunes filles une opinion qui ne changea jamais, elle avait un idéal-jeune-fille sans doute un peu naïf, mais auquel [elle] croyait éperdument — et qui ne se nuança ni ne s'assouplit jamais, au grand jamais, même lorsqu'elle accepta ma conduite avec Léo et son argent. « Il n'y a rien de plus beau qu'une jeune fille pure », me disait ma mère, et elle la décrivait si bien et avec tant de grâce qu'elle me mettait au supplice, parce que je ne retrouvais aucun de mes traits dans ces portraits. Même au moment où ma réputation fut telle qu'il était devenu à peu près inutile d'essayer de me faire passer pour « bonne à marier », je ne pouvais entrer nulle part sans que ma mère me dise tout bas : « Souris, une jeune fille doit sourire », et elle-même arborait une espèce de pauvre grimace qu'elle pensait sans doute être le sourire-heureux-de-l'heureuse-mère-de-la-jeune-fille-souriante.

J'ajoute que le trait dominant de son caractère était une inaptitude totale au désespoir. Jusqu'au dernier jour de mon séjour en Indochine, elle espéra pouvoir me marier. Cet aspect idéaliste de son caractère se trouvait compensé par une espèce de bon sens inébranlable : « Exige de lui tout ce que tu veux, me disait-elle en parlant de Léo, tu peux tout accepter mais ne couche pas avec lui. » Et quand je réussissais à soutirer de l'argent de Léo, elle en éprouvait une certaine fierté. Elle disait de moi : « Je suis tranquille pour elle, elle se débrouillera. » Je commençai à remettre les sommes que me donnait Léo à ma mère, mais rapidement mon frère aîné me demanda de l'aider. Dans ce cas il était charmant et irrésistible, et je n'y résistais pas. « Ma petite N., tu ne pourrais pas me passer dix piastres ? » Je lui donnais en cachette, il n'est pas une fois où je [ne] crus que nous allions nous réconcilier à jamais. Ma crédulité n'avait d'égale que ma bêtise. Mon frère prit l'habitude, lorsque plus tard nous vivions en France et que je recommençai à faire mon petit trafic avec des garçons du lycée, de me faire les poches tous les soirs. Après quoi il me battait, en prétextant que « je me faisais entretenir et qu'il se chargeait de m'apprendre à vivre, qu'il faisait ça pour mon bien ». Je m'abstiens de juger comme je m'abstenais alors de le faire. Je voudrais conserver intact l'éclat de l'Événement qu'était pour moi mon frère aîné. Il était injuste et lâche comme l'est le sort et toute destinée. Sa férocité à mon égard avait quelque chose d'accompli, et au fond de pur. Sa vie se déroulait avec l'implacabilité d'une fatalité et il nous en imposait. Le tissu de coups et d'injures qu'il m'a donné est le tissu même dont son âme était faite, il n'y a pas de marge. Il était toujours de l'injustice *la plus grande*, celle que personne ne pouvait dépasser, celle qui pouvait le plus rappeler celle du Destin et qui tombait sur vous avec l'imprévisibilité du sort. Je ne voudrais à aucun prix qu'au nom d'une morale, si large soit-elle, on le juge condamnable, et qu'on le juge. Mon frère était méchant, certes, mais d'une méchanceté telle que je ne lui ai jamais trouvé de mesure humaine, et c'est là l'important, c'est ce à partir de quoi je réclame, non pas l'indulgence, mais un sursis de toute morale. Si on le blâme de même que ma mère, je considère que ces souvenirs ne sont pas ceux que j'aurais voulu qu'ils soient. Il n'appartient à personne de proposer des explications sur la conduite des autres, ni même d'en proposer, tout le monde est bien d'accord là-dessus. Toute petite déjà, je croyais que ma mère et mon frère aîné relevaient directement de Dieu, ils battaient et jugeaient en vertu de raisons supérieures, remplies d'un mystère infini. Lorsque, plus âgée, je me révoltai, ce fut toujours un peu à contrecœur, et la joie que j'en éprouvais n'était pas sans rapport avec une joie blasphématoire. J'avais toujours un peu mauvaise conscience de les accuser à mon tour, et de les forcer à une lucidité qui sortait, si peu soit-il, de l'irresponsabilité quasi divine dans laquelle ils se mouvaient avec une aise incomparable.

On est en droit [de] se demander pourquoi j'écris ces souvenirs, pourquoi je soumets des conduites desquelles je préviens qu'il me déplairait qu'on les juge. Sans doute pour les mettre au jour, simplement ; j'ai l'impression, depuis que j'ai commencé à écrire ces souvenirs, que je les déterre d'un ensablement millénaire. Il y a à peine treize ans qu'ils sont arrivés et que notre famille s'est séparée, à l'exception de mon frère cadet qui ne s'est jamais séparé de ma mère et qui est mort l'année dernière en Indochine. Treize ans à peine. Aucune autre raison ne me fait les écrire, sinon cet instinct de déterrement. C'est très simple. Si je ne les écris pas, je les oublierai peu à peu. Cette pensée m'est terrible. Si je ne suis pas fidèle à moi-même, à qui le serai-je ? Je ne sais déjà plus très bien ce que je disais à Léo. En même temps que c'est si terrible, ça n'a pas beaucoup d'importance. Croire à l'insignifiance de son enfance c'est, je crois, la marque d'une incroyance foncière — définitive, totale. Qu'y puis-je ? Tout le monde est d'accord sur l'enfance. Toutes les femmes du monde pleureraient sur n'importe quel récit d'enfance, fût-ce même sur celle des assassins, des tyrans. J'ai vu dernièrement une photo d'Hitler enfant en jupons brodés, debout sur une chaise. À partir de l'enfance, toute destinée est pitoyable infiniment. Sans doute suis-je portée à ne croire qu'à celle des autres, car dans la mienne je n'y vois qu'une précocité qui me ferait plutôt horreur. Mes photographies d'enfant me soulèvent le cœur. Lorsqu'il m'arrive de lire des récits d'enfance ou de jeunesse, je suis étonnée du monde d'irréalité qu'ils contiennent ; même dans les histoires d'enfants dits malheureux (comme s'il y avait des enfants heureux), on trouve des enfers artificiels, des recours désespérés vers le rêve, l'évasion dans la féerie, dans le merveilleux. Cela me confond toujours, et je suis portée à croire qu'il s'agit plutôt là d'une trahison involontaire — ou plus simplement d'une transposition poétique dont on croit que si l'enfance n'en était pas dotée, elle serait déshonorée. Aussi loin que je me souvienne, mon enfance s'est déroulée dans une lumière désertique et crue, aussi loin du rêve que possible. Celui-ci se trouve exclu de mes jeunes années. C'est toujours délicat d'affirmer des choses pareilles. Je peux donc dire que je ne me souviens pas d'avoir rêvé de quoi que ce soit, fût-ce même d'une vie meilleure. Si je rêvais d'épouser Léo, mon « enfer » me suivait dans le rêve et le rêve, c'était la confrontation de cette réalité avec ce qu'on pourrait appeler le bonheur.

Je dis tout de suite que ce manque à rêver n'implique pas que j'étais lucide. Non. Je me souviens (et de cela parfaitement) qu'en classe, j'étais moins apte aux études que la plupart des élèves. Non pas que j'eusse été particulièrement inintelligente, mais je ne savais pas travailler, je n'en voyais nullement l'intérêt ni l'utilité. Je crois que malgré mon apparente attention, j'étais d'une distraction à peu près totale. Par exemple, j'écoutais le professeur parler de quelque sujet. Ce qui m'intéressait, c'était sa façon de s'y prendre, sa manière d'expliquer, plus que la chose qu'il expliquait. Je fais exception néanmoins pour les mathématiques qui me passionnaient, bien que jusqu'en première, j'étais à peu près nulle en cette matière comme en tout. Quelquefois j'obtenais en français une note dite hors ligne, ça dépendait des professeurs. Pendant six mois, j'eus un professeur de français qui me considéra comme de loin son meilleur sujet, et ne me mit jamais moins que dix-huit. Il partit ; son successeur me ravala aux derniers rangs, et jamais avec lui je ne pus même avoir la moyenne. J'éprouvais de vraies répulsions pour certains sujets ou auteurs classiques. Mme de Sévigné m'inspirait un dégoût qui me décourageait, et contre lequel je luttais en vain. À un devoir qui portait sur les relations qu'elle eut avec sa fille, j'eus trois sur vingt et je fus blâmée. Je ne me souviens pas très nettement des considérations qui me valurent cette note. Par contre, Molière et Shakespeare m'enthousiasmaient, alors que Corneille et même Racine m'ennuyaient profondément. Il y avait des classes que je décidais de « sécher » parce que je les considérais [comme] inutiles, de mon propre chef. Pendant quelques semaines, j'abandonnai le cours d'anglais ; on y lisait *A Christmas Carol*[1] à raison de dix lignes par heure de cours, et chaque fois j'effleurais la crise de nerfs. Je fis de même, plus tard, pour le cours de sciences naturelles qui allait trop lentement à mon gré, puis progressivement pour le cours d'histoire et géographie. C'était autant d'heures de gagnées que je consacrais à Léo. Évidemment le proviseur s'en aperçut, et je fus convoquée chez le censeur et menacée de renvoi. J'allai chez le censeur, en proie à une indescriptible panique. Mais il me reçut et m'avertit tout de suite que si j'étais gentille, il ne me renverrait pas, ensuite il essaya de m'embrasser sur la bouche et la séance se termina par un pugilat [parce que] je ne voulais pas l'embrasser à cause de son immense barbe noire, et de Léo à qui j'avais promis de rester fidèle. Je lui racontai la chose et il ne me crut pas, il prenait les choses très mal, il aurait voulu que je quitte immédiatement le lycée, ce qui me parut un peu excessif. Ma mère, elle, fut ravie, bien qu'elle affectât une indignation sincère : « Voilà ce que c'est, quand on a de jolies filles il faut faire attention. »

Je restai au lycée où je ne faisais exactement rien du tout. Mon carnet scolaire était catastrophique. En fin d'année, l'appréciation générale fut : « N'utilise pas ses grands moyens. » Ma mère, qui restait à

1. *Un chant de Noël*, récit de Charles Dickens.

peu près indifférente aux notes que j'obtenais, ne se basait que sur l'appréciation générale, et elle triompha : « Je sais ce que je dis lorsque je dis qu'elle est intelligente. » Dans ces cas-là elle me soignait de plus près, me faisait faire des robes nouvelles, elle me disait : « Mange, dors, accumule des forces dès maintenant pour être d'attaque quand tu feras tes licences. » Les notes que j'obtenais, elle les considérait comme injustes, elle arrivait à me faire croire que les professeurs m'en voulaient personnellement comme tout le monde nous en voulait : « Laisse faire, disait-elle, ce n'est pas à la fille *x* dont le père est administrateur qu'ils mettraient des notes pareilles. » Sans plus de commentaires. D'ailleurs, ce n'était pas tout à fait faux. Les filles et fils de planteurs et hauts fonctionnaires étaient placés dans les premiers rangs de la classe, ensuite ceux des fonctionnaires à bas traitement, et ensuite les indigènes. Et parmi les indigènes, ceux dont les pères étaient fortunés étaient repérés [et] se trouvaient immédiatement après les Français.

Il ne me revient pas de faire le procès de cet état de choses, mais il m'étonnait profondément. Je ne dis pas que les notes obtenues par les élèves fussent en rapport avec leur situation de famille, mais il est vrai qu'on s'en occupait de plus près. Dès la seconde, les élèves indigènes dits anti-français étaient repérés et surveillés. J'en connaissais un qui était le fils d'un médecin indigène et avec lequel je devins très amie, il était d'une intelligence exceptionnelle et, dès la troisième, remportait tous les premiers prix. Je l'admirais beaucoup, parce qu'il refusa systématiquement de frayer avec n'importe quel Français, il était d'une fierté dont il ne se départit jamais. Par exemple il refusa toujours d'être assis dans les premiers rangs de la classe, et resta toujours parmi ses confrères. On le disait « dangereux ». Ainsi, bien qu'il ait été de loin le meilleur élève, il ne fut jamais félicité par le conseil des professeurs, on « glissait » sur ses notes. Combien de fois ai-je entendu dire par les Français : « Avec cette race-là, il faut faire attention, il ne faut pas les flatter, ils se croiraient tout de suite nos égaux. » Nous nous voyions en cachette, il ne voulait pas être vu en compagnie d'une Française. Il était pensionnaire au lycée, son père n'était pas assez riche pour lui payer une chambre dehors. Je crois que nous avons été très près de nous aimer. La veille des grandes vacances, celles qui précédèrent mon départ en France, nous nous sommes vus après le dernier cours dans une classe vide. Nous étions très émus de nous quitter. Il me dit : « Vous êtes française, je suis annamite, je ne peux pas me permettre de vous aimer. J'irai à Hanoï faire ma licence en droit car je n'ai pas assez d'argent pour aller en France, et d'ailleurs je n'y tiens pas, je n'aime pas les Français. » Il ne croyait pas que le rapprochement franco-annamite fût possible, il en était désespéré. Je ne l'ai plus revu, et ne sais exactement ce qu'il est devenu. Il craignait d'être tuberculeux, je ne sais si ses craintes étaient fondées. S'il vit, je le devine en tête du Mouvement nationaliste indochinois et je pense à lui ainsi qu'à tous ses frères avec émotion, et je tiens à lui dire ici ma sympathie totale et mon admiration.

(Une remarque, qui peut-être n'a pas ici sa place, mais que je tiens à faire : n'étaient admis au collège de Saigon que les Annamites fils de citoyens français, exclusivement. Par ailleurs, le port du costume européen était de rigueur absolue. En 1931, lorsque je quittai définitivement l'Indochine, quelques jeunes filles annamites fréquentaient le lycée. Elles étaient obligées de se déguiser en Européennes, et en général cela leur allait très mal, et elles en souffraient. De même à l'internat primaire supérieur où je logeais, le costume européen était de rigueur. Le dimanche, on pouvait rencontrer dans les rues de Saigon les internes annamites en promenade, tous habillés à la française et qui se ridiculisaient publiquement. Pourquoi de telles mesures dont l'imbécillité est impardonnable ? Je pense que des mesures semblables, qui peuvent paraître insignifiantes de prime abord, ne sont pas loin d'être criminelles. Par ailleurs, les enfants des indigènes non-citoyens n'étaient admis à faire que des études primaires. Je veux bien que grâce à nous la tuberculose et la lèpre aient régressé considérablement en Indochine, mais il n'y a pas de compensation morale possible dans l'ordre physique. Sauver des enfants de la mort pour ensuite ne leur permettre qu'un développement sanctionné, limité, dont les limites elles-mêmes sont codifiées, me paraît beaucoup plus condamnable qu'il n'est louable de les sauver de la mort.)

Léo n'avait aucune préoccupation politique. La gérance de ses biens et le montant impressionnant de ceux-ci le mirent toujours à l'abri de celles-ci. Sortons-le du cadre annamite et considérons l'être qu'il était. Je veux dire que je reviens à mon adolescence. Plus j'y pense, plus il me semble que Léo était d'une stupidité très caractérisée mais qui n'était pas sans charme — du moins pour moi. Il avait passé deux ans à Paris pendant lesquels il avait [fait] la noce, et comme il le disait, il avait « appris à vivre ». Il prétendait qu'il y avait connu de nombreuses femmes, et à l'appui il me montrait des photographies : sur l'une d'entre elles, on le voyait assis par terre, la tête sur les genoux d'une femme brune et très fardée, d'une quarantaine d'années, qui riait. D'autres femmes, chacune munie d'un Annamite, traînaient soit sur des divans, soit par terre, dans des poses également érotiques. Le cadre devait être celui d'une chambre d'hôtel, la nuit. Les femmes étaient toutes marquées par une vulgarité sinistre. Ce n'est pas sans raison que je me souviens si bien de cette photo sur laquelle Léo, la tête prise entre les genoux de cette femme, avait les yeux fermés à moitié et ressemblait à un cadavre. Ce fut pour moi une révélation, je me dis que je succédais à ces femmes dans la vie de Léo et, je ne sais pourquoi, cette pensée me provoqua une angoisse comparable à celle que j'éprouvai plus tard à l'idée de la mort. Il m'apparut alors que Léo était un très pauvre type, et que je passerais ma vie en sa compagnie, que c'était mon lot que d'avoir Léo après avoir eu ma famille et que je n'en sortirais jamais. Cependant je ne quittai pas Léo pour ça, je ne lui fis même aucune réflexion. Mais après avoir vu cette photo, je vécus un mois entier pendant lequel j'essayais de me familiariser avec l'idée d'un abandon absolu. Je n'en dis rien à ma mère. Je n'aurais pu le faire. C'est par l'intermédiaire de cette photo que je crus comprendre qu'elle m'avait abandonnée, de même que mes frères — elle me laissait m'enfoncer insensiblement dans cette liaison avec Léo, alors qu'elle aurait dû comprendre qu'il ne ferait pas mon bonheur. Non pas que je [crusse] qu'elle m'abandonnait volontairement, mais à cause d'une faiblesse que je sentis illimitée et sans recours, et qui fit qu'à partir de ce moment-là je l'aimai autrement.

Léo me montrait ces témoignages d'une vie passée pour essayer de me rendre amoureuse. Les propos qu'il me tenait n'étaient pas si différents de ceux qui émaillent les romans populaires à trois francs et de ceux des films américains. Il me disait qu'il m'aimerait « jusqu'à la mort », que j'avais « un cœur de pierre », que je lui « crevais son cœur », que « je l'aimais pour son argent et non pour lui-même », qu'il « était né pour le malheur » et que « l'argent ne fait pas le bonheur », qu'il était trop sentimental et que le monde est méchant. Il disait aussi : « Ce que je désire est bien simple, c'est une chaumière et un cœur ; je ne demande rien d'autre sur la terre », que « j'étais faite pour faire souffrir les hommes » et pour appuyer cette affirmation, dans ses moments d'accablement, il chantait : « Les femmes rendent les hommes fous, leurs pauvres cœurs sont des joujoux… » sur un ton si lamentable que je le priais chaque fois de ne plus jamais chanter cet air que je disais être passé de mode. Voilà le langage que me tint deux ans durant mon premier amant — il contrastait singulièrement avec celui qu'on tenait dans ma famille. Ce que les propos de Léo pouvaient avoir de périmé et de douteux ne m'échappait pas. Mais ces balivernes me touchaient, je les trouvais flatteuses en général, je renonçais à faire changer Léo. Il me disait des choses qui auraient dû me prouver mille fois sa profonde stupidité. Exemple des finesses de Léo : « Les Parisiennes sont adorables. Lorsque j'arrivais chez ma maîtresse en retard sur le rendez-vous fixé, je trouvais ma photographie à l'envers. C'était une façon charmante de me faire comprendre qu'elle avait du chagrin parce que j'étais en retard. Lorsque nous serons mariés, mettrez-vous souvent ma photographie à l'envers ? »

Je renonçai à le faire changer parce que c'était trop de travail. J'acceptais les niaiseries de Léo. J'acceptais tout. Ma mère, mon frère aîné, les pluies de coups. Tout. Il me semblait que la seule façon d'en sortir, c'était encore d'épouser Léo, parce qu'il avait de l'argent, qu'avec cet argent nous irions en France avec toute ma famille et que là nous aurions du bon temps. Je n'envisageais pas de la laisser en Indochine, parce que la vie seule avec Léo me paraissait être au-dessus de mes forces. Ainsi j'acceptais tout avec une certaine simplicité — je n'étais pas sans espoir, mais cet espoir je ne le dissociais pas du présent qui était assez redoutable. Je pensais qu'un jour je ne serais plus battue ni insultée, qu'on m'écouterait, que je serais belle et brillante, riche, que je ne circulerais que dans des limousines, que peut-être quelqu'un d'autre que Léo m'aimerait. Quelqu'un d'autre que Léo... Mais pour cela il fallait les millions de Léo pour me faire redresser le nez (conseil donné par mon frère aîné, qui était au courant de la chirurgie esthétique naissante), que je m'habille chez les grands couturiers (autre conseil donné par mon frère aîné), et que je sache « parler aux hommes » (conseil donné par ma mère). C'était clair comme le jour. J'y croyais. Sans cela, aucune chance d'avenir. Quand je prétends que je viens de la plus grande stupidité, qu'en perdant ma jeunesse j'ai perdu un empire de stupidité, je sais tout de même ce que j'avance. Quand j'avais réussi à faire mettre Léo en colère et qu'il me boudait, j'étais dans le désespoir parce qu'avec la perte de Léo, je perdais tout, je retombais dans ma famille, à l'ombre de laquelle je vieillirais. C'était horrible à penser. Pour en sortir il me fallait Léo.

Comment suis-je arrivée à surmonter l'espèce de répugnance physique que m'inspirait Léo ? La première fois qu'il m'embrassa sur la bouche, c'était un soir dans sa Léon-Bollée. Il était venu me chercher à la sortie du cours et me ramenait à Sadec pour le week-end. C'était très rare que je le visse à cette heure-là et seule, c'était peut-être même la première fois que cela se présentait. En cours de route, Léo m'enlaça et j'éprouvai du désir pour lui. Je pense que c'était du désir. C'était une paix qui me contentait pleinement. J'étais bien, là, dans les bras de Léo. Je crois que ç'aurait été n'importe qui, ç'aurait été pareil. Léo était n'importe qui, n'importe qui aurait pu me dire ce que me disait Léo, n'importe qui aurait pu avoir les bras et la gentillesse de Léo dans l'obscurité de l'auto, dans la nuit noire que fut ma jeunesse. Quand sa joue touchait ma joue, c'était agréable. Je ne voyais pas son visage. C'était une joue qui voulait ma joue, celle de Léo, et rien d'autre. Je sentais qu'il me désirait parce que ses mains tremblaient et que quelquefois elles rencontraient mon sein, je préférais les avoir autour de la taille où je les y replaçais, ainsi cela était bon. Léo était très ému, il me dit : « Tu as de beaux seins. » Je ne disais rien. Le désir de Léo doucement glissait en moi et provoquait le mien. Je ne désirais pas Léo directement, je désirais Léo parce qu'il me désirait. Son désir faisait surgir le mien sans qu'il y soit pour quelque chose. Je trouvais que le désir était bon à éprouver, je le ressentais comme une espèce de solution à toutes sortes de choses. Pendant que Léo m'enlaçait, lorsque je pensais à ma famille, je la plaignais soudain de n'être pas aussi heureuse que je l'étais, et je trouvais que c'était bon à penser. Je me réconciliais avec le monde, je n'avais éprouvé cette plénitude que lorsque je revenais de la chasse avec mon frère cadet, lorsqu'il avait fait un orage, et lorsque nous revenions pieds nus dans la boue tendre des rizières. « Donne-moi tes seins », disait Léo. Je ne voulais pas lui donner mes seins à toucher, je trouvais que ce n'était pas la peine, ça n'aurait rien ajouté de plus. Ce que je voulais c'était ressentir son désir, c'était tout. « Je t'aime », disait doucement Léo. Il ne me brusquait pas, il savait que j'étais vierge, il avait des principes sur « la première fois », il me laissait mes seins tranquilles et se contentait de ma taille et de mes cheveux, de ma joue. Lorsqu'il me disait qu'il m'aimait, je ressentais une espèce de générosité violente me pénétrer et j'étais obligée de fermer les yeux. N'importe qui d'autre aurait pu me le dire. Ça m'aurait fait le même effet, dans les mêmes conditions.

J'avais lu un roman, *Magali* de Delly ; ce livre a joué un rôle capital dans ma jeunesse. C'était le plus beau/le seul que j'eusse lu, et les mots « je t'aime » y étaient prononcés une seule fois au cours d'un entretien des deux amants, lequel durait quelques minutes à peine mais justifiait des mois d'attente, de douleur, d'une séparation bouleversante. Je l'avais entendu au cinéma, et chaque fois il me bouleversait. Je croyais qu'on ne le disait qu'une seule fois dans la vie, comme cela se passait dans *Magali* et dans les films de Casanova. Qu'on ne pouvait le dire qu'une seule fois à une seule personne, après quoi on ne pouvait le dire à personne d'autre, il en était comme de la mort. J'en étais convaincue. Et lorsque Léo me dit ce soir-là qu'il m'aimait, j'eus le vertige. En même temps qu'il le disait, il ne le dirait plus jamais — et c'était à moi qu'il le disait. J'étais si jeune et si naïve que je m'imaginais qu'on n'aurait pu redire ces mots lorsqu'on les avait déjà dits sans être honteux et déshonoré, à un point que le suicide était le seul recours à un tel désespoir. Après, Léo me le redit bien des fois, et si je n'étais pas aussi bouleversée que la première fois, je l'étais tout de même. Ces mots me faisaient un effet magique. Par la suite, je demandai bien souvent à Léo de me les dire : « Dis-les-moi », et je les recevais comme on reçoit le vent, les yeux fermés, avec l'attention de tout l'être. Par la suite, bien après Léo, il s'est trouvé que d'autres hommes me l'ont dit, alors que leur contenu me paraissait plus que douteux. Néanmoins ils m'ont toujours forcée à les écouter gravement — même lorsqu'ils ne m'ont été dits que dans la distraction du désir. Je disais à Léo : « Même si c'est pas vrai, dis-le. » C'étaient des mots-clefs, même aux moments où je me sentais le plus étrangère, le plus close à Léo, ces mots m'ouvraient et je devenais bonne avec lui.

Ce fut ce soir-là que Léo m'embrassa sur la bouche. Il le fit par surprise. Tout d'un coup, je sentis un contact humide et frais sur mes lèvres. La répulsion que j'éprouvai est proprement indescriptible. Je bousculai Léo, je crachai, je voulais sauter de l'auto. Léo ne savait plus que faire. En l'espace d'une seconde, je me sentis tendue comme un arc, perdue à jamais. Je répétais : « C'est fini, c'est fini. » Léo me disait : « Qu'est-ce que tu veux dire ? » Il ne comprenait pas. À un certain moment, il rit, et m'expliqua que ce n'était pas lorsqu'on s'était laissée embrasser sur la bouche qu'on cessait d'être vierge : « Je sais ça, criais-je, mais c'est tout de même fini. » Il essayait de me calmer et de me reprendre dans ses bras mais je criais, je le suppliais d'arrêter l'auto et de me laisser descendre. C'était en pleine nuit et en pleine campagne, mais je n'y pensais plus. Je retrace la chose comme elle s'est passée ; je ne peux pas l'expliquer. J'étais le dégoût même. Mais quant à expliquer ce que j'entendais par « fini », je ne peux le faire, je ne sais plus. Je me calmai cependant et me poussai à l'extrémité de la banquette, aussi loin de Léo que possible. Et là je crachai dans mon mouchoir, je crachai sans arrêt, je crachai toute la nuit et le lendemain, quand j'y repensais, je crachais encore. Léo paraissait très abattu, il n'essayait plus de me toucher, il voyait que je crachais, il me demandait : « Je te dégoûte ? » Je ne pouvais répondre. Je revoyais son visage qui se trouvait à ce moment-là dans le noir, son visage vérolé, sa grande bouche molle, je revoyais la photographie où il était si lamentable et je pensais que la bouche, la salive, la langue de cet être méprisable avaient touché mes lèvres. Exactement, je me sentais comme après le viol. Rien ne pouvait faire qu'il ne m'ait pas touché ma bouche avec sa bouche qui en avait tant touché d'autres, qui ne s'ouvrait que pour me dire des choses méprisables ou ridicules, qui me paraissait dégradée, vaniteuse et stupide, perdue comme était perdu Léo. « Je vois que je te dégoûte, tu n'as pas besoin de te cacher. » Je ne répondais pas. Je pensais aux mots que mes frères employaient pour qualifier Léo, « fœtus ». J'avais été embrassée par un fœtus, la laideur était rentrée dans ma bouche, j'avais communié avec l'horreur. J'étais violée jusque dans l'âme.

Si je voulais sauter de l'auto, c'était pour mettre fin à l'horreur. Je découvrais mon existence sous un jour horrible, blanc et nu. Pour une fois, je ne m'illusionnais pas, et je *savais* ce que j'allais trouver à Sadec. Mon frère aîné saoul d'opium, ma mère au comble de l'exaspération, et les coups, les coups, sans fin, les coups inavouables, les coups honteux. C'était comme si s'était déclenchée en moi une machine à fabriquer de la lucidité. J'y voyais clair. J'étais embarquée dans la vie avec cet être informe qu'était Léo et je ne pouvais en sortir. Je ne pouvais sortir de rien, c'était ça peut-être que d'être « finie », il ne me restait rien. Alors que je ne savais pas, un moment avant, que j'avais encore ma bouche, maintenant elle ne m'appartenait plus, je ne la reconnaissais plus, je la subissais violée, polluée, comme je subissais ce que je croyais être la vie : ma vie. Je la rinçais avec ma propre salive que je recrachais dans mon mouchoir, et avec mon mouchoir je me frottais mes lèvres. Mais ce n'était pas suffisant — jamais suffisant, je croyais toujours qu'il me restait une parcelle de la salive de Léo dans la bouche et je recrachais et recrachais sans cesse. Je me doutais bien que cela devait faire souffrir Léo mais je le remettais à plus tard, je ne pouvais faire autrement. J'étais occupée à me nettoyer la bouche. Je l'ouvrais et la séchais au grand vent. Mais lorsque je la refermais et que ma salive la mouillait de nouveau, le drame recommençait, je m'imaginais que ma salive était à jamais mélangée à celle de Léo. À un moment je pleurai, alors je me rapprochai de Léo et je lui dis : « Je suis bête, c'est parce que c'est la première fois. » Il me mit ses bras autour de la taille et me dit : « Tu me fais horriblement souffrir. » Je me blottis contre lui, la tête contre sa poitrine, cachée, et j'essayai de recommencer à avaler ma salive par petite quantité, pour m'habituer. Quand je n'y réussissais pas, je crachais discrètement dans mon mouchoir : « Surtout, il ne faut pas m'en vouloir », disais-je à Léo. Je voulais qu'il me console ; il ne pouvait le faire. Mais son bras fermé sur moi me consolait. Je ne pouvais compter que sur le bras de Léo et je m'en servais ce soir-là autant que je pouvais le faire. Je trouvais ce bras inoffensif et bon, il ne me voulait aucun mal, il voulait bien de moi, je m'en arrangeais pour me consoler.

Mon frère aîné possédait un singe, un ouistiti, qu'il aimait éperdument. Il pouvait pleurer sur ce singe ; lorsque, après les aventures que je dirai, il fut obligé de le laisser à la plantation, il lui arrivait de s'en faire un vrai souci : « Je me demande ce que ces salauds font de mon singe. » À ce moment-là, il rentrait vers six heures du matin, peu à peu il était arrivé à fumer une grande partie de la nuit, il se couchait dès qu'il rentrait et se levait pour le déjeuner, après quoi il redormait, après quoi il s'amusait avec son singe jusqu'au goûter de cinq heures, après quoi il rejouait avec son singe, dînait et s'en allait fumer. Nous tenions ce singe enfermé dans une cage, dans une petite cour. C'était une bête exceptionnellement intelligente et drôle. Il finit par tenir dans la vie de mon frère une place prépondérante. Quand il ne dormait pas, mon frère le lâchait et le mettait sur son épaule, il lui jouait du piano, lui faisait avaler des sapèques (monnaie indigène en bronze) en une telle qualité que ses bajoues en étaient pleines à craquer, qu'il s'alourdissait et ne pouvait se déplacer que tête baissée. Après quoi, il sortait les sapèques et les redonnait à mon frère une à une. Mon frère en éprouvait une joie délirante, il riait comme je n'ai jamais vu rire. Il nous appelait, mon frère cadet et moi, afin que nous suivions la scène. Il fallait être là sous peine de le contrarier dangereusement. Il fallait regarder. Quelquefois ça durait une heure. Lorsque je ne riais pas, mon frère était furieux. Quelquefois ma mère apparaissait et lui disait : « Je t'en supplie, fais quelque chose, n'importe quoi mais fais quelque chose, ne perds pas toutes tes journées... » Mon frère la remettait à sa place plus ou moins vertement, ça dépendait, mais il continuait à jouer avec le singe. Nous élevions également un coq, que mon frère mettait quelquefois dans la cage du singe et que le singe plumait à grands cris de joie, le coq hurlait et cette scène amusait tout le monde, même ma mère, il y avait ainsi des choses qui nous ralliaient. C'était peut-être cruel, mais nous n'y pensions pas. Un jour, le singe s'échappa et sema la panique à l'école des filles indigènes que ma mère dirigeait. L'école entière fut dehors en l'espace d'une minute, toutes les filles hurlaient. Mes frères et moi étions aux anges bien que ma mère prît la chose très mal, parlât d'être révoquée et obtînt de mon frère qu'on renvoie le singe à la plantation. Ce fut à partir de ce moment-là qu'il s'intéressa à la plantation, il y allait pour voir son singe qui y dépérissait d'ennui. Un jour, la bête commença à perdre ses dents parce qu'on ne lui donnait pas assez à boire ; mon frère ne résista pas à le ramener à Sadec où le singe, devenu vicieux, passa ses journées entières à se masturber, au grand dégoût de tous sauf de mon frère aîné. Il se toquait de même de certaines gens pendant un certain temps, puis les délaissait aussi complètement que s'ils n'avaient jamais existé.

Pourquoi tout à coup ce souvenir du cinéma ? Urgent de l'écrire. Il se place lorsqu'elle avait quatorze ans la fille que j'étais. Je ne voulais pas sortir avec les jeunes filles de la pension Barbet le dimanche, en rang, par les rues de la ville. J'avais honte de sortir en rang. C'était exactement impossible à penser — impossible. Je l'avais dit à ma mère. Ma mère comprit que c'était impossible. Elle savait que contre certaines impossibilités que j'éprouvais, il ne fallait pas lutter. Ou était-ce que j'arrivai à la convaincre ? Je ne crois pas. De même que ma mère avait abandonné l'espoir de me faire lui demander pardon, de même elle abandonna celui de me voir me promener en rang avec la pension Barbet. Je lui avais dit : « C'est impossible » sans m'expliquer. J'avais ajouté : « C'est ridicule. »

J'aurais été incapable de m'expliquer, je n'en avais pas l'habitude. Jamais je ne m'étais expliquée sur rien, sur quoi que ce soit. Tout le monde était ainsi dans ma famille. Jamais, en aucun lieu, en aucun milieu, je n'ai rencontré un sens aussi aigu de l'impudeur du langage. Jamais il ne servit à autre chose qu'à désigner des actions à faire, des situations qui appelaient d'être formulées ; les injures étaient ce qu'il y avait de plus gratuit, on aurait pu ne pas s'injurier, si on s'injuriait c'était en vertu d'un esprit de poésie. Jamais les mots ne servirent chez moi à décrire un état intérieur, à formuler une plainte. Le : « Tu me fais chier » de mon frère aîné voulait dire, pour nous, que *tout* le faisait chier, et qu'il se trouvait dans un état que dans un autre milieu il est convenu d'appeler le désespoir. Aussi n'était-ce pas sans respect et sans sérieux que nous évitions dans ces moments-là de lui adresser la parole. Les injures, c'était notre poésie. Elles en avaient les caractères les plus vrais, les plus indéniables. D'abord leur gratuité qui n'était pas hasardeuse, mais qui tombait juste et nous illuminait de colère, et nous inondait de révélations de toutes sortes. « Ta maison est une chierie, disait mon frère à ma mère, une vraie chierie et on s'y emmerde. » Ces mots trouvaient en nous cette forme « toujours creuse » dont parle saint Jean de la Croix, et nous emplissait d'une évidence, d'une révélation. Dans ces cas-là, je sentais bien que c'était une chierie que la maison, que je nageais en pleine chierie, je soupçonnais que tout était chierie et qu'on n'en sortait jamais. Il y avait les mots, il y avait le regard qui les accompagnait, et le ton, bref, sans effet, le plus adéquat, le plus sincère, qui faisait qu'il chassait le doute de l'or de ces mots.

Je n'ai éprouvé de révélations aussi puissantes durant mon existence, aussi puissantes et aussi souverainement convaincantes que certaines injures de mon frère aîné, qu'à la lecture de Rimbaud, de Dostoïevski. C'est peut-être lui qui le premier m'a inculqué cette tendance que j'ai encore à préférer l'œuvre d'inspiration à n'importe quelle autre, et à tenir en disgrâce l'intelligence humaine. En fait d'intelligence, je ne suis à peu près sensible qu'à celle de certains animaux, ceux qui précisément en ont si peu que les rares marques qu'ils en donnent, donnent l'impression de relever d'une inspiration subite. Je préfère par exemple les chats bêtes aux chats intelligents. Je n'y puis rien. Je préfère les chats qui ne me reconnaissent pas à ceux qui me reconnaissent. Quand mon frère a attrapé la syphilis, il [a] dit : « Pourriture de vie, je suis pourri. » Dès lors, je me sentais infiniment pitoyable et fraternelle. Je me sentais inconsolable — très exactement inconsolable de savoir qu'il arrivait des choses pareilles dans l'existence, mais de fait, je sus qu'il en existait et personne, par la suite, n'eut à me l'apprendre mieux que lui.

Lorsque je soutins à ma mère qu'il m'était impossible d'aller me promener avec les filles de la pension Barbet, ma mère dut avoir le sentiment que c'était plus fort que moi. Elle avait une accoutumance si grande des « choses plus fortes que soi » qu'elle céda. Elle alla trouver la directrice de la pension Barbet. Je l'attendais devant la porte du bureau. C'était délicat à demander. L'entretien dura longtemps. Ma mère sortit rouge et encore gênée, et elle me dit que c'était accordé. Je ne sais pas à quel argument ma mère eut recours, mais elle n'était pas sans fierté d'avoir emporté le morceau. La directrice tenait fort à la promenade du dimanche, elle tenait à ce que l'on pût constater la parfaite tenue de ses élèves. Je me demande encore comment elle céda, d'autant plus que ma mère lui avait demandé de me laisser sortir seule, ce qui aurait dû lui paraître inadmissible. À ce moment-là, je ne connaissais pas Léo, et ma mère ne pensa sûrement pas à mal de mes sorties, elle ne pensa rien à vrai dire, et elle ne se demanda pas ce que je pouvais faire seule à travers la ville, à quatorze ans, chaque dimanche après-midi.

Lorsque, le dimanche suivant, je me trouvai devant cette expectative, je ne sus effectivement que faire de moi. Cependant je m'habillai dès quatre heures, et je sortis. J'avais un chapeau de paille vert vif que ma mère m'avait acheté d'office en solde, et qui était destiné aux sorties. Je portais une robe grège à fleurs bleues. Ce n'est qu'une fois dehors que je me trouvai sans recours contre le ridicule parfait de ma tenue. Elle avait un caractère fatal. Je ne songeais même pas que j'aurais pu y changer quoi que ce soit. De même que j'avais une gueule de « morpion », d'une qui « peut toujours courir », de même cette tenue imposée par ma mère faisait partie de mon personnage, et je la trimballais avec autant de tristesse que mon visage. Par la ville je m'en allais. Ainsi que je croyais que l'humanité fait le dimanche après-midi dans toutes les villes du monde, je faisais. On m'avait toujours enseigné et profondément inculqué le sens des conventions humaines. Et je peux affirmer absolument que pendant toute une grande partie de ma jeunesse, je me suis appliquée à être « comme les autres », à « passer », ce qui m'a valu une somme de douleur considérable et un désespoir latent qui ne m'a quitté qu'étrangement tard. Une fois hors de la pension Barbet, je m'appliquai à marcher dans la rue avec l'air d'une qui sait où elle va, avec naturel. Or une fois dehors, une ankylose me pénétra et je marchais d'une façon si inattendue que les gens me remarquaient. Je crois que je devais marcher avec un air très pénétré — d'autant plus que je ne savais pas où j'allais. Je me récapitulais ce qui avait précédé cette promenade : mon refus d'être en rang avec la pension Barbet, ma volonté de sortir seule. À ce moment-là, tous les coloniaux avaient leur auto. On ne rencontrait pas de Français à pied, ou très rarement. On ne rencontrait surtout pas de jeune fille seule — les jeunes filles sortaient avec leurs parents — à cause de la promiscuité des indigènes, dans les rues, cela ne se faisait jamais. On « tenait » les jeunes filles. Sous l'ombrage des grands tamariniers, moi, j'allais — et à mesure que j'allais, l'évidence se faisait plus grande que ma place n'était pas là où j'étais. Les gens me regardaient, ils se retournaient, ils souriaient, surpris, pitoyables. Non, c'est difficile d'imaginer cela. J'avais quatorze ans, des robes sous les genoux, des seins, un chapeau vert pomme, une robe à fleurs bleues, des souliers vernis, un petit sac à main et je marchais les yeux baissés, en ne regardant personne, rien que mes pieds, dans un état de gêne horrible que jamais plus je n'ai ressenti. Je me sentais déguisée, je l'étais. Je croisais des bandes de jeunes filles qui allaient au tennis, tête nue, habillées de blanc, sportives, qui marchaient légèrement. Moi, on aurait pu aussi bien me prendre pour une petite putain ou pour une petite fille. J'étais l'équivoque incarnée. Je ne savais pas, les gens non plus, ils se demandaient en me regardant ce que c'était que ça qu'on n'avait jamais vu, qu'on aurait pu croire jeune, n'était cet air contracté, cet air millénaire de honte et de douleur qui vieillissait son visage fardé. Je ne songeais pas à rentrer. Ce n'était pas possible. Pas possible de reculer — ça ne me venait d'ailleurs pas à l'esprit. C'était dimanche après-midi, et j'étais de sortie. Personne à aller voir, je ne connaissais personne dans la ville. Je marchais, je marchais, je m'éloignais des grandes avenues, je prenais les petites rues. Je ne pouvais rentrer qu'à sept heures. J'attendais le soir, le noir pour me cacher, et en attendant j'essayais de me dissimuler le plus possible dans les petites rues bordées de villas dans la banlieue de la ville — là où je savais qu'il n'y aurait pas de Français, où seuls des indigènes s'étonneraient, ce qui me paraissait moins grave, plus supportable, parce qu'il y en avait beaucoup plus que de Français, que ça avait moins d'importance, que ça faisait moins souffrir, que tout était relatif ; qu'un indigène s'étonnerait moins, n'ayant pas les moyens de mesurer mon ridicule. J'étais en nage, la sueur coulait de mes cheveux sur mon visage. Pourtant, je ne rentrais pas à la pension Barbet. Je m'entêtais. Je décidai d'aller au cinéma en matinée. Cette résolution brutale me vint à l'esprit au moment où mes forces m'abandonnaient. Je revins et me dirigeai vers le centre de la ville. Je rencontrai beaucoup de Français. Sur mon chapeau de paille vert pomme, il y avait une rose rouge. « Rose mousse », disait ma mère. Et mon petit sac à main qui me donnait un air vieux, « habillé », qui m'achevait en me donnant un air sérieux. Je souffrais comme une damnée, je marchais très vite pour m'engloutir dans [l'Éden].

J'y arrivai et je me dirigeai vers le guichet. Je n'y avais pas pensé. J'avais à peine assez d'argent pour me prendre une place dans les « avancées ». Les avancées n'étaient fréquentées que par la « crasse » de la ville. Métis, Annamites, tous empilés sur des chaises en rotin, trois rangées séparées de l'orchestre par un grand espace vide : la différence.

Je payai ma place comme je le pouvais en complétant avec de la monnaie, sans m'évanouir. Lorsque j'arrivai à l'entrée de la salle, je la trouvai éclairée. Il était trop tôt, la séance n'était pas commencée. Au fond de l'orchestre, il y avait déjà trois rangées de Français. Aux avancées, une bande de voyous sifflaient et riaient. Je devais traverser tout le cinéma sous les yeux de l'orchestre. Seule. Car on n'accompagnait pas les clients des avancées. Pas un seul Blanc aux avancées. Je ne reculai pas. Je traversai. La traversée de cette salle par mon personnage s'accomplit, dans un profond silence provoqué par l'entrée de mon personnage. Je me souviens que je ne me souvenais plus comment on marche. L'humanité entière me regardait. J'étais blanche, incontestablement. On n'avait jamais vu de Blanche aux avancées. Tout, je savais tout ce qu'on pensait, et je le pensais moi-même au même instant. Tout dansait sous mes yeux, et je me trouvais dans un état d'irréalité très avancé. J'étais dans un contact profond avec la honte. J'étais la honte qui marchait. J'étais simplement ridicule. Je n'avais rien à faire dans ce cinéma et ma tenue n'était pas ordinaire, elle appelait au moins le rire, sinon la pitié. Tout se cassait. Je me retrouvai moi-même cassée sur une chaise de rotin, mon sac sur les genoux, en nage. Je ne pourrais plus dire s'il se passa dix minutes ou une heure avant que les lumières s'éteignent. Mais tout à coup, il fit noir, et on joua du piano. Je sortis de la torpeur. On joua *Casanova*. Je trouvai ce film d'une beauté déterminante. Je sortis consolée. J'avais vu Casanova embrasser une femme sur la bouche et lui avouer son amour.

*

Le soir, un petit grésillement sec se faisait entendre sur la route de Ramé. Ma mère disait : « C'est Paul qui rentre », et peu après on le voyait apparaître dans sa carriole, sur la route plate de Ramé. Nous manquions tellement d'argent qu'il avait imaginé faire du transport en commun. À cet effet, il avait acheté un vieux cheval et une carriole et tout l'après-midi il faisait le trajet Bantai-Ramé, ce qui lui rapportait tout au plus de quoi s'acheter des cigarettes. Ma mère avait acquiescé.

De loin, on vit trois indigènes descendre de la voiture, payer à Paul leur dû, et Paul s'engager sur notre route, et arriver à la maison.

— Métier de chien, dit Paul.

Ma mère faisait planter des palmiers et des fleurs le long de la maison. Elle surveillait le travail d'un domestique depuis le début de l'après-midi. Depuis longtemps déjà, nous savions qu'il ne fallait espérer aucun gain de la plantation. La mère ne pouvait supporter l'inaction, elle faisait planter des fleurs et occupait ainsi ses domestiques. Plusieurs fois d'ailleurs, la sécheresse torride avait eu raison de ses efforts. Mais la mère persistait toujours.

J'avais ce jour-là passé une partie de l'après-midi dans la soupente de la maison où on remisait les chasses de mon frère. Quatre biches et un cerf y pendaient, suspendus par des crochets de fer. Je m'y enfermais souvent à l'insu de ma mère. Il faisait très frais dans cette soupente, et on y était tranquille. Les biches perdaient leur sang goutte à goutte, et le bruit mou — floc — des gouttes de sang sur le sol devait bercer en moi je ne sais quelle lointaine mélancolie. Les chasses de mon frère empoisonnaient mon existence — elles faisaient l'orgueil de ma mère. Sitôt le soir venu, mon frère sortait sur la véranda et humait l'air : « Ce soir, j'y vais », disait-il. Je m'étais fait une sorte de devoir de visiter les biches mortes de la soupente. Moi aussi j'étais fière des exploits de mon frère, mais surtout j'en étais déchirée. Comme il faisait très chaud, les bêtes se décomposaient vite, dans ce cas on les décrochait et on les jetait dans la rivière — elles s'en allaient au fil de l'eau vers la mer. Nous en mangions tant qu'on en était dégoûté, et à la fin nous leur préférions autre chose — par exemple les échassiers à chair noire que mon frère tuait dans les forêts de palétuviers qui bordaient la mer et que nous mangions à peu près crus, à peine rôtis sur du feu de bois. À un certain moment, nous nous étions régalés de chair de jeune crocodile saumurée, mais à la longue on se lassait de tout. La région offrait peu de ressources en viandes, les seuls porcs qu'il y avait étaient [*illis.*] et se nourrissaient des vidanges du village. Nous hésitions à en manger. La région était très pauvre. Les indigènes se rattrapaient sur les chiens — un de nos domestiques les poursuivait avec des haches et les décapitait en pleine course. Ils continuaient alors à courir, ils faisaient une dizaine de mètres sans leur tête, ce qui m'affolait littéralement. Nous ne pouvions pas consentir à manger du chien, ma mère s'y était toujours opposée parce qu'elle aimait les chiens. Malheureusement, nous ne pouvions en garder un seul sans le voir finir de cette façon déplorable.

Lorsque j'entendis le roulement de la charrette, je sortis de la soupente et j'allai vers mon frère. Il était en nage, il dételait rapidement. Le cheval avait encore maigri.

— Je ne sais pas ce qu'il a, disait mon frère, il va crever. Il doit être tuberculeux.

Il le lâchait dans la prairie. La bête ne mangeait plus. On le regardait pendant un instant.

— Il n'en a plus pour longtemps, disait mon frère, viens te baigner.

Je remontais rapidement dans le bungalow et je passais mon maillot. Mon frère en faisait autant de son côté. Nous redescendions devant ma mère :

— Vous y allez encore, disait ma mère.

On ne répondait pas et on se dirigeait à travers la rizière vers le petit pont de bois où la rivière était profonde. Mon frère sautait le premier, il nageait admirablement. La crique était très peu profonde et large, il y tournait comme un poisson dans un bocal. J'hésitais toujours — à cause des rencontres qu'on faisait dans cette eau. La rivière débouchait de la forêt à quelques centaines de mètres de là, et souvent des oiseaux morts, des écureuils (même des tigres à la saison haute) descendaient dans cette rivière. Il était rare qu'on en sortît sans sangsues. Mon frère insistait, et je finissais toujours par céder. Il m'apprenait à nager. On restait dans l'eau jusqu'à ce que le soir vînt, et que l'on entendît les hurlements de ma mère qui nous menaçaient de corrections. On remontait et on se lavait de l'eau boueuse de la rivière dans des jarres d'eau de pluie.

On s'arrachait des sangsues entre les doigts de pied. Ma mère s'en apercevait toujours.

— Vous finirez par vous faire saigner complètement, disait-elle.

*

Ça a commencé il y a trois jours. Maxime est rentré en disant qu'ils les avait mis dans une grange à Levallois dans de la paille fraîche, qu'ils rigolaient en disant « Kaput ». Maxime rigolait. C'était à la cantine. Les autres rigolaient en écoutant Maxime. Théodora les avait insultés, puis elle s'était mise à pleurer. Depuis, elle était inapprochable. Les autres femmes du centre disaient de Théodora : « Elle est épouvantable, c'est une sauvage. » Maxime et Théodora s'étaient engueulés. Tout le monde avait pris le parti de Maxime sauf deux. Depuis trois jours, Maxime évitait de parler à Théodora. Les femmes s'étaient séparées d'elle. Manifestement Théodora les dégoûtait. Il n'y avait qu'Albert qui n'était pas de l'avis des autres. Il disait aux autres femmes : « Vous allez lui foutre la paix, non ? » Il était de l'avis de Maxime quant à ce qu'on devait en faire, mais une fois pour toutes il défendait qu'on emmerde Théodora sur ce sujet.

— Je m'en vais, dit la fille. Tu diras à Albert que je suis venue.

— Tout est foutu, dit Théodora.

Il faisait très chaud. Toujours les mitraillettes. Les femmes s'occupaient de la cantine ou du centre d'entraide. Théodora ne faisait rien. En principe, elle restait dans le bar à cause des numéros de téléphone. Toujours des mitrailleuses dans le lointain. On dirait qu'elles se rapprochent. Il fait chaud. Les miliciens, onze dans une chambre au troisième étage, doivent avoir très chaud ; peut-être ils manquent d'eau. Il y a déjà trois jours que c'est fini. Dans une petite pièce, face au bar, il y a six collaborateurs qui jouent aux cartes, ils se sont groupés parce que ceux du hall leur paraissaient vulgaires. « Y en a marre des prisonniers », pense Théodora. Elle connaît un prisonnier qui est peut-être fusillé en ce moment. Fusillé par les Allemands. Il était à Fresnes il y a de ça trois semaines, maintenant elle ne sait plus rien. Hier, dans un autre centre qui dépend de celui de Richelieu, on a fusillé aussi, c'était un agent de la Gestapo. Ça se passait rue de la Chaussée-d'Antin, dans une cour. Elle, Nano, était arrivée avec Albert et Ter le milicien rue de la Chaussée-d'Antin. Ter devait passer à l'interrogatoire.

En rentrant dans la grande pièce vide où se tient le Q.G. de la rue d'Antin, ils avaient croisé une civière, floc flac, mou encore. « Il y a deux minutes, avait dit Jean, vous avez raté ça. » Il expliquait que c'était le groupe Hernandez qui l'avait fait. Trois coups de revolver dans la nuque, dans la cour. Albert et Théodora étaient allés voir la cour. Sur une pierre, une flaque de sang qui se caillait déjà. On s'entendait à peine dans le hall, à cause des Espagnols qui parlaient très fort. Dans la cour, il y avait seulement du sang. Le type avait pleuré et supplié, les Espagnols s'étaient disputés, c'était à qui le tuerait. Jean et Albert en parlaient, Jean était pâle comme quelqu'un qui a le mal de mer : « J'aime pas ça... », dit-il à Albert.

Le milicien, adossé à la cheminée, avait vu passer le cadavre de l'agent de la Gestapo, et par la porte il avait vu le sang. Il était extrêmement pâle. C'était de beaucoup, de tous les prisonniers du centre, celui qui était le plus sympathique à Albert et à Théodora. Il dit à Albert, tout bas : « Si c'est pour me fusiller que vous m'avez amené, je voudrais le savoir, je voudrais écrire un mot à mes parents. » Tout à coup, pendant qu'ils parlaient à Jean, ils s'étaient rendu compte que le milicien avait vu le cadavre de l'agent de la Gestapo. Il était d'une pâleur qui ne doit arriver qu'une fois dans la vie. Albert lui avait répondu avec un sourire : « Non, ce n'est pas pour vous fusiller qu'on vous a amené ici. » « Ah ! bon, dit le milicien, parce que j'aurais aimé savoir. » Puis il n'avait plus rien dit. Albert était resté un moment pensif.

Dans les deux pièces avoisinantes, des hommes graissaient leurs fusils avec soin. Jean, en nage, donnait des ordres sur le logement des différents groupes pour le soir. Les Espagnols gueulaient dans les pièces vides. Albert avait offert une cigarette au milicien en souriant. Albert était l'ami du milicien et de Théodora. Il avait également offert une cigarette à Théodora. Il aimait bien Théodora, il l'emmenait un peu partout, les femmes l'emmerdaient mais pas Théodora. Le milicien avait aussi souri à Albert lorsqu'il lui avait offert la cigarette. Théodora aussi avait souri, forcément. C'était un beau moment. Le milicien fumait sa cigarette de toutes ses forces, des bouffées formidables. Il avait vingt-trois ans. On lui voyait les muscles des avant-bras, longs, jeunes, la taille aussi, bien prise. On ne l'aurait pas très bien distingué des autres hommes qui circulaient et graissaient leurs fusils s'il n'avait pas été aussi pâle, et s'il n'avait fumé de cette façon.

Mais il avait un sale passé ; si le passé des hommes pouvait s'oublier, il n'y aurait jamais de guerre. Quand il fumait sa cigarette, il aurait pu croire qu'il recommençait à vivre et que ce passé s'était évaporé, mais non. Les hommes graissaient leurs fusils dans tous les coins et se préparaient à d'autres exécutions. Albert aurait pu faire ce sourire et offrir cette cigarette à n'importe quel homme du moment que celui-ci aurait passé, vivant, de la certitude totale de la mort à la vie. Mais n'importe qui n'aurait pas souri à n'importe qui de cette façon. Albert était intelligent. C'était même le triomphe de l'intelligence qu'Albert, pensait Théodora — dans le sens où ce sourire était d'intelligence avec le milicien. Il n'était pas bon, mais compréhensif à ce point qu'on pouvait dire de lui que rien ne lui échappait, cependant qu'il comprenait tout. Debout près de la cheminée, Albert attendait Jean : « Dis donc, quand t'auras une seconde... » « Tout de suite », avait dit Jean. Le milicien ne se demandait pas ce qu'il faisait là. Il fumait sa cigarette. Du moment qu'il n'avait pas été fusillé, rien d'autre ne l'occupait. Il devait se douter qu'il allait s'agir de lui mais très vaguement. C'était pas un sourire ordinaire qu'ils s'étaient fait tous deux, Albert et lui, un sourire de complicité. Un curé l'aurait pas fait parce que la religion a défiguré la mort, c'est là le moindre de ses crimes. Ni le milicien ni Albert ne croyaient en Dieu. Pas possible autrement.

Jean a une seconde. Ils se parlent avec Albert. Théodora reste à côté de la cheminée avec le milicien. C'est hier qu'ils l'ont interrogé. Elle le connaît aussi bien que son frère. C'était un ami de Bony et de Lafont. Il faisait la bringue avec eux. Il est monté dans l'auto blindée de Lafont. « Pourquoi êtes-vous devenu milicien ? » « Parce que je voulais avoir une arme. » « Pourquoi une arme ? » « Parce que c'est chic une arme. » On l'avait emmerdé une heure pour savoir ce qu'il en faisait, s'il ne tuait pas des résistants avec cette arme. Il disait : « J'étais le dernier des derniers, j'aurais pas pu tuer des résistants. » Il n'avait pas dit qu'il n'en aurait pas eu l'intention s'il l'avait pu. Le groupe d'Albert l'avait arrêté dans un autre groupe de FFI qui, ceux-là, ne faisaient pas de prisonniers, alors on l'avait refilé au groupe d'Albert. « Qu'est-ce que vous foutiez dans ce groupe de FFI ? » « Je voulais me battre. » « Avec quelle arme ? » « Avec mon arme. » « C'était pour vous planquer ? » « Non, parce que tôt ou tard je savais bien... c'était pour me battre. » « Pourquoi ne portiez-vous pas de brassard ? » — Alors il avait souri. « Non, tout de même pas... » C'était à cause de cette réponse qu'Albert et Théodora avaient pris pour ce milicien une certaine amitié. En un an il avait gagné six millions dans un bureau d'achat allemand, et il avait tout dépensé. « Combien ça vous a rapporté ? » « Six millions en 1943. » Pas une seconde il n'avait hésité. Théodora trouvait qu'il avait une gueule de baiseur et de noceur. Il était sûr d'être fusillé. Pendant l'interrogatoire, il avait regardé Théodora d'une certaine façon. Depuis elle savait que ç'avait dû être un baiseur. Un con aussi, mais c'était pas le moment de se le dire. Albert était revenu vers le milicien et Théodora : « On s'en va. » Ils s'en étaient allés tout droit vers la porte. En partant, Albert avait fait un signe amical à Hernandez, Théodora aussi.

Hernandez était un géant espagnol de la FAI, il disait qu'il s'entraînait pour repartir en Espagne. C'était son groupe qui avait exécuté l'agent, ils étaient dix-sept, considérés par tous les Français comme leurs aînés dans l'expérience. D'avoir tué l'agent confirmait à Albert le bien-fondé de son amitié ; le signe d'amitié qu'il lui avait fait l'indiquait. Hernandez serait mort à la seconde pour la République espagnole, il avait le droit de tuer. C'était à son groupe qu'était revenu l'honneur d'exécuter l'agent, c'était régulier. Pourtant l'agent était français, mais les Français n'avaient pas discuté : eux étaient moins certains de la justification de cette exécution, Hernandez non. Maintenant Hernandez riait comme devant. Il était coiffeur de son métier, de sa raison d'être il était républicain espagnol. Avec autant de facilité il se serait tiré à lui-même une balle dans la tête pour avancer la guerre civile. Quand ils ne se bagarraient pas, les Espagnols graissaient les armes récupérées. L'insurrection de Paris les rendait nostalgiques, ils pensaient à l'Espagne. Ils croyaient qu'ils pourraient partir dans le mois qui suivrait : « Au tour de Franco », disait Hernandez. Ils en étaient sûrs, leur souci était de se regrouper, les socialistes y mettaient des conditions inacceptables pour ceux de la FAI. La FAI et les communistes voulaient partir immédiatement à la frontière, les socialistes voulaient attendre et parlaient d'un corps expéditionnaire organisé. Tous avaient abandonné leur métier pour repartir.

En croisant Hernandez, Théodora pensa que ce serait peut-être lui qui allait exécuter le milicien dans les jours qui suivraient. Elle préférait que ce soit Hernandez. Elle lui sourit. Seul Hernandez savait à quel point il était nécessaire de le tuer. Pas question de se mêler de ça, d'empêcher Hernandez de tuer aurait été un crime envers le peuple. C'était une vraie exécution que celle de l'agent de la Gestapo, Hernandez n'en doutait pas. Théodora en doutait d'autant moins que quelques jours plus tôt, elle aurait voulu qu'on tue les prisonniers allemands. Théodora ne savait pas ce que s'étaient dit Jean et Albert. Pourquoi avait-on amené le milicien du centre Richelieu pour le centre d'Antin ? Les desseins d'Albert restaient mystérieux à Théodora. Mais ça n'avait pas d'importance. Lorsqu'ils étaient montés dans l'auto, Terrail avait ouvert la porte de l'auto à Théodora avec correction. Certes, il était content de partir du centre d'Antin, mais aussi, en plus, c'était parce que Théodora conduisait et que les femmes qui conduisaient devaient lui en jeter. Le milicien s'était assis près de Théodora. Derrière, Albert avec un petit revolver, très petit. Il ne marchait pas ce revolver, c'était tout ce qui restait à Albert, tous ses autres revolvers lui avaient été volés par ses camarades. Le milicien ne savait pas que ce revolver ne marchait pas, il se tenait tranquille, aux tournants il « mettait le bras », il était attentif à la conduite de l'auto. À un certain moment, Albert et Théodora s'étaient regardés en rigolant à propos de ce revolver. « S'il savait. » Il n'y avait que le milicien qui était sérieux, très sérieux, en allongeant le bras aux tournants. Ce milicien faisait partie d'une certaine catégorie d'êtres qui peuvent jouir d'une promenade en auto même s'ils savent que c'est la dernière, toujours ça de pris, et pour lesquels le maniement d'une auto dans Paris est une chose fascinante en soi. Pour la même raison, il avait gardé l'arme.

Dans les rues, pas de police. Des nuées de voitures FFI circulaient dans tous les sens. Les sens uniques, surtout, étaient sillonnés en sens inverse par beaucoup d'autos, surtout celui d'Haussmann que Théodora avait emprunté pour revenir de la Chaussée d'Antin. Pas de police encore. Beaucoup d'accidents. De presque toutes les autos, des canons de mitraillettes et de fusils tenus par des gueules de prolos. De temps en temps des roucoulements de mitrailleuse : les tireurs des toits. Tous les soirs, au centre, des gens viennent, ils disent qu'ils ont vu passer des ombres sur le toit voisin du leur. C'est ainsi que Théodora a failli faire tuer des soldats américains qui montaient un poste de DCA sur le toit d'une banque. Dans toutes les jeeps il y a des femmes, des petites poules aussi, comme dans les voitures FFI. Ceux qui râlent le plus ce sont les AS. Au centre Richelieu, ils étaient arrivés en escorte le lendemain de l'entrée de Leclerc, en uniforme. Ils avaient déploré que les « nuits bleues » fussent ainsi traitées. Ils venaient « prendre possession de l'immeuble ». Hier en rentrant, Théodora les avait rencontrés dans le hall, le général disait : « Je croyais pouvoir les garder, mais ils sont trop encombrants, c'est impossible. » Ils parlaient des FFI.

Théodora regrettait que l'insurrection n'ait pas continué et qu'ils n'aient pas eu le droit de zigouiller les naphtalinés. Elle avait de nombreuses causes de tristesse et les naphtalinés n'étaient pas la moindre. C'était un des spectacles les plus désolants qu'elle ait vu. Ils venaient « mettre fin aux abus ». Aux gars qui s'étaient pas lavés ni couchés depuis quinze jours, ils avaient dit : « Mes petits amis, il faudra ramasser ces matelas, c'est fini maintenant. » Le général naphtaliné ne se déplaçait qu'avec six autres naphtalinés — même pour dire qu'il faudrait balayer le hall — alors que les « missions » de bouteilles d'essence se composaient de deux hommes.

Albert avait honte pour les naphtalinés. Ceux de Levallois râlaient dur. Ceux de la porte Champerret, tant qu'ils y étaient, voulaient mettre le feu à l'immeuble. Il n'y avait que les prisonniers qui étaient rassurés parce qu'ils allaient être entre les mains de la Justice militaire. Pendant quinze jours, les naphtalinés s'étaient employés à faire l'inventaire de ce que les FFI avaient volé aux collaborateurs. Finalement ils avaient tellement volé qu'ils avaient renoncé à tout récupérer, et qu'ils s'étaient occupés de leur boulot. Ils n'en imposaient qu'aux prisonniers, les hommes de Levallois ne se déplaçaient même pas lorsqu'ils les croisaient dans l'immeuble. Alors que les FFI l'avaient sauté pendant quinze jours, les naphtalinés mangeaient comme des rois, sur des nappes et à midi. Les FFI mangeaient les restes à une heure et demie.

Le soir même de l'exécution de l'agent de la Gestapo, Théodora était allée au ministère des Prisonniers pour faire valider des bons de réquisition de pain. Elle y avait rencontré de nombreux réquisitionnés qui venaient se faire payer. Dans le bureau de la secrétaire du ministre, un homme disait : « J'ai un macchabée, je ne sais plus où le mettre, ça fait trois heures qu'on l'a déposé au poste, les morgues n'en veulent pas, j'en ai marre » ; la secrétaire lui avait dit qu'elle avait autre chose à faire. « C'est de la rue de la Chaussée-d'Antin, j'ai téléphoné à tous les hôpitaux, il est en bas dans la voiture, je me demande quoi en faire ? » Théodora n'avait rien dit. Il s'agissait de l'agent. La secrétaire s'impatientait, le type aussi, finalement il était parti en laissant sur la table de la secrétaire une petite médaille en or et une chaîne : « On a trouvé ça sur lui..., moi je n'ai rien à en faire. » Et il était parti. Théodora, qui connaissait la secrétaire, s'était permis de regarder la chaîne. C'était une chaîne de première communion. Elle s'était demandé pourquoi le type la lui avait enlevée, ça compliquait les choses : « Et moi, qu'est-ce que vous voulez que j'en fasse ? », avait dit la secrétaire, et elle avait haussé les épaules. Le type s'était esquivé. Pendant qu'elle signait les bons de réquisition, la chaîne était sur la table comme une autre chose. Théodora avait eu une envie : de la toucher pour savoir si elle était encore chaude. C'était con. Le type avait dit que le macchabée n'avait aucun papier sur lui, il ne savait pas du tout qui ça pouvait être. Théodora ne savait pas plus, mais elle aurait pu le savoir en téléphonant à Jean. Elle n'y avait pas pensé une seconde. Elle avait ri. Puis elle était partie. Si elle avait ri, elle avait aussi ressenti un dégoût devant la chaîne : ça suffisait comme ça.

*

Je suis tout ce qu'il y a de bas dans la société, je suis la femme à Marcel. Marcel est aux usines voisines. Avant-guerre il faisait des moteurs d'avion, maintenant il fait des barattes. C'est un spécialiste, il gagne bien. Oui. Il gagne suffisamment, je n'ai pas à me plaindre. C'est un ouvrier. On a eu trois enfants, deux sont morts, le troisième il est ouvrier aussi, il est marié. Il a un fils de quatre ans. Moi je suis la femme à Marcel. J'ai aucune spécialité. Je tiens bien mon ménage. Les copains à Marcel, quand ils viennent le soir : « Où est Marcel ? » Je dis : « Il est au syndicat. » Alors ils disent : « J'reviendrai demain… Ça va ? » « Ça va. » Ils s'en vont. Pourquoi y resteraient ? J'ai rien à leur dire. Je suis la femme à Marcel, en dehors de ça je ne vois pas. Le fils vient le dimanche : « Bonjour m'man. » Puis il parle avec le père. Moi je fais à manger. La bru parle avec eux, elle m'aide bien sûr mais on n'a pas grand-chose à se dire. J'ai jamais eu grand-chose à dire.

*

Au bout d'un certain temps, ils en avaient tous eu marre d'interroger les prisonniers. Au début tout le monde interrogeait, puis quelques-uns seulement, puis Albert et Jean. Puis même Albert et Jean, ça les avait dégoûtés. Le premier prisonnier avait été interrogé par Théodora, on leur avait amené à cinq heures de l'après-midi. Un patron du bistrot où il allait était venu : « Il y a chez moi un salaud, un donneur, vous devriez aller le chercher. » Trois hommes étaient allés le chercher. C'était le premier qu'on prenait au centre, un petit vieux de cinquante ans. Tout le monde était venu le voir, à cet effet on l'avait mis dans le bar. On l'avait laissé une heure au milieu du bar. On ne pouvait pas arriver à le croire. Un donneur, on en tenait un. Les hommes l'entouraient, s'approchaient de lui, le regardaient avec intensité, le reniflaient. Salaud. Enfant de pute. Porc. Un petit vieux de cinquante ans, il louchait, il portait des lunettes, un col cassé, une cravate. Les hommes s'approchaient tout près de sa figure et criaient : « Salaud ! » Le donneur parait les coups, il avait la frousse, il suait, il disait non monsieur, oui monsieur, non madame. Il avait une voix distinguée : on aurait pu le croire, par exemple, employé de mairie en retraite. Il disait : « Je vous assure, monsieur, vous vous trompez. » Théodora était enragée, elle voulait qu'on s'en occupe tout de suite, mais Albert avait dit qu'il fallait attendre le dîner, qu'on « s'en occuperait » après. Tout le monde était d'accord : c'était Théodora qui devait s'en occuper. Le mari de Théodora avait été arrêté par la Gestapo, elle ne savait pas s'il était encore vivant, elle en avait gros sur le cœur, c'était elle qui devait s'occuper de l'agent de la Gestapo. Les hommes regrettaient, mais c'était régulier. Ils étaient allés manger. Théodora n'avait pas beaucoup mangé. Puis, après le dîner, elle avait demandé deux hommes. Tous étaient en train de dîner dans la salle de restaurant au sixième étage de l'immeuble. « Qui vient avec moi ? » Vingt s'étaient levés, la bouche pleine, et avaient entouré Théodora. Ils avaient tous de bonnes raisons, mais Théodora en avait choisi deux qui étaient passés par Montluc, c'était régulier, passés par Montluc et qui avaient salement dérouillé. Rien à redire. Les deux gars étaient allés chercher deux lanternes-tempête, Théodora du papier et un crayon pour noter les interrogatoires. Elle avait entendu dire que les interrogatoires étaient consignés. Il n'y avait pas d'électricité. Théodora était descendue par le grand escalier du journal avec les deux hommes. Dehors, on entendait les mitrailleuses du Louvre. Ça continuait. Au loin, le roulement des chars. De temps en temps le canon. Paris était libre — presque. Théodora n'était pas particulièrement méchante, elle en avait gros sur le cœur.

Un des gars était allé chercher le « donneur », puis ils s'étaient enfermés dans une pièce vide dans laquelle il y avait une table et deux chaises, tous les quatre. L'un des gars avait dit : « Alors ? » « Allez-y.

Déshabillez-le. » Les gars lui avaient dit : « Déshabille-toi ! plus vite que ça. » On leur avait fait la même chose à Montluc, on avait commencé à les déshabiller puis finalement on leur avait arraché trois ongles des pieds, ils serraient les dents, il y en avait un, un rouquin, trente ans, garagiste, l'autre vingt-cinq ans, manœuvre — de bons gars, courageux. Pendant que le gars se déshabillait, Théodora se demandait ce qu'elle était en train de faire, elle n'aurait pas su dire, mais c'était nécessaire. Depuis quatre ans, elle avait entendu dire : « Quand on en tiendra un, qu'est-ce qu'il prendra ! » C'en était un. Le donneur avait commencé par enlever sa veste. Il enlevait son pantalon. Il se doutait bien de ce qui allait arriver, alors il se déshabillait lentement. Il avait posé sa veste sur la chaise. « Plus vite que ça », dit un gars. Peut-être qu'ils allaient le tuer. Sa cravate, il enlevait. Elle se rappelait : cent cinquante mille fusillés. Son col, dessous sa chemise était sale. Dans la rue des Saussaies il y avait cent femmes qui attendaient pour porter un colis à leur mari ou à leur fils, depuis le débarquement ils étaient supprimés, Théodora avait attendu deux jours à la file, vingt-deux heures de queue pour qu'il ait un colis d'un kilo. Sa chemise était sale, sous son col blanc, c'était un donneur. Lui ne faisait pas la queue rue des Saussaies. « Tu vas te dépêcher, oui ? » dit Théodora. Subitement elle s'était levée. Les hommes la regardaient puis : « On t'a dit de te dépêcher, salaud ! » Ils lui arrachaient son caleçon. Il n'attendait nulle part, lui ne faisait pas la queue rue des Saussaies, il montrait une carte puis il entrait, puis il frappait, puis il disait qu'il avait le signalement, l'adresse, les heures. On lui donnait une enveloppe. Maintenant il enlevait ses souliers. Toutes ses affaires étaient sur la chaise, il tremblait.

Dans la queue, il y avait une jeune femme en deuil qui était enceinte, il avait été fusillé, elle faisait la queue parce qu'elle [avait] reçu un avis, elle avait fait la queue vingt-deux heures pour venir chercher son paquet d'affaires, elle allait accoucher dans les quinze jours. Maintenant, c'est les chaussettes. Elle voulait ses affaires, elle voulait les revoir, elle lisait sa dernière lettre tout haut, elle lisait et relisait cette lettre, « dis à notre enfant que j'ai été courageux », et elle pleurait tout haut, elle devait avoir vingt ans, elle disait : « C'est pas possible, c'est pas possible » ; toutes les femmes pleuraient, on lui avait tendu un pliant, elle ne voulait rien, elle ne pouvait se supporter que debout. Maintenant il est tout nu, il a enlevé ses lunettes, il les pose sur ses affaires. Les gars attendent les ordres de Théodora. Il est tout nu, il a une vieille verge et des testicules flétris, il n'a pas de taille, il est gras, il est sale. Il est gras.

— T'as pas crevé de faim dis donc pendant quatre ans ?

— Combien ça te rapportait par tête ? dit Théodora.

Il pleurniche.

— Puisque j'vous dis que j'suis un pauvre innocent.

— Ce qu'on veut, c'est que tu nous dises la vérité. Tu nies ?

— Puisque j'vous dis…

Maintenant la pièce est pleine. Les femmes au premier plan. Les hommes derrière. Théodora, ça la gêne, c'est comme si elle faisait quelque chose d'érotique.

Pourtant elle ne peut pas leur demander de s'en aller, il n'y aurait pas de raison. Elle se tient seulement derrière la lampe-tempête, on voit seulement ses cheveux courts et noirs — mais pas sa figure.

— Allez-y, dit Théodora.

Le premier coup. Il résonne drôlement. Le deuxième coup. Le vieux essaye de parer. Il gueule : « Aïe ! aïe ! » On le voit bien dans la lumière des lampes-tempête. Les gars frappent fort. Derrière, on ne dit rien. C'est dans la poitrine qu'ils frappent à coups de poing, lentement mais fort. Puis ils s'arrêtent : « T'as compris maintenant ? » Il se frotte la poitrine, sans ses lunettes, il ne voit pas d'où viennent les coups.

— Comment t'y entrais à la Gestapo ?

— Ben comme tout le monde...

Il se frotte la poitrine de ses deux mains à plat. Il pleure en parlant. Sa voix est celle de quelqu'un qui pleure.

Il a dit comme tout le monde. Rue des Saussaies entraient les prisonniers avec les menottes aux mains et les agents de la Gestapo. Les autres entrent jamais, jamais. Théodora avait fait une demande de permis de colis, trois semaines après on lui avait répondu qu'il fallait qu'elle vienne prendre un numéro, on le lui avait donné à l'entrée de la Gestapo, chez le concierge, puis elle avait attendu vingt-deux heures, elle avait montré un papier spécial qu'on avait déchiré à la sortie. Il a dit comme tout le monde parce qu'il ment, puis il espère que Théodora croit qu'on pouvait y entrer facilement. Il ment. Sur sa poitrine de larges plaques violettes apparaissent. Il ment.

— Tu as dit : « Comme tout le monde ? » Tout le monde entrait à la Gestapo ?

Derrière on entend : Salaud, salaud, salaud, il a peur.

— Ben oui, fallait montrer sa carte d'identité.

— Tu es sûr que c'était suffisant ?

— Ben oui.

Sur sa poitrine un petit filet de sang commence à se montrer. Il continue à mentir.

On avait entendu parler des donneurs. Des Allemands aussi. Puis des tortures. De tout. Des ennemis. Ils lui ont fusillé son mari parce qu'il était communiste, il avait vingt-cinq ans. Il donnait les communistes, parce que ça rapportait cinq cents francs par tête de communiste. C'est un menteur. Sa cravate, ses souliers, il les a achetés avec ces cinq cents francs qu'on lui remettait par tête de communiste. « Merci monsieur. » Dans le fond : salaud, cochon, putain, ordure, fumier. Oui. Oui. Eux ils ne donnaient pas, ils ont des défauts, mais ils ne donnaient pas. Les deux gars, ils n'ont pas parlé à Montluc.

— Allez-y les gars !

C'est curieux, pense Théodora, ils ne tapent pas si je ne leur dis pas, pourtant je n'ai pas plus de droit qu'eux. C'est peut-être parce qu'ils croient que je sais interroger, eux, non, mais ils ont des poings, ils les ont serrés à Montluc, mais ils n'ont pas parlé, il y a quelques jours ils lançaient des bouteilles d'essence dans les chars allemands, en temps ordinaire ils travaillent en usine.

— Allez-y !

Ça leur fait plaisir. Ça me plaît de leur faire plaisir. Ils pensent à leurs camarades. Contre un mur, il y a un homme contre un mur et devant l'homme des Allemands. Rafale. L'homme étreint son cœur, il crie vive la France, vive le Parti communiste, son nez est dans la boue. Ça lui a rapporté cinq cents francs avec lesquels il s'achetait des souliers neufs et des cigarettes. Dire que c'était dans l'ordre des choses possibles qu'on ne l'ait pas trouvé et qu'il ait continué à être libre. Les deux gars s'arrêtent et regardent Théodora.

— De quelle couleur elle était ta carte d'identité ?

Les deux gars rient. Ils savent. Que Théodora ait de l'astuce ça leur fait plaisir. Ils ont frappé fort. Son œil a peut-être éclaté, le sang coule sur sa figure. Il pleure, de la morve ensanglantée sort de son nez, il gémit : « ohohohohaïeaïeaïe... » Il se passe les deux mains à plat sur sa poitrine, qui a craqué en mains endroits et qui saigne. Ses mains sont blanches. Ce qu'il faisait ne lui demandait aucun effort manuel. Maintenant, qu'il en meure ou qu'il s'en tire, aucune importance. Il y a du sang par terre.

— On t'a demandé la couleur de ta carte d'identité, tu entends vieux salaud !

Ils sont méchants, en plus il lui parlent tout près de son nez. Derrière il y a une femme qui dit : « C'est peut-être suffisant comme ça... » Les autres femmes reprennent. Les deux gars s'arrêtent, et cherchent des yeux celles qui ont parlé, elles se tiennent derrière la lampe-tempête. Théodora s'est retournée. « Suffisant ? » dit un gars. « Quoi ? » dit l'autre gars. « Pour nous, c'était suffisant ? » « C'est pas une raison », dit une femme.

— Pour la dernière fois, quelle était la couleur de la carte d'identité que tu montrais ?

— Réponds !

— Réponds ! Tu vas répondre !

Derrière : « Ça va recommencer... Moi je m'en vais... » Encore une femme, la voix est indignée. Théodora se retourne.

— Celles que ça dégoûte ne sont pas obligées de rester là, on n'a pas besoin d'elles, si elles foutent le camp, elles nous rendront service. Allez-y les gars !

On entend un « oh ! », mais elles restent et chuchotent des choses qui sont toutes contre Théodora. On ne voit de Théodora que ses cheveux et lorsqu'elle interroge, son front blanc, ses yeux à moitié fermés, comme aveugles. Les hommes ne disent rien, sauf un : « La ferme ! », mais elles restent.

— Alors, vite, la couleur ?

Ils rient. Ils savent. Ils recommencent à frapper aux endroits déjà frappés. Le donneur essaie de parer. Il est plein de sang. Il gémit.

— Ben, comme toutes les cartes d'identité...

— Allez-y, les gars.

Ils frappent très dur. Ils sont infatigables. Un homme contre un mur tombe en étreignant son cœur, il meurt parce qu'il croit à quelque chose qui vaut pour tous les hommes. Les cinq cents francs lui servaient à s'acheter des petites gâteries. Ceux qui tirent sur l'homme croient à leur devoir. Lui, avec les cinq cents francs il se payait des petits luxes de solitaire. Il n'était pas anticommuniste, il s'arrondissait ses mensualités. Il ment toujours. Ça ment dur un homme. Avec les cinq cents francs il se choisissait une cravate.

Théodora allonge les jambes. Il n'y a pas de doute, aucun doute, il n'y a pas à choisir.

— Allez-y, allez-y, les gars, allez-y dur !

Et ils y vont, tu parles s'ils y vont. Derrière : salaud, ordure, cochon. Les femmes sortent. Il se plaint tout haut, il supplie : « J'vous en supplie, j'vous en prie, j'suis pas un salaud. » Mais il a encore peur de mourir puisqu'il ment toujours.

Pas encore suffisant. Théodora se lève. Il y a un homme, un homme contre un mur, contre un mur un homme qu'elle connaît, qui n'a pas parlé, éternellement, contre ce mur, nom de Dieu de nom de Dieu, cet homme contre ce mur. Nom de Dieu.

« Avec votre résistance vous nous faites rigoler... » Ceux qui le disent, s'ils étaient là, s'ils rigolaient tant qu'on y serait... Un homme seul contre un mur de briques, au-delà de ce mur, rien. Elle ne voit plus, Théodora. Elle entend la Marseillaise des condamnés à mort, l'Internationale hurlée dans les wagons cellulaires, les regards des bourgeois derrière leurs persiennes fermées : « Ce sont des terroristes... »

— Allez-y, les gars, allez-y !

Dans la lueur de la lampe-tempête, il se débat. Chaque coup de poing résonne dans la salle vide. À chaque coup il crie « oûoû ! » dans de longues plaintes. Les femmes ne sont plus là. Les hommes ne disent rien lorsque les coups tombent. Ils sont silencieux derrière la lampe-tempête, c'est lorsqu'ils entendent sa voix que les injures montent du fond, dites les dents serrées, les poings serrés, des mots pesants, pas de phrases. C'est quand il parle que les injures sortent parce qu'il ment encore, qu'il a encore la force, qu'il est pas encore au point de plus mentir. Théodora regarde les poings tomber, elle entend le gong des poings et pense que dans le corps de l'homme il y a des épaisseurs d'air dures à crever. Quand les injures montent du fond, ça lui fait du bien, ça l'encourage, elle est très sensible à ces injures. Dans le silence, une fois seulement elle s'est demandé pourquoi elles étaient sorties, impossible à comprendre ; elle, elle ne sent pas son cœur. Quand ils frappent dans l'estomac, il gueule et prend son estomac à deux mains et l'un des deux gars en profite pour lui foutre un coup de pied dans les couilles. Il saigne beaucoup, surtout de la figure. Ce n'est pas un homme comme les autres. On peut le tuer. C'était un homme perdu pour les autres hommes, c'était un donneur d'hommes. Il donnait des hommes pour cinq cents francs par homme, sans se préoccuper de savoir pour quelles raisons les ennemis de ces hommes-là le payaient. Un porc, ça a plus de prix, ça se mange. Et lui, s'ils le tuent, il encombrera le hall.

— Assez ! dit Théodora.

Elle se lève et marche vers le donneur — sa voix est un peu haute après le gong sourd des coups de poing. Les hommes dans le fond la laissent faire, lui font confiance, on ne lui donne aucun conseil, mais elle ne fait aucune « faute », chaque fois la fraternelle litanie des injures la remplit de chaleur. Silence dans le fond, les deux gars regardent Théodora, attentifs. On attend.

— Une dernière fois, dit Théodora, on voudrait savoir de quelle couleur elle était ta carte... une dernière fois.

L'homme la regarde. Elle est tout près de lui, il n'est pas grand, elle est à peu près de sa taille. Elle est mince, elle est jeune et cruelle. Elle a dit : une dernière fois.

— Qu'est-ce que vous voulez que je vous dise moi...

Il chiale. Elle aussi elle a chialé, il y a pas si longtemps. Mais c'est parce que c'est une femme. Les hommes contre les murs ne chialaient pas. Du donneur monte une drôle d'odeur, écœurante et douceâtre : celle du sang.

— On veut que tu nous dises la couleur de la carte d'identité qui te servait à entrer à la Gestapo.

— J'sais pas... j'sais pas. J'vous dis que je suis innocent...

Ça y est, les injures montent. Salaud. Fumier. Ordure. Saloperie. Cochon. Théodora se rassied. Elle ne dit plus rien. Moment d'arrêt. Les injures montent, une à une.

Pour la première fois, on entend un gars dans le fond : « Il y a qu'à le liquider... » Le donneur a levé la tête. Silence. Temps d'arrêt. Le donneur a peur, il dit d'une voix haute, très geignarde, dont on sent qu'il voudrait qu'elle fende les pierres.

— Si j'savais ce que vous voulez de moi...

Les deux gars suent, de leurs poings ensanglantés ils s'essuient le front, ils regardent Théodora et attendent. Théodora paraît distraite et fatiguée. Tout d'un coup :

— C'est pas encore assez, dit-elle.

Les deux gars se tournent vers le donneur, les poings en avant.

— Non, dit Théodora.

Elle se lève d'un bond et elle hurle.

— Allez-y les gars, en même temps que moi.

Avalanche de poings. Avalanche finale. Silence de nouveau dans le fond.

— Elle était rouge ta carte salaud ?

— Oûhoûh ! aïe aïe ! Vous me faites mal !

— Tant mieux [crient] les gars, c'est ce qu'on veut figure-toi.

Le sang dégouline.

— Oûhoûh !

— Rouge, dis, rouge ?

Il ouvre un œil. Il va comprendre.

— Rouge ?

Théodora hurle. Les deux gars *savent d'avance.* Le donneur tente de réfléchir à sa réponse.

— Rouge ?

Il ne répond toujours pas.

— Allez-y plus fort, plus fort, n'ayez pas peur.

— Rouge ? Rouge ? Rouge ?

— Nonnn... gémit le donneur.

On rit. Les gars rient.

— Moi j'ai attendu vingt-deux heures avec une carte d'identité jaune. Vingt-deux heures, salaud ! Vingt-deux heures. Comment expliques-tu ça ? Elle était jaune. Pourtant, tu dis que tu avais la même ! Les cartes d'identité sont jaunes d'habitude.

Théodora hurle. Dans le fond, monte un gonflement de voix, chaud, plein.

— Vingt-deux heures, nous on attendait vingt-deux heures avec une carte jaune. Elle était jaune peut-être la tienne ?

Le donneur gémit sans cesse. Sans cesse, maintenant, il essaie de se réfugier dans le coin. Les deux gars le sortent.

— Jaune ?

Les gars le sortent du coin et l'y rejettent à nouveau. La chaise tombe et toutes les affaires du donneur sont par terre.

— Jaune ?

Il ouvre la bouche et la ferme. Il voudrait répondre. Il est affolé. Il gémit. Il voudrait dire quelque chose. Pour la première fois, il est débordé.

— Jaune ?

Théodora est toujours debout. On sait qu'elle ne se rassiéra que lorsqu'il aura avoué.

— Nnnoonnn... pas jaune... crie le donneur.

Les hommes continuent. Il suffoque. Maintenant il a compris. Ils ne lâcheront plus. Théodora continue.

— Alors ? quelle couleur ?

Elle hurle toujours. Maintenant le rythme des coups et des questions est le même, vertigineux.

— Quelle couleur ?

Peut-être qu'il a choisi de mourir, se dit Théodora. Mais non. Il est incapable de choisir [de] mourir, au nom de quoi ? Il le dira.

— Quelle couleur ?

Il se tait. Il fait semblant de ne pas entendre. Il fait le type débordé de douleur. Théodora le sait aussi bien que si elle était en lui.

— Vite, quelle couleur ?

Comment ça va-t-il finir ? se dit Théodora, s'il ne le dit pas on ne pourra même pas le tuer. On aura tout raté.

— Encore plus fort ! dit Théodora.

Ils le lancent comme une balle et alternent à coups de poing — à coups de pied. Ils sont en nage. Théodora s'avance vers le donneur.

— Assez !

Elle s'avance de plus en plus, ramassée, secrète. Le donneur recule. Il l'a vue. Silence de nouveau.

— Si tu le dis, on te fout la paix. Si tu le dis pas, on te crève. Allez-y les gars. Allez-y.

Le donneur ne sait plus où donner de la tête. Il va parler. Il essaie de lever la tête, comme un homme qui se noie cherche à respirer. Il va parler. Ça y est. Il voudrait formuler quelque chose. Ce sont les coups qui l'empêchent de parler. Mais si les coups s'arrêtent, il ne parlera pas. Tous sont suspendus à cet accouchement. Mais il ne parle toujours pas.

— Je vais te la dire, dit Théodora, moi je vais te la dire la couleur de la carte avec laquelle tu entrais.

Le donneur se met à hurler. Il a encore toute sa conscience. Les coups lui laissent toute sa conscience.

— Verte ! hurle le donneur.

Les gars s'arrêtent. Le donneur regarde Théodora. Il ne se plaint plus. Sa curiosité est intense. Il se demande comment il a parlé.

— Oui, dit Théodora.

Silence. Théodora prend une cigarette et l'allume. Puis d'une voix fatiguée :

— Rhabille-toi.

Elle se lève. Avant de sortir elle dit, sans emphase, simplement :

— Les cartes des agents SD, Police Secrète allemande, étaient vertes. Il n'a plus de doute possible.

Pendant qu'il s'habille, les deux gars l'injurient encore.

— On recommencera demain ? dit l'un.

— Faut savoir qui il a donné, dit l'autre.

— On verra, dit Théodora.

Elle sort. Tous les hommes sortent avec elle. Ils vont dans le bar.

Là, toutes les femmes se sont réfugiées. Elles sont assises sur des fauteuils, sur des chaises.

— Il a avoué, dit Théodora.

Personne ne répond. Théodora comprend. Elles s'en foutent qu'il ait avoué. Avec elles il y a aussi un homme. Il s'en fout aussi qu'il ait avoué. Avant tout, ils sont contre Théodora. Théodora s'assied et les regarde avec curiosité. Elle, elle ne sait pas encore ce qu'elle vient de faire. Elle a peut-être fait quelque chose de mal. Elle s'en doute, elle a fait torturer un homme. Ça s'appelle comme ça. Les Allemands torturaient. Elle aussi. Pendant qu'elle était dans la pièce, qu'est ce qu'ils faisaient là ? Quoi ? Théodora sourit, avec un dédain immense : ils tapaient sur elle, ils devaient dire des choses ignobles sur elle et y trouver leur plaisir. Ils pensaient plus à elle qu'au donneur. Elles savaient mieux que Théodora ce qui venait de lui arriver.

— Vous me dégoûtez, dit Théodora.

Une femme pâlit de colère et crie.

— Oh ! ça alors, et toi alors, tu ne peux pas te rendre compte...

Elle s'arrête, suffoquée d'indignation. Albert s'avance vers la femme.

— Tu vas lui foutre la paix, oui ?

Jean la regarde et hausse les épaules. La femme se tait. Albert vient vers Théodora et vers Jean. Il a l'air très ému de ce qui vient d'arriver.

— Buvons, dit Albert. Tu vas boire avec nous, Théodora. Tu vas boire du vin avec nous, ma petite Théodora.

Théodora sourit. Jean et Albert l'enlacent. Ils sont tous les trois devant le comptoir. Jean et Albert, ce sont les chefs du centre. Derrière son dos, les femmes se taisent. Blême silence de la haine.

— Puis tu vas dormir comme une petite fille sage, dit Jean.

— Oui, dit Théodora. Il est tard.

Elle parle avec peine. Elle a envie de pleurer. Albert lui tend un verre de vin.

— Quel salaud c'était... dit Théodora d'une voix trouble, en levant les yeux vers Jean et Albert.

— Oui, dit Albert, un beau salaud, tiens, bois.

— Bois, ma petite Théodora, dit Jean.

Théodora boit. Elle ne sait pas ce qui lui arrive. Pourquoi cette douceur. Elle boit difficilement. Elle a envie de pleurer. De leur côté, les hommes boivent. Ils parlent du donneur et disent qu'il faut le liquider.

Les femmes, encore une fois, sortent du bar sans dire bonsoir.

— Je les dégoûte, dit Théodora.

Albert la regarde et sourit.

— C'est rien, c'est un peu de jalousie, allez viens te coucher...

— Jalousie ? dit Théodora. De quoi ?

— Oui, dit Jean. Ça ne fait rien si tu comprends pas.

Il rit. Albert rit. Ils sortent et tiennent Théodora enlacée. Alors Théodora se rappelle qu'eux n'ont pas dit une seule injure contre le donneur.

Il y en avait une grande blonde qui s'appelait Marie, qui était bonne et dévouée. Les autres aussi étaient bonnes, même celle qui s'appelait Colette et qui n'avait jamais beaucoup pensé à la guerre. Et le jeune homme qui avait vingt ans, et qui avait trop pensé à la guerre, était tout de même bon et courageux. Tous haïssaient Théodora en ce moment.

Une fois, Théodora se demanda comment elle pouvait supporter la vue et l'odeur de ce sang. Je suis méchante, depuis toujours je m'en doutais. Enfin, elle donnait toute sa méchanceté. Quand elle était petite elle avait reçu beaucoup de coups, elle n'avait jamais pu les rendre, elle rêvait qu'elle frappait son frère aîné.

Platitude — élan des types aux derniers moments — l'un d'eux est méchant (Tessier), nuancer les deux gars — lumière lampe-tempête — point de départ interrogatoire : j'achetais des choses aux Allemands — pas assez objectif [pour] Théodora.

On les avait mis dans une pièce du cinquième étage, c'était l'ex-bureau de la comptabilité qui donnait sur une cour. La porte en était blindée. La fenêtre, grillagée. Seul un petit guichet communiquait avec le dehors. Au fur et à mesure des arrivées et suivant la gravité des cas, on les mettait soit dans le hall, soit dans la chambre blindée. Finalement ils y étaient onze dont quatre miliciens, un couple de Russes très âgés et trois autres couples dont on ne savait pas grand-chose, sauf qu'ils étaient des collaborateurs.

*

La rue de la Gaieté le dimanche après-midi. Les gens descendent la rue dans le sens du soleil. Toutes boutiques ouvertes : communication directe de la foule et de ce qu'il y a dans les boutiques. Jambes lourdes des filles. Costume cintré des garçons. Et ça descend. Dans l'autobus que j'ai pris, il y avait un contrôleur qui inaugurait la ligne : « Montez messieurs, montez madame, fauteuils au choix. Colombier ! Rennes ! Montparnasse, tout le monde descend. » Il était bien content. Bien sûr, il venait de tirer quatre ans dans le métro et il n'est pas du métro, il est de la TCRP, lui. À cause de cette satanée guerre, plus d'essence, lignes d'autobus supprimées. On l'avait affecté au métro, ce n'était pas son métier. L'en avait marre du métro, qu'il faut être fait spécialement pour y durer. Tout le monde dans l'autobus était bien content pour lui. Sauf les deux Américains qui n'étaient pas dans le coup.

*

— Merde ! dit Paul, il avance plus.

Paul et Marie regardaient le cheval. C'était un vieux cheval tuberculeux gris, il l'avait acheté cent francs. Il baissait la tête, ses flancs étaient si maigres qu'on aurait dit qu'il avait avalé une cage d'osier qui le faisait ressembler à un cheval.

Ils avaient été invités à ce bal à cause d'elle. Parce que le fils du minotier était amoureux d'elle. Normalement, dans le cadre de cette société, ils n'auraient pas dû y assister. C'était un très grand bal de société. Y assistaient toutes les personnalités de la ville — administratives et commerciales, et aussi publiques. Le maire de la ville y était. Celui qui le donnait, M. Sales, possédait toutes les minoteries de la région, et il était devenu d'une richesse impressionnante.

Il baissait tristement la tête et fermait à moitié les yeux. Sa respiration était sifflante et courte. C'était vraiment la fin.

— Merde, dit le garçon.

La mère vint voir le cheval et le considéra. Elle était pieds nus dans le sable, et portait un grand chapeau qui enfermait ses oreilles et lui tombait jusqu'aux sourcils. Sa robe était de cotonnade grenat, elle était usée à l'endroit des seins, elle avait encore de gros seins, elle avait eu beaucoup d'enfants. Elle commença à engueuler son garçon.

— Je t'avais dit de ne pas l'acheter, cent francs pour un cheval à moitié mort, vous n'en ferez jamais d'autre, feignant, t'es qu'un feignant.

— Merde, dit le garçon. Merde et merde, il y a encore la carriole, je m'en fous, je laisse tout tomber, pour ce que ça rapporte. D'abord je fous le camp, tu feras ce que tu voudras.

La fille arriva à son tour et considéra le cheval. C'était une fille de dix-sept ans. Elle avait des nattes rousses qui lui tombaient jusqu'aux reins, elle aussi était pieds nus dans le sable brûlant. Elle portait un pantalon noir qui lui arrivait au-dessous des genoux, et un corsage de couleur bleue. Elle aussi avait un grand chapeau qui la casquait entièrement. Dans sa figure criblée de taches de rousseur, ses yeux bleus faisaient deux taches très claires.

— Si tu fous le camp, tu auras raison, dit la fille.

C'était le soir après dîner. Il avait fait une journée chaude. L'homme se reposait sur une chaise longue.

*

C'est entre la hanche et les côtes, sur l'endroit que l'on nomme le flanc que c'est arrivé. Sur cet endroit caché, très tendre, qui ne recouvre ni des os ni des muscles, mais des organes délicats. Une fleur y a poussé. Qui me tue.

*

Un jour, en rentrant de Ramé, la mère avait dit à Suzanne :

— J'ai rencontré une mendiante qui a voulu me donner sa petite fille. Si tu la veux, dis à Joseph d'aller la chercher.

1) Le bain. 2) La plaine. 3) Rencontre de M. Jo. 4) Scène avec M. Jo. 5) Joseph.

— Si vous ne vous baignez pas, c'est que vous êtes mal foutu, dit Suzanne. Joseph a raison quand il dit...

M. Jo s'arrêta de frapper. Suzanne, maintenant, se rinçait.

— Quand Joseph dit que... reprit Suzanne.

Suzanne se tut. Elle savait que M. Jo était derrière la porte. Elle attendait qu'il la questionne sur ce que Joseph avait dit. Comme il ne questionnait pas, Suzanne se mit à chantonner. Au bout d'une minute, M. Jo recommença à frapper à la porte.

— Une seconde, je vous en supplie, Suzanne, une seconde.

— Ce que dit Joseph sur vous ne vous intéresse pas ?

— Je m'en fous, dit M. Jo, je me fous de Joseph, ouvrez...

Suzanne se raidit. Elle vint contre la porte.

— Joseph dit que vous ressemblez à un fœtus, dit Suzanne.

Les coups s'arrêtèrent. Suzanne recommença à se rincer. Elle ressentait qu'en ce moment M. Jo ressentait l'insulte et cela lui procurait une satisfaction violente, une sorte de revanche exultante.

— Je crois que je n'ai jamais vu quelqu'un d'aussi méchant que vous, dit M. Jo.

Suzanne rit. Un rire clair mêlé à un bruit d'eau sort de la salle de bains.

— Je peux même pas vous entendre rire, dit M. Jo. Dans quel état m'avez-vous mis... Laissez-moi une seconde... ce n'est pas mal de se montrer nue, je ne vous toucherai pas.

— Allez voir s'ils sont toujours de l'autre côté, dit Suzanne.

— Tout de suite, dit M. Jo.

M. Jo traverse la salle à manger et il allume une cigarette. Puis il se campe sur la porte d'un air naturel. Sous le soleil blanc, torride, oblique, la mère et Joseph regardent deux ouvriers qui redressent le pont. Il est cinq heures de l'après-midi. Les ombres s'allongent. Nombre de paysans traversent la plaine et vont vers le rac, en pagnes de couleurs. M. Jo revint.

— Ils sont toujours là-bas, vite Suzanne, vite.

Suzanne entrouvre la porte et montre à M. Jo son corps blanc. M. Jo regarde ce corps et se dirige vers lui, les yeux fixes. Suzanne ferme la porte. M. Jo reste derrière. Suzanne s'éponge et se rhabille.

— Maintenant allez dans le salon.

— Oui, dit M. Jo.

Suzanne ouvre la porte et se farde. Ensuite elle se coiffe et ramène ses tresses autour de la tête.

Elle sort et va retrouver M. Jo qui fume et regarde le plancher.

— Comment je suis, nue ? demande Suzanne.

— Vous êtes belle, dit M. Jo. Sa voix est basse et triste.

Suzanne s'assied, regarde au loin. Ils sont toujours à travailler sur le pont. Le soleil oblique déjà et une partie de la montagne est dans l'ombre. On entend le cri des enfants dans le rac.

— Vous êtes belle et désirable, dit M. Jo.

— Je n'ai que quinze ans, dit Suzanne. Je deviendrai encore plus belle que ça.

— Oui, dit M. Jo.

Suzanne sourit. Elle a oublié M. Jo.

La mère et Joseph arrivent, montent l'escalier. Joseph s'essuie le front avec un mouchoir. La mère enlève son chapeau de paille. Une marque rouge barre son front, la marque du chapeau.

— Quelle chaleur... dit Joseph. Te voilà bien, dit Joseph à Suzanne, tu sais pas te farder, tu ressembles à une grue.

— Elle ressemble à ce qu'elle est, dit la mère.

Joseph, l'air dégoûté, va dans sa chambre.

— Qu'est ce que vous avez foutu, tous les deux, dit la mère. Si jamais je m'aperçois de quelque chose, je vous force à l'épouser dans les huit jours.

— Madame, je respecte trop votre fille, dit M. Jo.

Il se lève et prend un air offensé.

— Ça va, dit la mère, on vous connaît, des chiens, voilà ce que vous êtes, pas toujours été vieille vous savez.

— On n'a rien fait, dit Suzanne, Maman je te jure qu'on n'a rien fait, on s'est même pas touchés, dit Suzanne.

— Tais-toi, feignante, sale feignante.

La mère s'affale dans un fauteuil.

— Quelle vie ! dit la mère, et puis jamais s'arrêter...

— On t'oblige pas, dit Suzanne.

La mère allonge ses pieds sur un fauteuil.

Dans la paillote, la femme du caporal faisait griller du poisson, et sa fille chantait. Et lorsque la nuit fut tombée, le son du tam-tam se fit entendre dans un des villages en bordure de la plaine ; on l'entendait qui montait de la plaine. En effet, presque chaque soir, le tigre descendait vers les basses-cours et les villages s'enfumaient de grands feux de bois vert, et lorsqu'un tigre était annoncé, le tam-tam se faisait entendre et de tous les villages voisins, les hommes partaient, armés de massues, vers celui qui était menacé.

Joseph, toujours allongé sur sa chaise longue, entendait l'appel du tam-tam. Il jeta sa cigarette et se dressa, et écouta d'où il pouvait venir. La mère s'était arrêtée, elle aussi, de remuer, et regarda par la fenêtre ouverte le pan noir de la forêt. Quand le tam-tam n'appelait pas Joseph résistait encore, mais à ce tam-tam il n'avait jamais résisté.

— J'y vais cette nuit, déclara Joseph.

La mère arriva près de Joseph. Ça allait recommencer.

— Tu n'iras pas, dit-elle, c'est moi qui te le dis, tu n'iras pas.

— Merde, dit Joseph, on verra bien. J'y vais.

— Emmène-moi, dit Suzanne.

La mère poussait ses cris habituels :

— Si j'ai une crise ça sera de ta faute, trois fois cette semaine... si je meurs tu pourras dire que tu m'as tuée.

— Emmène-moi, dit Suzanne.

— Merde, dit Joseph. J'emmène pas de femmes, le jour ça va, la nuit non, et toi, si tu gueules, je m'en vais tout de suite.

Il se leva, alla vers le caporal et lui demanda d'aller chercher les pisteurs, puis il alla s'enfermer dans sa chambre pour préparer son Mauser. La mère geignait toujours, mais elle s'était mise à son dîner. La partie était perdue d'avance, elle continuait pour la forme. Suzanne resta sur la véranda. Les soirs où Joseph allait chasser ne ressemblaient pas aux autres, parce qu'on se couchait tard.

La mère ne dormait pas ces nuits-là. Elle suivait tous les bruits de la forêt, et elle se levait pour suivre la lueur de la lampe à acétylène dans la nuit. Suzanne espérait chaque soir que Joseph irait chasser, et en même temps elle espérait qu'il ne tuerait rien.

— À table, cria la mère.

Il y avait encore de l'échassier. La femme du caporal monta quelques poissons et du riz.

— Faudra que tu descendes à la mer, dit la mère, c'est nourrissant l'échassier.

Elle paraissait rouge et fatiguée à la lueur de la lampe. Les pilules commençaient à faire de l'effet. La mère bâilla et gémit.

— Encore une nuit sans dormir, moi qui suis si fatiguée.

— C'est le retour d'âge, t'en fais pas va maman, je rentrerai tôt, dit gentiment Joseph.

— C'est pas pour moi, dit la mère, c'est pour vous que j'ai toujours peur.

Elle se leva et alla prendre une boîte de beurre salé et une boîte de lait Nestlé. Suzanne mit sur son riz une grande rasade de lait Nestlé. La mère se fit des tartines de beurre et les trempa dans du café. Joseph mangeait de l'échassier, c'était une belle chair sombre et saignante.

— Ça pue le poisson, dit Joseph, mais c'est nourrissant.

— C'est ce qu'il faut, dit la mère... Tu seras prudent, Joseph, tu me le jures ?

— T'en fais pas maman, je serai prudent.

— C'est pas ce soir encore qu'on ira à Ramé, dit Suzanne.

— On ira demain, dit Joseph, et puis merde, c'est pas à Ramé que tu trouveras un mari, ils sont tous mariés au poste, il y a que le fils Agosti.

— Jamais je ne la donnerai à ce voyou de fils Agosti, dit la mère.

— En attendant, dit Suzanne, c'est pas ici qu'on trouvera.

— Ce sera difficile, dit Joseph, il faudrait de l'argent, y en a qui se marient sans argent mais il faut qu'elles soient drôlement jolies, mais même c'est très rare.

— En attendant, dit Suzanne, ce que je disais pour Ramé c'est pas seulement pour ça, il y a du mouvement à Ramé, y a l'électricité à la cantine et un phonographe formidable.

— T'es une putain ratée, dit Joseph, nous emmerde pas avec Ramé.

— D'autant plus que c'est pas un endroit pour jeunes filles, dit la mère.

La mère mettait la nourriture devant ses enfants, le pain qu'apportait le car chaque jour et ses insondables réserves de conserves suisses et américaines.

Le lendemain, comme promis, Joseph annonça qu'on allait à Ramé. La mère commença par crier, comme toujours, mais elle ne pouvait, elle non plus, résister au désir de ses enfants. Le jour où on allait à Ramé, la mère relevait ses cheveux et mettait des souliers. Suzanne revêtait une robe, elle relevait ses cheveux autour de la tête et elle se mettait du rouge à lèvres. Joseph aussi s'habillait. C'était le jour du courrier. Aller à Ramé consistait à aller prendre un verre de bière à la cantine du poste. Joseph demanda au caporal de nettoyer l'auto. C'était une vieille B12 qui n'avait plus d'accus, et Joseph la conduisait avec son phare à acétylène sur le front ; les jours de pleine lune, il conduisait sans lumière. L'échappement libre de la B12 réveillait tous les chiens des villages qui aboyaient sur son passage. Il fallait bien compter une heure et demie pour faire les soixante kilomètres du bungalow à Ramé.

Joseph arrêta devant la cantine. Une magnifique limousine était arrêtée. « Merde », dit Joseph... et ils montèrent au bungalow.

C'était le jour du courrier, devant la cantine, le bateau illuminait la mer. Dans la cantine, qui était aussi un bungalow, il y avait des officiers de marine et quelques passagers. Dans un coin, auprès du tenancier de la cantine, le fils Agosti buvait un Pernod. C'était un jeune Corse, petit et maigre, l'air souffreteux, il était tous les soirs à Ramé où il fumait de l'opium et buvait du Pernod. Il leur fit un signe de tête et continua à parler. Le tenancier les vit et vint vers eux. Il y avait vingt ans qu'il était arrivé à Ramé, il n'en était jamais parti. C'était un très gros homme apoplectique, il avait une femme indigène, et avait adopté un enfant de la plaine qui servait les Pernod de contrebande et les apéritifs, et qui l'éventait lorsqu'il faisait sa sieste. Il était toujours en nage. Il vint et serra la main à la mère.

— Comment vont les affaires ? demanda-t-il à la mère. Et les enfants ?

— Ça va, dit la mère, ça va. Dieu merci, la santé est bonne.

— Vous avez de chic clients, dit Joseph, merde, cette limousine.

— C'est à un propriétaire du Nord, dit le tenancier. Ils sont drôlement plus riches que nous.

— Vous n'avez pas à vous plaindre, dit la mère, avec le Pernod.

— On croit ça, dit le tenancier. Il y a les risques. Maintenant ils descendent chaque semaine, alors, c'est la corrida. C'est pas une vie.

— Montrez-nous ce planteur de caoutchouc, dit la mère.

— C'est le type dans le coin, à côté d'Agosti.

C'était un métis. Sur la table, il avait posé son chapeau mou. Il portait un costume de tussor de soie et au doigt il avait un magnifique diamant.

— Merde, ce diamant, dit Joseph, mais pour le reste c'est un singe.

Ils regardaient le diamant, le costume en tussor. La tête avait été vérolée, elle en gardait des traces. Le reste était malingre et chétif. Il était tout seul, et il regardait Suzanne avec complaisance. La mère avait vu qu'il regardait Suzanne.

— Souris, dit la mère, tu fais toujours une gueule d'enterrement.

Suzanne sourit au planteur du Nord. La mère regarda sa fille et trouva qu'elle était jolie malgré ses taches de rousseur. Quand le phono se mit à marcher, le planteur du Nord se dirigea vers Suzanne et l'invita à danser. Debout, il était nettement mal foutu. Tout le monde regardait son diamant, surtout ceux de la plaine, la mère et Joseph, le tenancier et le fils Agosti. Ce diamant valait plus, à lui seul, que toutes les terres salées de la plaine réunies.

— Vous permettez, Madame ? dit-il à la mère.

La mère dit qu'elle permettait. Un officier du courrier dansait déjà avec le jeune femme du douanier de Ramé.

— Est-ce que je pourrais être présenté à Madame votre mère, dit le planteur ? Vous êtes de la région ?

— Bien sûr, dit Suzanne, oui, nous sommes de la région, nous avons des rizières dans la plaine. C'est à vous l'auto en bas ?

— C'est une de mes autos. Après que nous aurons dansé, vous me présenterez à elle sous le nom de M. Jo.

— C'est une bien belle auto, dit Suzanne.

— Vous aimez les autos ? dit M. Jo.

— Beaucoup, dit Suzanne. C'est une limousine. Il n'y en a pas par ici.

— Une belle fille comme vous doit s'ennuyer dans la plaine ? dit M. Jo.

Suzanne ne répondit pas. Elle pensait à l'auto. Elle pensait qu'elle, Suzanne, dansait avec le propriétaire d'une pareille auto. Dans sa main droite, elle tenait la main au diamant.

— Quelle marque c'est ? dit Suzanne.

— C'est une Morris Léon-Bollée, dit M. Jo. C'est ma marque préférée. Si ça vous amuse, on peut faire un tour. N'oubliez pas de me présenter à Madame votre mère.

— Entendu, dit Suzanne. Combien ça coûte, une Morris Léon-Bollée ?

— C'est un modèle spécial, dit M. Jo, commandé spécialement à Paris. Je l'ai acheté cinquante mille francs.

Suzanne pensa à la B12 qui avait coûté quatre mille francs. La mère n'avait pas fini de la payer. Elle n'aurait jamais cru qu'une auto puisse coûter une somme pareille.

— Si on avait une auto comme ça, on viendrait tous les soirs à Ramé, dit Suzanne, ça nous changerait.

— La richesse ne fait pas le bonheur, dit M. Jo nostalgiquement.

Suzanne se dit qu'elle avait entendu dire ça quelque part. La mère le disait quelquefois. Elle disait aussi le contraire, ça dépendait de son humeur. Suzanne était sûre que l'argent, c'était le bonheur. Joseph aussi.

— J'aurais bien continué cette danse, dit M. Jo.

Il suivit Suzanne jusqu'à la table où se tenaient la mère et Joseph.

— Je te présente M. Jo, dit Suzanne.

La mère se leva pour dire bonjour à M. Jo. Elle lui sourit. Joseph aussi, mais sans lui sourire.

— Asseyez-vous à notre table, dit la mère, prenez quelque chose avec nous.

— C'est moi qui invite, dit M. Jo. Il se tourna vers le tenancier. Du champagne bien frappé, cria-t-il. Depuis que je suis revenu de Paris, je [n'ai] pas réussi à en boire du bon.

Il souriait de toutes ses dents. Joseph le regardait en dessous.

— Vous revenez de Paris, dit la mère ?

— Oui, je débarque, dit M. Jo. Il jouissait manifestement de l'effet que cela leur produisait.

— C'est une Morris Léon-Bollée, dit Suzanne à Joseph.

Joseph parut se réveiller.

— Ça fait combien de chevaux ?

— Vingt-quatre, dit M. Jo négligemment.

— Merde, dit Joseph, vingt-quatre chevaux. Quatre vitesses sans doute ?

— Oui, quatre, dit M. Jo, et on peut démarrer en seconde. Quelle auto avez-vous ?

— Merde, dit Joseph. Il rit. La nôtre, c'est pas la peine d'en parler.

— C'est une bonne auto, dit la mère, une bonne vieille auto qui nous a rendu bien des services, il ne faut pas en dire de mal. Pour ces routes elle est suffisante.

Joseph prit son air méchant.

— Merde, dit-il, on voit que c'est pas toi qui la conduis. Elle fait combien au cent la vôtre ?

— Quinze litres sur route, dit M. Jo que cette conversation commençait à ennuyer. Je crois que les Citroën consomment moins.

Les yeux de Suzanne brillaient. Elle jouissait vivement de l'effet que provoquaient sur Joseph et sur la mère les réponses de M. Jo. D'autant plus que le champagne commençait à agir sur la mère, Joseph et Suzanne. Joseph rit très fort.

— La nôtre, elle fait vingt-quatre litres au cent. Mais le réservoir est percé, alors ça s'explique.

Le rire de Joseph était contagieux. La mère devient rouge et rit de toute sa gorge.

— Ah ! Ah ! dit la mère, il n'y a pas que le réservoir, s'il n'y avait que le réservoir.

Suzanne fut prise d'un rire inextinguible. Joseph et la mère étaient secoués par le rire.

— Le carburateur aussi, dit Suzanne.

— S'il n'y avait que le carburateur et le réservoir, dit Joseph.

M. Jo essayait de rire. Il lui paraissait qu'ils l'avaient oublié. La mère avait un gros rire qui lui secouait les seins.

— Si ce n'était que ça, dit Joseph, mais voilà, nous on a des pneus dans lesquels on met, on met, nous on roule avec des pneus percés.

Chaque fois, un nouvel éclat de rire les secouait tous les trois. M. Jo paraissait ravi et gêné.

— Devinez avec quoi on roule dans les pneus, dit Suzanne.

— Devinez, dit la mère. Ah ! ce que c'est bon de rire.

Le tenancier avait apporté une autre bouteille de champagne. Le fils Agosti, qui entendait la conversation, était pris de fou rire. Le tenancier aussi. La mère, Joseph et Suzanne s'étouffaient. Tout le monde les regardait. On entendait mal ce qu'ils disaient.

— Avec des pneus de bicyclette, dit M. Jo en versant du champagne.

— Ah ah, dit la mère, pas du tout, pas du tout...

— Avec des feuilles de bananier, dit Suzanne.

— On bourre les pneus avec des feuilles de bananier...

— Il n'y a que nous... dit la mère, il n'y a que, il n'y a que Joseph pour avoir trouvé ça.

M. Jo se mit à rire franchement. Joseph avait atteint un tel degré de rire qu'il s'étouffait. C'était rare qu'ils se déclenchent tous les trois, mais quand cela arrivait il était rare qu'ils puissent s'arrêter. M. Jo avait manifestement renoncé à inviter Suzanne à danser. Il attendait que ça se passe.

— C'est original, dit M. Jo, c'est marrant comme on dit à Paris.

Mais ils ne l'écoutaient pas.

— Nous, quand on part en voyage, dit Joseph, on attache le caporal sur le garde-boue avec un arrosoir.

— Tais-toi, tais-toi, dit la mère, ahahah. Ah ! que c'est bon.

— Puis on attache les portières avec des fils de fer, dit Suzanne, parce que, parce que…

— Parce qu'il y a plus de poignées.

— On se rappelle même plus, dit la mère.

— Nous, pas besoin de poignées, dit Joseph, complètement inutile.

— Tais-toi, Joseph, dit la mère, tais-toi, je m'étouffe.

— C'est agréable de tomber sur des gens aussi gais que vous, dit M. Jo.

Le rire les reprit.

— Aussi gais que nous, dit la mère, feignant d'être interloquée.

— Il a dit qu'on était gais, dit Suzanne, on voit qu'il ne sait pas, il ne sait pas.

— S'il savait, dit Joseph.

Joseph était lancé maintenant.

— S'il n'y avait que le carburateur, le réservoir, les pneus, dit Joseph ; s'il n'y avait que ça…

La mère et Suzanne regardèrent Joseph. Elles ne savaient pas ce qu'il allait sortir. Avant même de le dire, le rire commençait à monter en lui.

— S'il n'y avait que ça, ce ne serait rien.

— Quoi ? dis vite, Joseph.

— On avait des barrages, [dit] Joseph, les crabes nous les ont percés.

Suzanne et la mère se déchaînèrent de nouveau.

— C'est vrai, dit la mère. Même les crabes…

— Même les crabes sont contre nous, dit Suzanne.

— L'histoire de nos barrages, elle vaut, dit Joseph, pour ça elle vaut. On était sûrs de nous, puis quand la mer est montée c'étaient des passoires.

— Ah ! c'est vrai, dit la mère, même les crabes. Ah oui, même les crabes.

Joseph fit le crabe avec ses doigts. Ils étaient toujours secoués par le rire. Joseph, avec deux doigts, imitait la marche du crabe vers M. Jo.

— Les crabes nous ont bouffé toute notre fortune, dit Suzanne.

— Ah ! vous êtes drôles, dit M. Jo, vous êtes formidables.

Il riait, mais il aurait préféré danser avec Suzanne.

— L'histoire de nos barrages est formidable, dit Joseph. On avait pensé à tout, mais pas à ces crabes. On leur coupait la route.

Le rire s'était calmé un peu.

— Ce sont de tout petits crabes, dit Suzanne, ils sont noirs, couleur de la rizière, ils étaient faits pour nous, il n'y a que nous...

Le rire recommença.

— Pour ça c'est vrai, il n'y a que nous.

— Ce sont des barrages contre... dit M. Jo.

— Contre la mer, dit Suzanne. Il faut vous dire que nous on a acheté de la mer, c'est une idée qui viendrait à personne, non ? C'est une idée à ma mère.

La mère redevint sérieuse.

— Tais-toi ou je te fous une gifle, dit la mère.

M. Jo sursauta. Mais Joseph en voulait.

— C'est de la flotte, dit Joseph, parfaitement, l'histoire de nos rizières c'est à se taper le derrière par terre, et nous on est là à attendre comme des cons que la mer se retire, et on pourrit. C'était de la flotte sur de la boue salée. Quand on l'a achetée...

Joseph alluma une cigarette sans en offrir à M. Jo. M. Jo prit un paquet d'américaines et en offrit à la mère et à Suzanne. La mère et Suzanne écoutaient passionnément Joseph.

— Quand on l'a achetée, on a cru qu'on serait millionnaires dans l'année, dit Joseph. Ça devait marcher. On a fait bâtir une maison — puis on a attendu que ça pousse — puis la mer est montée, puis tout a été foutu, puis maintenant on est là à attendre le messie dans la maison qui n'est même pas finie.

— Il pleut dedans, et il n'y a pas de balustrades, dit Suzanne.

La mère rit de nouveau, elle avait oublié sa saute d'humeur contre Suzanne.

— Ne les écoutez pas, Monsieur Jo, dit-elle, elle n'a peut-être pas de balustrades mais c'est une bonne maison, si je la vendais j'en tirerais un bon prix, je suis sûre que j'en tirerais trente mille francs.

— On peut toujours dire ça, dit Joseph. Qui achèterait cette bicoque ? des fous comme nous, dit Joseph.

Suzanne se mit à sourire intensément et à regarder au loin.

— C'est vrai qu'on est fous, dit Suzanne extatiquement.

— Complètement fous, dit Joseph.

*

# CAHIER PRESSES DU XXe SIÈCLE

Le deuxième des quatre *Cahiers de la guerre* est appelé le cahier « Presses du XX$^{e}$ siècle », d'après les mentions autographes qui figurent sur sa couverture (on peut supposer qu'il s'agit de recherches pour le nom de la maison d'édition que Marguerite Duras fonde en 1947 avec son mari Robert Antelme, finalement baptisée « Éditions de la Cité Universelle »). C'est l'un des « deux cahiers des armoires bleues de Neauphle-le-Château » évoqués par Marguerite Duras dans le préambule de *La Douleur* ; il a probablement été rédigé entre 1946 et 1948.

Sur les quarante-quatre pages de ce petit cahier ligné à la couverture en papier fort, bleu-gris, les douze premières sont consacrées à la rédaction de l'unique roman inachevé de Marguerite Duras, « Théodora ». Cette édition n'a délibérément pas retenu un cinquième cahier intitulé « Théodora, roman », malgré sa proximité chronologique avec les *Cahiers de la guerre*. En effet, les brouillons de ce récit, rédigés en 1947, constituent un ensemble à part entière — qui comprend non seulement ce cahier, mais aussi une centaine de feuillets dactylographiés portant la trace de plusieurs strates de corrections successives. De plus, et contrairement aux *Cahiers de la guerre*, Marguerite Duras a clairement exprimé son refus de publier le texte sous cette forme qu'elle jugeait irrémédiablement imparfaite. Elle en publie néanmoins un extrait dans *Les Nouvelles littéraires* en 1979, repris dans le recueil *Outside*, avec cette introduction : « Je croyais avoir brûlé le roman, *Théodora*. Je l'ai retrouvé dans les armoires bleues, inachevé, inachevable. *Les Nouvelles littéraires* m'ont demandé un article sur les hôtels, j'ai donné un extrait de *Théodora*[1]. »

Ce personnage de Théodora, jeune femme caractérisée par son goût subversif de la liberté, traverse pourtant en filigrane une partie de l'œuvre publiée. Alissa, personnage central de *Détruire, dit-elle*[2], peut être considérée comme un avatar de Théodora ; surtout, le personnage qui apparaît sous ce même prénom dans le récit *Yann Andréa Steiner*[3] établit une filiation explicite avec les *Cahiers de la guerre*. Désormais baptisée Théodora Kats, elle emprunte les principales caractéristiques de la fille de Mme Cats évoquée dans les *Cahiers*. Cette même jeune fille, prénommée Jeanine dans *La Douleur* et désignée comme « l'amie » de la narratrice, aurait été « déportée à Ravensbrück avec Marie-Louise, la sœur de Robert[4] ». Dans *Yann Andréa Steiner*, les dialogues entre le personnage éponyme et la narratrice s'éloignent de cette première affirmation et dotent Théodora de biographies contradictoires, placées à la fois sous le signe de la remémoration et de l'invention.

Les pages suivantes du cahier, numérotées par Marguerite Duras, contiennent le début de ce qui deviendra *La Douleur*. L'essentiel de ces pages remplies d'une écriture fine et serrée sera conservé par l'auteur lors de la publication (à l'exception, principalement, des passages les plus virulents à l'encontre de l'Église catholique et du gouvernement du général de Gaulle). En marge figurent des annotations de Marguerite Duras, au feutre rouge, qui attestent de sa relecture du manuscrit, plusieurs décennies plus tard. Ce texte, qu'elle désigne alors sous le terme de « Journal », a été rédigé après les événements qu'il relate ; et le manuscrit révèle que les dates qui le ponctuent ont très vraisemblablement

1. *Outside*, Paris, Éditions P.O.L, 1984, p. 293.
2. Paris, Éditions de Minuit, 1969.
3. Paris, Éditions P.O.L, 1992.
4. *La Douleur*, Paris, Gallimard, coll. « Folio », 1993, p. 57.

été ajoutées après la première rédaction. Les pages 192 à 194, largement abrégées et remaniées, font partie du deuxième fragment de « Pas mort en déportation » publié anonymement dans la revue *Sorcières* en 1976.

Ce fut peu après notre entrée dans la salle à manger de l'hôtel que nous avons remarqué que Bernard était puni. Nous ne pouvions pas ne pas particulièrement le remarquer, étant donné que la table qu'occupaient la gouvernante et les autres enfants qu'elle avait en garde se trouvait être la plus voisine de la nôtre. Théodora, qui était arrivée à l'hôtel trois semaines après moi, n'avait pas, de la gouvernante et de sa manière d'être avec les enfants, une expérience aussi complète que la mienne. Par la force des choses, et bien que je lui en aie parlé, Théodora ne pouvait pas être aussi sensible que moi aux punitions infligées par sa gouvernante à Bernard. Nous avions en effet les uns sur les autres une certaine opinion, et si nous feignions [de] nous ignorer complètement, la volonté que nous y mettions aurait à elle seule prouvé que nous étions loin d'être des indifférents. Cet état de choses provenait du fait (au début tout au moins) qu'on n'avait trouvé aucun prétexte pour s'aborder. Au bout de trois semaines, ce manque de prétexte était devenu comme un prétexte de plus pour ne pas s'aborder. Il n'y avait plus de raison. Nous étions devenus les uns pour les autres la preuve vivante de notre manque d'ingéniosité. Mais ce manque total d'échanges n'avait pu empêcher que je remarque, par exemple, la parfaite éducation des enfants. Tout au moins à table, où leur conduite était exemplaire. Et les punitions de Bernard, qui arrivaient fatidiquement quatre fois par semaine, m'intriguaient d'autant plus que son attitude à table était parfaite. Si parfaite qu'elle me paraissait suspecte, et non sans rapports avec la cause des punitions que subissait le jeune garçon.

Cependant, j'avais un avis. Et la gouvernante devait savoir que j'avais un avis. Elle ne savait lequel. Ni moi les raisons des punitions. Mais tout de même, nous avions nos avis et nous ne pouvions nous y soustraire.

Les punitions tombaient sur Bernard avec une régularité remarquable. Il les subissait comme une obligation, et ne paraissait nullement en souffrir. C'était lui-même qui repoussait son assiette lorsque Germaine, la bonne, la lui apportait. Ces punitions, dont les modalités ne différaient jamais, ne servaient apparemment à rien, puisque pendant trois semaines leur rythme était resté strictement le même, de même que leur nature, et de même que l'indifférence avec laquelle la gouvernante les prodiguait et avec laquelle Bernard les subissait.

Mais malgré tout, j'éprouvais un plaisir à voir, à constater une fois de plus que Bernard, une fois de plus, était puni. Un plaisir sans doute minuscule mais certain, à voir que ça continuait, car plus ça continuait, plus c'était probable que ça continuerait encore. Il est certain que ça fait toujours plaisir, que ça fait un certain bien ce genre de constatations, peut-être parce qu'en général ça finit mal. J'étais à peu près certain que c'était toujours pour une seule et même raison que Bernard était puni, et je me disais qu'elle devait en valoir la peine. Elle aurait pu être celle, simplement, de voir quand la gouvernante cesserait de le punir, quand elle commencerait de se lasser, ce n'était pas exclu. Cette raison-là n'était pas celle qui me plaisait le moins. De la même façon j'ai espéré une infinité de choses qui continueraient dans mon existence, entre autres, j'ai vécu la guerre en espérant qu'elle ne finirait pas. De même, j'avais un vieux chat qui avait dépassé de deux ans l'âge mortel moyen des chats, ça me faisait plaisir, on l'avait peut-être oublié celui-là, je me disais qu'il n'aurait pas une mort ordinaire celui-là, j'en prenais un soin extrême, plus qu'il n'est décent d'en prendre d'un chat. Je savais bien qu'il mourrait un jour, bien sûr, mais je le savais comme on sait ces choses-là, tout en espérant que peut-être... — Bien que les punitions de Bernard aient été d'un autre *ordre*, et qu'elles ne dépendissent en fait que de sa gouvernante (alors que la fin de la guerre et la mort de mon vieux chat dépendaient bien sûr d'autre chose), d'une bien autre nature, elles me procuraient un peu le même plaisir, celui de ne pas savoir comment ça finirait. Je sais bien que je serai déçu. Car de même que la guerre a pris fin, et que mon vieux chat est mort, de même ces punitions finiront. Et quelle que soit la façon dont elles finiront, je serai déçu. Seulement, en attendant, quel plaisir ! (enfin, en attendant Théodora). Quand je m'aperçois que Bernard ne touche pas à sa tarte aux pommes ou à son gâteau au chocolat, je lui souris d'une certaine façon, la moins visible possible, car bien que la gouvernante évite de plus en plus de porter son regard sur moi, et plus particulièrement lorsque Bernard est puni, je crains qu'elle [ne] me voie sourire. Elle sait bien que je souris puisque Bernard me répond, souriant d'une façon à peine perceptible sans doute, mais pas pour elle qui le connaît bien. S'il me sourit, comme il est bien élevé et qu'elle lui a appris qu'un jeune garçon ne doit pas avoir d'initiatives de ce genre envers les grandes personnes, s'il me sourit, elle sait que c'est parce que je lui souris. Mais pas assez visiblement pour qu'elle puisse me faire remarquer la malséance de mon attitude. Le mieux, pour elle, c'est de feindre [d']ignorer ma secrète complicité avec Bernard. Car si elle me regardait, alors ce ne pourrait être qu'avec sévérité. Or, de toute évidence, elle y répugne, ce qui témoigne en sa faveur, ce qui me fait croire qu'elle joue son rôle à contrecœur, et en définitive qu'elle n'est pas sans douter de l'efficacité des punitions qu'elle inflige à Bernard.

Ainsi, j'avais ma façon d'encourager Bernard et de l'approuver, de l'engager à recommencer, de lui témoigner mon admiration et ma foi dans la réussite de son expérience.

Notre complicité a pris fin ce soir, d'une façon que nous n'aurions pu prévoir ni l'un ni l'autre.

Lorsque nous sommes arrivés ce soir dans la salle à manger, Théodora et moi, j'ai remarqué que la gouvernante regardait le dos de Mme Mort avec une obstination singulière. Celle-ci se trouvait être, en effet, dans le champ de vision immédiat de la gouvernante, et sa présence lui facilitait d'autant plus les choses que Mme Mort lui tournait le dos. Ce regard volontairement curieux aurait pu me faire croire, au début de mon séjour à l'hôtel, que la gouvernante se demandait de qui Madame Mort était en deuil. Mais très vite, je m'étais dit qu'elle ne pouvait ignorer que Mme Mort était en deuil de son mari, que M. Théo qui l'accompagnait était le frère de celui-ci, que si elle le savait, c'était que Germaine avait dû le lui dire, parce qu'elle avait assez de générosité d'âme pour comprendre que la curiosité que l'on a de son voisin de table peut devenir excessive, et même pénible, si elle se prolonge, et que le devoir d'une femme de chambre est d'y répondre avec la discrétion voulue. Donc, si elle savait, comme tout le monde à l'hôtel, que Mme Mort était dans le vif d'un très grand deuil, et que malgré ce qu'on aurait pu espérer, elle ne partageait pas la chambre de M. Théo, si elle le savait et qu'elle regardait néanmoins le dos de Mme Mort avec cette obstination, c'était parce que Bernard était encore une fois puni, qu'une fois de plus elle n'ignorait pas que je voyais la tarte aux pommes intacte sur l'assiette du jeune garçon.

J'en avais parlé comme ça, en passant, à Théodora. Ce soir, à mon plaisir de voir Bernard puni s'ajoutait celui de savoir ce que Théodora en penserait, car connaissant Théodora comme je la connaissais, je savais qu'elle ne pouvait pas être insensible à l'espèce de grandeur de la tentative de Bernard. Je prévoyais la sorte de plaisir qu'elle y prendrait, et qu'il ne manquerait pas de changer la nature du mien. Avec l'arrivée de Théodora, c'en était fini d'une certaine période, de celle qu'on pourrait appeler celle de ma pure complicité avec Bernard. Je jouissais à l'avance de voir passer Théodora par les mêmes étapes que moi. Et mon plaisir serait dorénavant celui de voir quelle serait l'attitude d'une Théodora devant les mystérieuses punitions de Bernard, elle ne pourrait manquer d'être différente de la mienne, mais de toutes façons, elle ne pourrait me donner que du plaisir. Parce qu'il y a déjà pas mal de temps que Théodora est ma joie ; quoi qu'elle fasse, quoi qu'elle me fasse, aucune de ses paroles, aucun de ses actes, même s'ils sont (vulgairement parlant) dirigés contre moi, ne peuvent me procurer autre chose que de la joie.

Marie non plus ne mangeait pas de tarte aux pommes. La chose est si nouvelle, que Marie ressuscite de l'espèce de second plan où je l'ai tenue jusqu'ici. Pendant qu'elle ne mange pas, la gouvernante mange avec un soin particulier, ainsi qu'Odile. Théodora n'a rien remarqué encore, ce qui me facilite l'observation de la scène. Marie ne mange pas. Elle n'a pas l'air de savoir qu'il y a quelque chose dans son assiette, pourtant la gouvernante l'a servie comme d'habitude, mais elle est maintenant comme parfaitement oublieuse de manger. Devant elle, Bernard non plus ne mange pas. Pour la première fois je ne lui ai pas souri, et il ne m'a pas regardé une seule fois. Il est évident qu'il est jaloux et se sent délaissé parce qu'il a cessé de m'intéresser.

Marie, immobile, fixe le lustre de la salle à manger. Elle est belle, et elle a au moins dix-huit ans. Elle doit être bonne à baiser. Ses yeux sont verts et luisants, sa robe est rouge, ça s'est trouvé comme ça. Entre sa robe rouge et ses yeux verts, il existe une harmonie fixe, immobile, comme une question posée, dont la recherche de la réponse m'incombe. Si belle, Marie, que je me demande si elle n'est pas plus belle que la scène qui se déroule, si elle ne le lui dispute pas en beauté. Maintenant, Théodora a remarqué que Marie m'intéresse. Je n'oublie pas Théodora, jamais. Mais Marie est belle pour moi. « Moi aussi je suis belle, il n'y a pas que Théodora. » C'est exact, je suis responsable de ne pas avoir remarqué Marie avant ce soir, Théodora n'a rien à y voir, bien que sa présence ne soit pas sans relations avec la nouvelle attitude de Marie. Théodora existe. Comme d'habitude, elle ne me parle pas. Il y a si longtemps qu'on n'a plus rien à se dire, sauf quelquefois, et toujours sur le même sujet. Je suis occupé avec les yeux de Marie, Théodora ne peut être que d'accord, elle est toujours d'accord, rien ne peut faire qu'elle ne le soit pas. Marie n'est pas d'accord.

— Vous ne mangez pas, Marie ? dit la gouvernante d'une voix haute et posée.

Marie déplace son regard vert du lustre vers le visage de sa gouvernante. Elle dit :

— Non.

La gouvernante est un peu pâle, mais pas encore assez à mon gré.

— C'est la première fois que vous ne mangez pas, Marie. Êtes-vous malade ?

Marie sourit à sa gouvernante. Je suis à peu près sûr qu'elle ne se rend solidaire de la punition de Bernard que pour me plaire, parce qu'elle a remarqué quelque chose, que ça me plaisait qu'on refuse les punitions. Son sourire est sûr.

— Non, Mademoiselle, je me sens bien.

Maintenant, Théodora suit la scène comme moi, dans le même oubli de moi que moi d'elle. La colère de la gouvernante devient visible. Ses mains tremblent. Elle regarde mais nous, on a tellement l'habitude d'être regardés que ça ne nous fait pas baisser les yeux.

— Marie, vous monterez vous coucher après dîner.

Le sourire de Marie s'accentue. Ses yeux reprennent la voie du lustre et Marie dit :

— Non.

De même que sa beauté, le refus de Marie, je le ressens comme s'adressant à moi. Il n'est pas certain que tout le monde a entendu ce « non ». Il a été dit tout bas, et au moment où je ne peux déjà plus détacher mon regard de la bouche de Marie — ce qui fait que j'ai vu ce « non » plus que je ne l'ai entendu. Si Marie l'avait prononcé à voix distincte, il n'aurait pas le même caractère, je ne me serais pas demandé si elle ne s'était pas adressée qu'à moi, je n'aurais pas pris ce refus comme une provocation à mon égard. Si ce mot avait été prononcé pour tous, Marie n'en serait pas surgie tout entière comme elle venait de le faire avec seins, bouche, yeux, cheveux, formes multiples et variées fondues en une seule, bonne pour moi. Peut-être a-t-elle douté, en disant ce « non », qu'elle en avait le droit, mais dès qu'il a été prononcé, elle a dû en être fière comme d'un exploit. Il y a une minute, j'ignorais qu'il y avait en moi une place pour celle-là, je me sens frais comme après l'ondée. Elle est jeune celle-là, elle y croit encore que ça vaut la peine de refuser, elle est comme la plante qui cherche le soleil. Elle est bonne pour moi.

Peu après que Marie a répondu à sa gouvernante, Mme Mort est sortie de la salle à manger précipitamment. Personne n'a remarqué cette sortie, même pas Bernard qui, toujours aussi impassible, regarde Marie. Si moi je l'ai remarquée, c'est à l'entour du visage de Marie. À mon côté et sans la voir, je devine l'ombre de Théodora, l'ombre froide de Théodora.

La gouvernante est maintenant décomposée par la pâleur.

— Marie, sortez tout de suite.

Marie porte son regard sur sa gouvernante et ne la lâche plus des yeux. La gouvernante soutient le regard de Marie, mais ses lèvres tremblent.

— Non, dit Marie.

Quelqu'un dit, c'est Mme Bois, à sa petite fille :

— Ne regarde pas.

C'est la chose à dire, la plus parfaite à dire. Mais pour rien, puisque Mme Bois continue à regarder, que la petite fille continue à regarder. Pourtant ça devait être dit.

Le visage de la gouvernante est ouvert et aussi écartelé que dans le viol, un sexe. Il se décompose sous nos yeux, et en même temps que sa défaite s'achève et devient cette éblouissante perfection, Marie se couvre de mystère. Elle refuse sans daigner s'expliquer. Elle refuse tout. Elle n'aurait pas seulement refusé de manger la tarte aux pommes et d'obéir à sa gouvernante, mais tout ce qu'on aurait pu lui proposer. Du moment qu'elle était partie à refuser, elle refuserait tout. Théodora le sait. Lorsque je la regarde, je sais qu'elle le sait : elle rit d'un rire silencieux et sans fin, sans fin, sans fin.

La gouvernante sort. Elle se lève, pousse sa chaise avec douceur et sort, suivie d'Odile. Bernard paraît hésiter. Il me paraît quêter chez Marie un conseil sur l'attitude qu'il doit avoir. Mais Marie n'a pas l'air de se douter que Bernard est encore là. Elle s'est mise à jouer avec son rond de serviette.

Alors Bernard se lève, un peu déçu de n'avoir pas été le véritable enjeu de la partie. Marie fixe ses mains qui jouent avec le rond de serviette, on ne voit plus ses yeux. Elle est seule à table.

— Mangez-la maintenant, dit Théodora, à votre place je la mangerais quand même.

Marie sursaute. Qui a parlé ?

— Pourquoi ?... dit Marie. Je n'en ai plus envie, sans ça je l'aurais mangée tout à l'heure.

— Excusez-moi, dit Théodora.

Marie sort de la salle à manger. Elle a beaucoup rougi, on la dirait prête à pleurer. Elle sort en titubant.

— Va la consoler, dit Théodora.

Je sors. Je cherche Marie. Si j'ai quelque chose à lui dire c'est tout de suite. Tout à l'heure ce sera trop tard. Je la trouve assise sur une chaise longue dans la cour, elle pleure.

— Excusez Théodora, elle n'a pas voulu vous faire de peine. Elle vous en a peut-être fait sans le vouloir ?

— Si j'ai refusé de manger la tarte, dit Marie, c'est que j'avais de bonnes raisons de le faire, ça ne regarde personne... Je ne comprends pas comment elle peut...

— Soyez persuadée qu'elle le sait parfaitement... Qu'elle n'a voulu dire que ce qu'elle a dit et pas autre chose...

— Je ne vous connais pas. Qu'elle le sache ou non, ça n'a rien à voir, ça ne doit avoir pour moi aucune importance. Nous ne nous connaissons pas...

— Que dois-je lui dire de votre part ?

— Je ne comprends pas, dit Marie.

— Je suis venu l'excuser, et sur sa demande. Je ne saurai quoi lui dire à mon retour à la salle à manger.

— Mais enfin, dit Marie, vous êtes bien extraordinaire, je ne la connais pas.

— Vous ne pouvez pas comprendre...

— C'est vrai qu'elle est si belle, dit Marie d'un ton rêveur.

— Ça avait l'air de l'amuser, tout ça, dites-moi ?

— Tout l'amuse... Que dois-je lui dire de votre part ?

— Elle est marrante, cette petite, a dit Theodora. Elle a voulu monter tout de suite dans la chambre. Elle s'est allongée sur le lit. Elle s'est étirée. Elle paraissait avoir sommeil.

— Je sais bien tout ce que ça a d'idiot..., ai-je dit.
— On n'en a jamais fini, a dit Théodora. Tu crois que je lui ai fait de la peine ?
Silence de notre chambre. Silence de notre vie. Les volets sont ouverts. Il fait nuit. Nuit. Nuit.
— N'y pense pas, ai-je dit. Je sais bien tout ce que ça a d'idiot... Tu as dû lui faire une certaine espèce de peine, mais quelle importance...
J'ai demandé à Théodora de se déshabiller et de se coucher. Elle n'a pas répondu. Immobilité de Théodora, les yeux fermés, couchée sur le lit. Dehors, nuit noire. Dans la glace mon visage est pâle, pâle.
— On n'en a jamais fini, répète Théodora.

Première partie : salle à manger — jardin — fleurs [offertes] par T. à M. — le héros et Marie.

*

[illegible]

— Je sais bien tout ce que tu as subi, [illegible] de
— On est à jamais fini, dit Théodora. Tu crois
que je fuirai [illegible] ma peine ?
Silence de murs contraires. Silence de [illegible]
Les [illegible] ouverte. Il fait nuit. Noir. Nuit.
— [illegible] pas, [illegible] je sais bien tout ce qui
[illegible] faire une certaine [illegible]
de peine, mais quelle importance.
[illegible] demande à Théodora de se déshabiller et de
se coucher. Elle n'a pas répondu. Immobile, [illegible]
Théodora les yeux fermés, couchée sur le lit [illegible]
[illegible] de plusieurs [illegible]
[illegible]
[illegible]

[illegible]

Face à la cheminée. Le téléphone à côté de moi. À droite, la porte du salon et le couloir, au fond du couloir : la porte d'entrée. Il pourrait revenir directement, il sonnerait à la porte d'entrée : « Qui est là ? » « C'est moi. » Il pourrait également téléphoner dès son arrivée dans un centre de transit : « Je suis revenu, je suis à Lutétia pour les formalités. » Il n'y aurait pas de signe précurseur. Il téléphonerait dès son arrivée. Ce sont des choses qui sont possibles. Il en revient tout de même. Il n'est pas un cas particulier, il n'y a pas de raisons particulières pour qu'il ne revienne pas. Il n'y a pas de raisons pour qu'il revienne. Il est possible qu'il revienne. Il sonnerait : « Qui est là ? » « C'est moi. » Il y a bien d'autres choses qui arrivent dans ce même domaine. Ils ont fini par franchir le Rhin. La charnière d'Avranches a fini par sauter. J'ai fini par vivre jusqu'à la fin de la guerre. Ce ne serait pas une chose extraordinaire s'il revenait. Attention : ce ne serait pas extraordinaire. « Allô ? » « Qui est là ? » « C'est moi, Robert. » Ce serait normal et non pas extraordinaire. Prendre bien garde de n'en pas faire un événement qui relève de l'extraordinaire, l'Extraordinaire est inattendu. Être raisonnable. Je suis raisonnable. J'attends Robert qui doit revenir.

Le téléphone : « Allô ? » « Allô ! vous avez des nouvelles ? » Deux temps. Le premier : il arrive que le téléphone sonne, il n'est pas inutile d'attendre qu'il sonne, un téléphone sert à sonner. Le deuxième : merde. Envie d'égorger. « Aucune nouvelle. » « Rien ? Aucune indication ? »

« Aucune. » « Vous savez que Belsen a été libéré hier après-midi ? » « Je sais. » Silence. Est-ce que je vais encore le redemander ? Ça y est, trop tard, je demande : « Qu'est-ce que vous en pensez ? Je commence à être inquiète. » Silence : « Il faut attendre, surtout ne pas se décourager, tenir, vous n'êtes, hélas, pas la seule... Je connais une mère de quatre enfants qui... » Il faut arrêter : « Je sais. Je m'excuse, je dois sortir. Au revoir. » Fini. Je repose le téléphone. Je n'ai pas bougé de place. Il ne faut pas trop faire de mouvements, c'est de l'énergie perdue. Garder toutes ses forces pour le supplice. Elle a dit : « Vous savez que Belsen a été libéré ? » Je l'ignorais. Encore un camp de plus de libéré. Elle a dit : « [*illis.*] hier après-midi. » Elle ne l'a pas dit, mais je sais que les listes arriveront demain. Descendre, acheter le journal, payer le journal, lire la liste. Non. Dans les tempes j'entends un battement qui grandit. Non, je ne lirai pas cette liste. Je demanderai qu'on la lise et qu'on me prévienne au cas... D'abord le système des listes, je l'ai essayé depuis trois semaines, il n'est pas celui qui convient. Et plus il y a de listes... Non, pas de liste, plus il en paraît, moins... Il en paraîtra jusqu'à... Jusqu'au bout. Il n'y sera... Le moment de bouger est arrivé. Se soulever, faire trois pas, aller à la fenêtre. L'École de médecine toujours là, même si... Des passants dans les rues, toujours ils marcheront... Au moment où j'apprendrai, toujours des passants... Ça arrive. Avis de décès. On prévient déjà...

« Qui est là ? » « Une assistante sociale de la mairie. » La mère des trois enfants a été prévenue. Si le battement dans les tempes continue. Avant tout, arrêter les battements dans les tempes, on peut en mourir. La mort est en moi — Elle bat à mes tempes — On ne peut pas s'y tromper — Arrêter le battement dans les tempes — Arrêter le cœur — Le calmer — Il ne se calmera pas tout seul, il faut l'y aider — Arrêter l'exorbitation de la raison qui fuit et sort — Je mets mon manteau. Palier. Escalier. « Bonjour, Madame Antelme. » Concierge. Elle n'avait pas un air particulier. La rue non plus. Dehors, avril continue comme si de rien n'était. Dans la rue, on dort, les mains dans les poches bien calées, les jambes avancent. Éviter les kiosques à journaux. Éviter les centres de transit. Les Alliés avancent sur tous les fronts. Il y a quelques jours encore c'était important. Maintenant, aucune importance. Je ne lis plus les communiqués. Complètement inutile. Ils avanceront jusqu'au bout. Le jour, lumière du jour à profusion sur le mystère nazi. Avril, ce sera arrivé en avril. Les armées alliées déferlent sur l'Allemagne. Berlin en flammes. L'Armée rouge poursuit son avance victorieuse dans le Sud. Dresde dépassé. Les Alliés avancent sur tous les fronts — le Rhin passé, c'était couru. Le grand jour de la guerre : Remagen. C'est après que ça a commencé. Depuis qu'Eisenhower s'est trouvé mal à Buchenwald, trois millions de femmes se foutent comme moi de l'issue de la guerre. Dans un fossé, la tête tournée vers la terre, les jambes repliées, les bras étendus, il se meurt. Je vois. Tout. Il est mort de faim. À travers les squelettes de Buchenwald, son squelette. Il fait chaud. Peut-être commence-t-il à pourrir. Sur la route à côté passent les armées alliées qui avancent sur tous les fronts. Il est mort depuis trois semaines. Ça y est. Je tiens une certitude. Les jambes continuent à marcher. Plus vite. Sa bouche est entrouverte. C'est le soir. Il a pensé à moi avant de mourir. Délectation de la douleur. Il y a beaucoup trop de monde dans les rues. Je voudrais avancer dans une large plaine et pouvoir penser librement. Juste avant de mourir il a dû penser mon nom. Tout le long de la route, le long de toutes les routes d'Allemagne, il y en a d'autres qui sont allongés dans des poses à peu près semblables à la sienne. Des milliers. Des dizaines, des centaines de milliers et lui. Lui qui est contenu dans les milliers d'autres, lui, détaché pour moi seule au monde des milliers d'autres, complètement isolé des milliers d'autres. Tout ce qu'on peut savoir quand on ne sait rien, je le sais. Ils les ont évacués, puis à la dernière minute ils les ont tués. Voilà. Des données générales. La guerre, donnée générale. La guerre. Les nécessités de la guerre. Les morts, nécessités de la guerre, donnée générale.

Il est mort en prononçant mon nom. Quel autre nom aurait-il prononcé ? La guerre : donnée générale. Je ne vis pas de données générales. Ceux qui vivent de données générales n'ont rien de commun avec moi. Personne n'a rien de commun avec moi. La rue. Il y en a qui rient, des jeunes surtout. Je n'ai que des ennemis. C'est le soir, il faudrait que je rentre. De l'autre côté aussi c'est le soir. Dans le fossé l'ombre gagne, sa bouche est dans le noir. Soleil rouge sur Paris. Six ans de guerre se terminent. Grande affaire, grosse histoire, on en parlera pendant vingt ans. L'Allemagne nazie est écrasée. Écrasés les bourreaux. Lui aussi, dans le fossé. Je suis cassée. Quelque chose de cassé. Impossible de m'arrêter de marcher. Sèche comme du sable sec. À côté du fossé, le parapet du pont des Arts. La Seine. Exactement à droite du fossé. Quelque chose les sépare : du noir. Le pont des Arts. Ma victoire. Rien au monde ne m'appartient que ce cadavre dans un fossé. L'enfance a été. L'innocence a été. C'est le soir. C'est ma fin du monde. J'emmerde tout le monde. Je ne meurs contre personne. Simplicité de ma mort. J'aurai vécu — cela m'indiffère — le moment où je mourrai m'indiffère. En mourant je ne le rejoins pas, je cesse de l'attendre. Pas d'histoires. Je préviendrai D. : « Il vaut mieux mourir, que feriez-vous de moi ? » Habilement, je mourrai vivante pour lui ; ensuite la mort n'ajoutera qu'un soulagement. Je fais ce bas calcul. Pas la force de vivre pour D. Il faut rentrer. D. m'attend. Huit heures et demie.

« Aucune nouvelle ? » « Aucune. » On ne me demande plus comment ça va, on ne me dit plus bonjour, on dit : « Aucune nouvelle ? » Je dis : « Aucune. » Je vais m'asseoir sur le divan près du téléphone. Je me tais. Je sais que D. est inquiet. Quand il ne me regarde pas il a l'air soucieux. Depuis huit jours déjà. Je le surprends à se distraire. Je dis à D. : « Dites-moi quelque chose. » La semaine dernière encore il me disait en riant : « Vous êtes cinglée, vous n'avez pas le droit de vous inquiéter comme ça. » Maintenant il me dit : « Il n'y a aucune raison... Soyez raisonnable... » Il ne rit plus mais il sourit, et sa figure se tire. Pourtant, sans la présence de D., il me semble que je ne pourrais pas tenir. Nous allumons la lampe du salon. Il y a déjà une heure que D. est là. Il doit être neuf heures du soir. On n'a pas encore dîné. On ne se dit rien. D. est assis non loin de moi qui suis toujours à la même place sur le divan. Je regarde un point fixe par la fenêtre noire.

D. me regarde. Parfois il dit : « Assez. » Alors je le regarde. Il me sourit. Puis je regarde la fenêtre. La semaine dernière encore il me prenait la main, il m'embrassait, il me disait de lui-même : « Robert reviendra, je vous le jure. » Maintenant je sais qu'il se demande si ça vaut encore la peine d'entretenir l'espoir. Quelquefois je dis : « Excusez-moi. » Il sourit. Au bout d'une heure je dis : « Comment se fait-il qu'on n'ait aucune nouvelle ? » Il me dit : « Il y a encore des milliers d'hommes qui sont dans des camps qui n'ont pas encore été touchés par les Alliés. » « Tous ont été touchés par les Alliés, il y a des Américains et des Anglais partout. » « Comment voulez-vous qu'il vous prévienne ? » « On peut écrire. Les Bernard ont reçu des nouvelles de leurs filles ». Ça dure très longtemps, jusqu'au moment où je demande à D. de m'affirmer que Robert reviendra : « Il reviendra », me dit D. Puis il me dit qu'il faudrait manger quelque chose. Je vais à la cuisine, je mets des pommes de terre dans une casserole, de l'eau dans la casserole, j'allume le gaz, je mets la casserole sur le gaz. Puis je penche la tête, j'appuie le front contre le rebord du fourneau, j'appuie de plus en plus fort. Je ferme les yeux. Je reste immobile, le front contre le fourneau. Silence. D., dans l'appartement, ne fait aucun bruit. La rumeur du gaz, c'est tout. Où ? Où est-il ? Où se trouve-t-il ? Mais où nom de Dieu, où ? Le fossé noir — mort depuis quinze jours. Sa bouche est entrouverte. Sur la route, à son côté, passent les armées alliées qui avancent sur tous les fronts. Mort depuis quinze jours. Depuis quinze nuits, quinze jours, à l'abandon dans un fossé, la plante des pieds à l'air. Sur lui, la pluie, le soleil, la poussière des armées victorieuses. Depuis quinze jours. Ses mains ouvertes. Chacune de ses mains plus chères que ma vie. Connues de moi. Connues de cette façon que de moi. Je crie « D. ! » Des pas très lents dans le salon. D. vient. Il rentre dans la cuisine. Je sens autour de mes épaules deux mains douces, fermes, qui me tirent du fourneau. Je suis contre D.

Je dis : « C'est terrible. » « Je sais », dit D. « Non, vous ne pouvez pas savoir. » « Je sais », dit D. « Mais essayez... on peut tout. » « Je ne peux plus rien. » Les bras de D. autour de moi. Plus il serre fort, beaucoup plus que des paroles, ça soulage. Dans l'étau des bras de D., parfois, je pourrais croire que ça va mieux. Une minute d'air respirable. On se met à table. Deux assiettes sur la table de la cuisine. Je tire le pain du placard. Du pain de trois jours. Une pause. Je dis à D. : « Le pain a trois jours. Tout est fermé à cette heure-ci... » On se regarde avec D. : « Vous parlez... », dit D. On pense la même chose à propos de ce pain. On commence à manger. On s'assied. Le morceau de pain dans ma main, je le regarde. J'ai envie de vomir. Le pain mort. Le pain qu'il n'a pas mangé, manquer de pain l'a fait mourir. Ma gorge est fermée, il n'y passerait pas une aiguille. Le pain, le goût du pain qu'il n'a pas mangé. On ne le savait pas jusqu'à il y a un mois, puis le monde a été inondé de photographies : charniers d'os ; la lumière a percé sur les charniers d'os. On connaît leurs rations. Pendant que nous mangions du pain, eux ne mangeaient pas de pain. Je ne remonte même pas aux Allemands. À ras de terre des cadavres, des millions de cadavres. À la place du blé, des moissons de cadavres : Prenez et mangez, ceci est mon corps. Il y en a qui y croient encore. À Auteuil, on y croit encore. Lutte de classes. Classe des morts. Le seul soulagement : morts de tous les pays, unissez-vous ! et décrochez-moi celui-là de sa croix. Les chrétiens, les seuls qui ne partagent pas la haine. Pendant la Libération, à l'heure où le moment d'égorger était venu, ils prêchaient déjà l'indulgence et le pardon des péchés. Le pain du cureton : Prenez et mangez, ceci est mon corps. Le pain de l'ouvrier agricole. Le pain de la bonne toujours-mangé-à-la-cuisine : « Nous avons une bonne qui mange plus que sa carte ! Pensez, Madame, c'est épouvantable des gens pareils. » Le pain gagné. Le pain tout cuit payé par le papa capitaliste à son petit rejeton chéri qui, en ce moment même, s'intéresse à la guerre. Le pain terreux du partisan soviétique, ses histoires autour, le pain tout court du pays de la Révolution. Je regarde le pain : « Je n'ai pas faim. » D. s'arrête de manger : « Si vous ne mangez pas, je ne mange pas. » Je grignote pour que D. mange. Avant de partir, D. me dit : « Promettez-moi de... » Je promets. Quand D. a dit : « Il faut que je rentre », je voudrais que ce soit déjà fait — qu'il soit déjà parti et que je n'aie pas à refermer la porte.

D. est parti. L'appartement craque sous mes pas. Une à une, j'éteins les lampes. Je rentre dans ma chambre. Je vais très lentement. Il s'agit de dormir. Si je ne fais pas attention je ne dormirai pas. Quand je ne dors pas du tout ça va beaucoup plus mal le lendemain. Quand j'ai dormi, le matin, ça va moins mal pendant une heure. Quand je m'endors c'est dans le fossé noir, près de lui mort.

Suis allée au centre d'Orsay. J'ai eu beaucoup de mal à y faire pénétrer le service des recherches du journal *Libres*. On m'a objecté que ce n'était pas un service officiel. Le BCRA y est déjà installé et ne veut céder sa place à personne. Tout d'abord je l'y ai installé clandestinement, avec de faux papiers. Nous avons pu récolter de nombreux renseignements qui ont paru dans le journal — au sujet des convois, des transferts de camps. De nombreuses nouvelles personnelles. « Vous pourrez dire à la famille Untel que leur fils est vivant ; je l'ai quitté hier. » Mais on nous a fichues à la porte, mes quatre camarades et moi-même. « Tout le monde veut y être, c'est impossible. Ne sont admis que les secrétariats de stalags. » J'objecte que notre journal est lu par soixante-quinze mille femmes et parents de déportés et prisonniers : « C'est regrettable, mais le règlement interdit à tout service non officiel de s'installer ici. » « Notre journal n'est pas un journal comme les autres, il est le seul à faire des tirages spéciaux de listes... » « Ce n'est pas une raison suffisante. » C'est un officier supérieur de la mission de rapatriement du ministère Frenay qui me parle. Il a l'air très préoccupé, il est distant et soucieux. Il dit : « Je regrette. » Je dis : « Je me défendrai jusqu'au bout », et je pars dans la direction des bureaux : « Où allez-vous ? » « Je vais essayer de rester. » J'essaie de me faufiler entre une file de prisonniers de guerre qui tient toute la largeur du couloir. Il me regarde et me dit : « Comme vous voudrez, mais attention, ceux-là (il les montre du doigt) ne sont pas encore passés à la désinfection. En tout cas si vous êtes encore là ce soir, je serai au regret de vous mettre dehors. » Nous avons [reluqué] une petite table en bois blanc, que nous mettons à l'entrée du « circuit ». Nous interrogeons les prisonniers. Beaucoup viennent à nous. Nous recueillons des centaines de nouvelles. Je travaille. Je ne lève pas le nez. Je ne pense à rien. De temps en temps, un officier (très reconnaissable des autres, jeune, en chemise amidonnée, kaki, effets de torse) vient nous demander qui nous sommes : « Qu'est-ce que c'est que ça que le service des recherches ?

Avez-vous un laissez-passer ? » Je montre mes faux laissez-passer. Puis c'est une femme de la mission de rapatriement : « Qu'est-ce que vous leur voulez ? » « On leur demande des nouvelles de leurs camarades qui sont restés en Allemagne. » « Et qu'est-ce que vous en faites ? » C'est une jeune femme platinée, tailleur bleu marine, bas fins, souliers assortis, fraîche, les ongles faits. « On les publie dans un journal qui s'appelle *Libres*, qui est le journal des Prisonniers et Déportés. » « *Libres* ? Vous n'êtes pas [du] ministère ? » « Non. » « Avez-vous le droit de faire ça ? » Elle devient distante. « On le prend. C'est simple. » Elle s'en va. Nous continuons à interroger. Les choses nous sont malheureusement facilitées du fait que le passage des prisonniers dure deux heures et demie avant qu'ils n'entrent dans le premier bureau du circuit de contrôle d'identité. Pour les déportés ce sera encore plus long, parce qu'ils n'ont pas de papiers. Un officier revient, quarante-cinq ans, il sue dans sa veste, très sec cette fois-ci. « Qu'est-ce que c'est que ça ? » On explique encore une fois. « Il y a déjà un service analogue dans le circuit. » Je me permets : « Comment faites-vous parvenir les nouvelles aux familles ? On dit qu'il s'écoulera bien trois mois avant que tous aient pu écrire... » Il me regarde et il rit supérieurement : « Vous ne comprenez pas. Il s'agit de renseignements sur les atrocités nazies. Nous constituons des dossiers. » Il s'éloigne puis il revient : « Qui vous dit qu'ils vous disent la vérité ? C'est très dangereux ce que vous faites. Vous n'ignorez pas... Les miliciens... » Je ne réponds pas. Il s'en va. Une demi-heure après, arrive directement vers notre table un général suivi du premier officier, du deuxième officier, de la jeune femme. « Vos papiers ? » Je les montre. « Ce n'est pas suffisant.

On vous permet de travailler debout, mais je ne veux plus voir cette table. » J'objecte, elle ne tient pas beaucoup de place. « Le ministre a formellement interdit de mettre une table dans la salle d'honneur. » Ils appellent deux scouts qui enlèvent la table. Nous travaillons debout.

De temps en temps la radio tonitrue — une alternance d'airs swing et patriotiques. La file des prisonniers augmente. De temps en temps, je vais au guichet du fond de la salle : « Toujours pas de déportés ? » « Pas de déportés. » Femmes en uniformes. Missions de rapatriement. Elles parlent des prisonniers en disant exclusivement que les pauvres garçons, les pauvres garçons... Elles s'entrappellent Mademoiselle de Tartempion, Madame de Trou du Cul. Elles sont souriantes. C'est dur ce qu'elles font. On manque d'air ici. Elles sont vraiment très très préoccupées. De temps en temps des officiers viennent les voir, ils échangent des cigarettes anglaises et se plaisantent : « Infatigable, Mademoiselle de [*illis.*] ? » « Comme vous le voyez, mon capitaine... » La salle d'honneur [ronfle] de bruits de pas. Et ça arrive toujours, toujours. Des camions défilent. Ils viennent du Bourget. Par groupes de cinquante, les prisonniers arrivent. Quand un groupe surgit, vite, le micro : « C'est la route qui va, qui va, qui va... » Quand les groupes sont importants, on y va de la Marseillaise. Des [syncopes] entre les chants. Les gars regardent la salle d'honneur. Tous sourient. Des officiers de rapatriement les encadrent : « Allez mes amis, à la file. » Ils vont à la file et continuent de sourire. Les premiers arrivés disent : « C'est long », mais toujours en souriant et gentiment. Lorsqu'on leur demande des renseignements, ils cessent de sourire et essayent de se rappeler. Les officiers les appellent « mes amis » ; les femmes, « les pauvres garçons », ou « mes amis » lorsqu'elles s'adressent à eux directement. À la gare de l'Est, une de ces « dames » a apostrophé un soldat de la Légion en montrant ses galons. « Alors mon ami ? on ne salue pas ? vous voyez bien que je suis capitaine ? » Le soldat l'a regardée : « Moi, les gonzesses, je ne les salue pas, je les baise. » Un « ohohoh » prolongé a accueilli ces paroles. « Quel mal élevé ! » Dignement la dame s'est éloignée.

Avril. J'ai été trouver S., chef du centre, pour arranger l'affaire. Il nous est permis de rester mais en fin de circuit, à la queue, du côté de la consigne. Trop contentes. Tant qu'il n'y a pas de déportés je tiens. [Il en revient par le Lutétia mais pas par Orsay. Sauf très rarement]. Des isolés seulement. Alors je sors du circuit, c'est entendu avec mes camarades. Je ne reviens que lorsque les déportés sont partis. Lorsque je reviens, de loin, les camarades font : « Rien. » Je me rassieds. Le soir je porte les listes au journal. Et je rentre. Chaque soir : « Demain je n'y retourne pas à Orsay. »

Mais je crois que demain je n'y retournerai pas. Premier convoi de déportés de Weimar. 20 avril. On me téléphone le matin chez moi : ils n'arriveront que l'après-midi. Aucun courage. Lorsque je passe devant Orsay je fuis. Je fuis les journaux. En dehors du centre d'Orsay il y a des femmes de prisonniers de guerre, coagulées en une masse compacte. Des barrières blanches les séparent des prisonniers. Elles crient : « Avez-vous des nouvelles d'Untel ? » « Et Untel ? » Quelquefois les soldats s'arrêtent. Il y en a qui connaissent. À sept heures du matin il y a des femmes. Il y en a qui restent jusqu'à trois heures du matin — et qui reviennent le lendemain. On leur interdit l'entrée du centre. Les prisonniers reviennent dans l'ordre. La nuit ils arrivent dans de grands camions, ils débouchent en pleine lumière. Les femmes hurlent, elles claquent des mains. Ils s'arrêtent, éblouis, interloqués, quelquefois ils répondent, le plus souvent, ils rentrent.

À un grand nombre d'entre eux, au début, je demandais : « Connaissez-vous des déportés politiques ? » Non. La plupart connaissaient des STO. Aucun ne connaissait de déportés politiques, ils ne savaient pas très bien voir la différence. Ils en avaient vu au centre de transit « dans un sale état ». J'admire les femmes qui restent et demandent sans fin. J'ai demandé à D. de venir au centre pour voir les premiers déportés de Weimar. Après le déjeuner, l'envie de fuir me reprend : « Antelme ? Ah ! oui... » On ne me dirait pas. On me regarderait de telle façon que. Je travaille mal. Tous ces noms que j'additionne, noms de prisonniers de guerre, ne sont pas le sien. Au rythme de chaque cinq minutes, l'envie d'en finir, de poser le crayon, de ne plus demander de nouvelles, de sortir du centre. Chaque camion dans la rue qui s'arrête : eux. Non. Vers deux heures et demie je me lève, je voudrais savoir à quelle heure ils arrivent. Je vais dans la salle d'honneur, je cherche quelqu'un à qui je pourrais demander. Dans un coin de la salle il y a une dizaine de femmes installées. Une grande générale, en tailleur bleu marine, croix de Lorraine sur le revers, s'occupe d'elles. Elle a des cheveux blancs bouclés au fer et passés au bleu. Elle leur parle en faisant des gestes. Les filles regardent. Elles ont l'air très fatiguées, elles ont l'air d'avoir peur. Elles traînent des baluchons, des valises, il y a aussi un petit enfant couché sur un baluchon. Leurs robes sont très sales. C'est ça qui frappe : elles ont le visage décomposé. Fatigue ou peur ? Et elles sont très sales, jeunes. Il y en [a] deux ou trois qui ont un ventre très gros, enceintes jusqu'aux dents. Une autre femme officier regarde, un peu à l'écart du groupe, la générale qui parle. « Qu'est-ce qui se passe ? » Elle me regarde et baisse les yeux, pudique : « Volontaires. » La générale leur dit [de] se lever. Elles se lèvent et suivent la générale. Si elles ont ce visage effrayé, c'est qu'elles ont été huées à la porte du centre. J'ai entendu huer des volontaires, une nuit. Ils ne s'y attendaient pas. D'abord ils ont souri, puis peu à peu ils ont compris et ils avaient ce même visage décomposé. Puis la générale s'adresse à la jeune [en] uniforme : « Qu'est-ce qu'on en fait ? » Elle montre le tas du doigt. L'autre dit : « Je ne sais pas. » La générale a dû leur apprendre qu'elles étaient des ordures. Il y en a qui pleurent. Celles qui sont enceintes ont les yeux fixes. Ce sont toutes des ouvrières, elles ont de grosses mains abîmées par les machines allemandes. Deux d'entre elles sont peut-être des prostituées, mais elles aussi, elles ont dû travailler aux machines. Elles regardent la générale, debout, comme elle l'avait demandé. Un officier arrive : « Qu'est-ce que c'est ? » « Volontaires. » La voix de la générale est aiguë : « Asseyez-vous », dit la générale. Elles s'assoient sans se demander pourquoi. Ce n'est pas assez. La générale menace : « Et restez tranquilles. C'est entendu ? Ne croyez pas qu'on va vous laisser partir comme ça... » La voix de la générale est très distinguée. De sa main délicate aux ongles rouges, elle menace et [confirme] aux volontaires aux mains rongées de cambouis. Des machines. Des machines allemandes. Les volontaires ne répondent pas. L'homme s'approche du tas et regarde avec une curiosité discrète. Sans se gêner, devant les volontaires, à la générale : « Avez-vous des ordres ? » La générale : « Non, et vous ? »

« On m'a parlé de six mois de détention. » La générale opine de sa belle tête frisée : « Ça ne serait pas volé. » L'officier supérieur envoie des bouffées de fumée au-dessus des tas de volontaires qui regardent et suivent la conversation, la bouche entrouverte, les yeux hagards. « D'accord ! » fait l'officier supérieur en pirouettant élégamment, homme de cheval, Camel à la main, et en s'éloignant. Les volontaires regardent tout le monde et elles quêtent une indication sur le sort qui les attend. Aucune indication. Je happe la générale qui s'en va : « Savez-vous à quelle heure revient le convoi de Weimar ? » Elle me toise : « Trois heures. » Elle me toise encore puis, de son doigt délicat, menace : « Mais je vous préviens, ce n'est pas la peine d'encombrer la salle, il n'y a que des généraux et des préfets. » Je regarde la générale. « Pourquoi ? Et les autres alors ? » Je n'ai pas fait attention, mon ton n'a pas dû être celui avec lequel il convient de répondre à une dame de cette qualité. Elle se redresse. « Ô ô ô. J'ai horreur de cette mentalité ! Allez vous plaindre ailleurs, ma petite fille. » Elle est tellement indignée qu'elle va en rendre compte à [un] petit groupe de femmes également en uniforme, elles écoutent, elles s'indignent, me regardent. Je vais vers l'une d'entre elles. J'entends : « Elle n'attend personne, celle-là ? » Elle me regarde, scandalisée : « Elle a tellement à faire, elle est énervée. » Je retourne au service des recherches, à la fin du circuit.

Peu après je retourne dans la salle d'honneur. D. m'y attend avec un faux laissez-passer.

Vers trois heures : une rumeur. « Les voilà ! » Je quitte le circuit, je me poste à l'entrée d'un petit couloir, face à la salle d'honneur. J'attends. Je sais que Robert A. n'y sera pas. D. est à côté de moi. Il est chargé d'aller interroger les déportés pour savoir s'ils ont connu Robert Antelme. Il est pâle. Il ne s'occupe pas de moi. Il y a un grand brouhaha dans la salle d'honneur. Les femmes en uniforme s'affairent autour des volontaires, et les font s'asseoir par terre dans un pan coupé. La salle d'honneur est vide. Il y a un arrêt dans l'arrivée des prisonniers de guerre. Des officiers circulent. J'entends : « Le ministre ! » Je reconnais Frenay parmi des officiers. Je suis toujours à la même place, à l'entrée du petit couloir. Je regarde l'entrée. Je sais que Robert A. n'a aucune espèce de chance d'y être.

Ça ne va pas. Je tremble. J'ai froid. Je m'appuie contre la paroi. Tout à coup, débouchent du couloir d'entrée deux scouts qui portent un homme. L'homme tient les deux scouts enlacés par le cou. De leurs mains, les scouts le portent, les bras en croix sous les cuisses. L'homme est rasé, il est habillé en civil, il a l'air de beaucoup souffrir. Il est d'une étrange couleur. Il doit pleurer. On ne peut pas dire qu'il est maigre, c'est autre chose, il reste très peu de lui-même. Pourtant il vit. Il ne regarde rien, ni le ministre, ni la salle, ni rien. Il fait une grimace. C'est le premier déporté de Weimar qui rentre dans le centre. Sans m'en rendre compte, j'ai avancé, je me tiens au milieu de la salle, le dos au micro. Suivent deux autres scouts qui soutiennent un vieillard, puis une dizaine d'autres. On les fait asseoir sur des bancs de jardin qui sont installés. Le ministre va vers eux. Le vieillard pleure. Il est très vieux, il doit l'être tout au moins. On ne peut pas savoir. Tout à coup je vois D. assis à côté du vieillard. J'ai très froid. Je claque des dents. Quelqu'un s'approche de moi : « Ne restez pas là, ce n'est pas utile, ça vous rend malade. » Je le connais, c'est un type du centre. Je reste. D. a commencé à parler au vieillard. Je récapitule rapidement : il y a une chance sur dix mille pour qu'il connaisse Robert Antelme. Mais on dit qu'ils ont des listes des survivants de Buchenwald. Alors. À part le vieillard qui pleure et le rhumatisant, les autres ne paraissent pas en très mauvais état. Le ministre est assis auprès d'eux, ainsi que des officiers supérieurs. D. parle très longtemps au vieillard. Je ne regarde que le visage de D. Je trouve que ça traîne. Alors j'avance vers le banc, dans le champ du regard de D. D. me voit, il me regarde et il fait « non » de la tête, puis je devine qu'il me dit : « Connaît pas. » Je m'éloigne. Je suis très fatiguée. J'ai envie de quitter le centre et de me coucher. Je suis sûre que cet après-midi j'arriverais à dormir. Maintenant les femmes en uniforme apportent des gamelles aux déportés. Ils mangent, et tout en mangeant, ils répondent. La chose qui frappe, c'est que ce qu'on leur dit ne semble pas les intéresser. Je le saurai demain matin par les journaux, il y a là : le général Challe, son fils Hubert Challe (qui devait mourir la nuit de son arrivée), élève de Saint-Cyr, le général Audibert, Ferrières, directeur de la Régie des Tabacs, Julien Cain, administrateur de la Bibliothèque nationale, le général Heurteaux, le professeur Suard de la faculté de médecine d'Angers, le professeur Richet, Claude Bourdet, le père de Teitgen, ministre de l'Information, Maurice Nègre, Marcel Paul, etc.

Je rentre vers cinq heures de l'après-midi par les quais. Il fait très beau, une belle journée ensoleillée. Dès que je quitte le quai et que je prends la rue du Bac, on est loin du centre. Je rentre, j'ai hâte de rentrer. Peut-être qu'il reviendra. Je suis très fatiguée. Je suis très sale, j'ai passé une partie de la nuit au centre. Je compte prendre un bain en rentrant. Il faut que je me lave, ce n'est pas une solution de ne pas se laver. Mais j'ai froid. Je n'ai pas envie de me laver. Ça doit faire huit jours que je ne me lave plus. Je pense à moi : je n'ai jamais rencontré de femme plus lâche que moi.

Je récapitule les femmes [de] déportés qui attendent, les mères. Aucune n'est aussi lâche que moi. Très exactement aucune. Je suis très fatiguée. J'en connais de très courageuses. Le sang-froid de S., la femme de R., peut être qualifié d'extraordinaire. Si je suis lâche, je le sais ; ma lâcheté est telle qu'on n'ose pas la qualifier autour de moi. Mes camarades de service me parlent comme à une malade. M. et A. aussi. Moi, je sais que je ne suis pas malade. Je suis lâche. D. me le dit quelquefois : « En aucun cas, aucun, on n'a le droit de s'abolir à ce point. » Il me le dit souvent : « Vous êtes une malade, vous êtes une folle. » Lorsque D. me dit aussi : « Regardez-vous, vous ne ressemblez plus à rien », je n'arrive pas à saisir. Pas une seconde je n'entrevois la nécessité d'avoir du courage. Ma lâcheté à moi, ce serait peut-être d'avoir du courage. Pourquoi aurais-je du courage ? Suzy a du courage pour son petit garçon. Pourquoi économiserais-je de la force, en vue de quoi ? S'il est mort, pourquoi du courage ? Aucune lutte ne m'est proposée. Celle que je mène n'est pas visible. Je lutte contre une image : le fossé noir, la plante des pieds en l'air depuis quinze jours. Et ça dépend, il y a des moments où l'image est plus forte. Il ne me plaît pas de vivre s'il ne vit plus. C'est tout. « Il faut tenir, me dit Mme Cats, moi je tiens, pour lui, il faut tenir. » Mme Cats me fait pitié. Pourquoi résister ? Au nom de quoi ? Je n'ai pas de dignité. Ma dignité je l'emmerde. Plus aucune honte. Ma honte est suspendue. « Quand vous y repenserez, dit D., vous aurez honte. » Il y a une [chose] c'est qu'il s'agisse de moi. Les gens qui attendent avec dignité, je les méprise. Ma dignité attend aussi, comme le reste, elle a bien le temps de revenir, s'il est mort, ma dignité n'y pourra rien. Qu'est-ce ma dignité contre ça ?

Les gens sont dans les rues comme à l'ordinaire. Queues devant les magasins. Il y a déjà quelques cerises. J'achète un journal. Les Russes se trouvent à Strausberg et peut-être même plus loin, aux abords de Berlin. J'attends aussi la chute de Berlin. Tout le monde l'attend, le monde entier. Tous les gouvernements sont d'accord. Le cœur de l'Allemagne, disent les journaux. Les femmes de déportés aussi : « Ils vont voir ce qu'ils vont voir. » Et ma concierge. Quand il aura cessé de battre, ce sera fini. Les rues sont pleines d'assassins. On fait des rêves d'assassins. Je rêve d'une ville idéale, brûlée, entre les ruines de laquelle coulerait le sang allemand. Je crois sentir l'odeur de ce sang, il est plus rouge que le sang de bœuf, il ressemblerait au sang de porc, il ne se coagulerait pas, il coulerait loin, et sur les bords de ces rivières, des femmes en larmes auxquelles je foutrais des coups de pied au cul, et que je basculerais le nez dans le sang de leurs hommes. Les gens qui en ce moment-ci, ce jour-ci, éprouvent une pitié pour l'Allemagne, ou plutôt n'éprouvent pas de haine à son égard, me font pitié à leur tour. Très spécialement l'espèce curé.

Il y en a un, ces jours derniers, qui ramenait un enfant allemand orphelin dans le centre, un sourire aux lèvres, expliquant : « C'est un petit orphelin. » Tout fier. Le menant par la main. Bien sûr, il n'a pas tort (ignominie des gens qui n'ont jamais tort), bien sûr il fallait le prendre, ce pauvre petit enfant irresponsable. L'espèce curé trouve toujours l'occasion de faire la charité, sa petite B.A. allemande. Il est probable que si j'avais ce gosse je ne le tuerais pas, je m'en occuperais. Mais pourquoi nous rappeler qu'il reste des petits enfants en Allemagne ? Pourquoi nous le rappeler en ce moment ? Je veux ma haine pleine et entière. Mon pain noir. Une fille me disait il y a peu de temps : « Les Allemands ? ils sont quatre-vingts millions. Eh bien, quatre-vingts millions dc cartouches, ça se trouve, non ? » Celui qui n'a pas rêvé ce rêve sanglant à l'égard de l'Allemagne au moins pendant une nuit de sa vie, en ce mois d'avril 1945 (ère chrétienne), est infirme. Entre les volontaires engrossées par les nazis et le cureton qui ramène le petit Allemand, je suis pour les volontaires. D'abord, le cureton, il ne sera jamais volontaire, il était prisonnier de guerre, et puis, pas de question, la fonction cléricale paye assez son homme pour qu'il n'ait pas à choisir — et il peut bien pardonner tous les péchés, il n'a jamais commis de péchés, il fait très attention à cela. Qu'il puisse se croire le droit d'absoudre — non.

Autres nouvelles : Monty aurait franchi l'Elbe ; les desseins de Monty sont moins clairs que ceux de Patton. Patton fonce, il atteint Nuremberg. Monty aurait atteint Hambourg. La femme de Rousset m'a téléphoné : « Ils sont à Hambourg. Pendant plusieurs jours ils ne diront rien sur le camp de Hambourg Neuengamme. »

Elle s'est beaucoup inquiétée ces derniers jours, à juste titre. Les derniers jours, les Allemands fusillent. Halle a été nettoyé, Chemnitz est pris, largement dépassé en direction de Dresde. Patch nettoie Nuremberg. Georges Bidault s'entretient avec le président Truman et Stettinius au sujet de la conférence de San Francisco. On s'en fout. Je suis fatiguée, fatiguée. Sous le titre de « Wurtemberg occupé », Michel [*illis.*], dans *Libération soir*, dit : « Jamais plus on ne parlera de Vaihingen. Sur les cartes, le vert tendre des forêts descendra jusqu'à l'Enz... L'horloger est mort à Stalingrad... Le coiffeur servait à Paris, l'idiot occupait Athènes. » Maintenant la grande rue, vide, désespérément, avec ses pavés le ventre en l'air comme des poissons morts. « À propos des déportés, cent quarante mille prisonniers ont été rapatriés : jusqu'à présent, peu de déportés... Malgré tous les efforts faits par les services ministériels, on n'a pas encore vu assez grand. Les prisonniers attendent des heures [dans] le jardin des Tuileries. » « La Nuit du Cinéma, cette année, comportera un éclat exceptionnel. » J'ai envie de m'enfermer chez moi. Je suis fatiguée. On dit qu'il en reviendra un sur cinq cents. Six cent mille déportés politiques. Trois cent cinquante mille juifs. Il en reviendrait donc six mille. Il pourrait être dedans. Depuis un mois, il aurait pu donner de ses nouvelles. Il me semble que j'ai assez attendu. Je suis fatiguée. Je ne sais pas si c'est cette arrivée des déportés de Buchenwald, je ne peux plus attendre. Ce soir je n'attends rien.

Je suis très fatiguée. Une boulangerie ouverte. Il faudrait peut-être acheter du pain pour D. Ce n'est plus la peine. Je ne me laverai pas, je n'ai pas besoin de me laver. Il doit être sept heures. D. ne viendra pas avant huit heures et demie. Je vais rentrer. Il ne faudrait peut-être pas laisser perdre mes tickets. Ça me revient, « c'est criminel de laisser perdre les tickets par les temps qui courent ». La grande majorité attend. Mais aussi il y a des gens qui n'attendent rien. D'autres qui n'attendent plus, parce qu'il est revenu, parce qu'ils sont prévenus, parce qu'il est mort. Avant-hier soir en revenant du centre, je suis allée rue Bonaparte prévenir une famille. J'ai sonné, j'ai dit ce que j'avais à dire : « Je suis du centre d'Orsay, votre fils va revenir, il est en bonne santé, nous avons vu un de ses camarades. » [J'avais monté très vite] l'escalier, j'étais essoufflée. La dame tenait la porte d'une main, elle m'a écoutée, puis : « Nous le savions, il a écrit il y a cinq jours. Merci quand même. » Elle m'a offert de rentrer. Non. Je suis descendue lentement. À la maison, D. m'attendait derrière la porte. « Alors ? » « Ils le savaient, il a écrit, ils peuvent écrire. » D. n'a pas répondu. C'était avant-hier. Il y a deux jours. Chaque jour, dans un sens j'attends moins. Voilà ma rue. La crémerie est pleine. Rien à y faire. Chaque fois que je vois cette maison qui est la mienne, chaque fois, je me dis : « Pendant mon absence, une lettre est arrivée. » Si c'était, ma concierge m'attendrait devant la porte. Sa loge est noire. Je frappe tout de même : « Qui est là ? » « C'est moi. » « Il n'y a rien, Madame Antelme. » Elle ouvre chaque fois. Ce soir, elle a quelque chose à me demander : « Dites-moi, Madame Antelme ? Je voulais vous dire qu'il faut que vous alliez voir Mme Bordes, elle n'est pas bien rapport à ses fils, elle veut plus s'lever. » Vais-je y aller tout de suite ? Non. « J'irai demain matin, dites-lui qu'elle n'a aucune raison de s'en faire. Aujourd'hui c'était le stalag VII A qui revenait. Il n'est pas encore question du III A. » Mme Fossé met sa cape : « J'y vas, elle fait peine, rien à faire al veut plus s'lever... » « Elle lit pas les journaux, elle s'y retrouve point. » Je monte. Mme Bordes est une vieille femme, concierge de l'école, veuve, elle a élevé ses six enfants. J'irai demain matin. Mme Fossé supporte mal toute cette affaire. Quelquefois j'allais la voir, il y a encore trois semaines de cela. « Assayez-vous Madame Antelme. » Je n'y vais plus.

Pourtant quand je la vois, je suis tentée d'entrer, vaguement tentée. « N'avez pas besoin de l'dire, j'sais c'que c'est. » Quand je lui dis : « Je ne suis là pour personne », elle me répond : « Compris Madame Antelme. » Mme Fossé a eu son premier mari prisonnier de guerre en 14-18. Il est mort prisonnier : « C'jour-là j'suis partie avec mes deux marmots dans la [nature], j'voulais m'tuer et les tuer avec. J'ai marché comme ça avec eux toute la nuit, puis l'envie m'a passé. J'me suis dit que j'devais pas. Je suis revenue à l'usine. » Elle m'a raconté dix fois cette histoire mais depuis que Robert est arrêté, par délicatesse, elle n'en parle plus. Je rentre chez moi. Je n'attends rien. J'ai froid. Je vais me laver les mains. Je trouve l'eau très froide. Je vais me rasseoir sur le divan, près du téléphone. J'ai froid. En bas, j'entends la rue qui marche. C'est la fin de la guerre. Je ne sais pas si j'ai sommeil. Je crois que j'ai sommeil. Depuis quelque temps déjà, je n'éprouve pas le sommeil. Je me réveille, alors je sais que j'ai dormi. Dans un fossé depuis quinze jours, quinze nuits. Il a prononcé mon nom. Il faudrait faire quelque chose. Je me lève et je vais à la fenêtre, je colle mon front contre la vitre. La nuit vient. En bas, le Saint-Benoît est éclairé. Le Saint-Benoît, café littéraire. Le monde mange, toujours il mangera. Il y a un menu clandestin pour ceux qui peuvent. « Mme Bordes al veut plus s'lever. » Mme Bordes ne mange plus. Trois cent cinquante mille femmes et hommes attendent, et le pain leur donne envie de vomir. Quinze jours dans ce fossé. Ce n'est pas ordinaire d'attendre ainsi. Les femmes qui attendent leurs amants derrière les portes : « S'il n'est pas là à onze heures, c'est qu'il m'a trompée... » Les mères qui attendent l'enfant qui revient de l'école et qui a deux heures de retard : « Il doit être écrasé par une automobile », elles se tiennent le ventre parce que d'y penser leur donne des coliques. Mais dans les deux heures qui suivent, elles sauront. Ça va faire trois semaines que Mme Bordes attend. Si ses fils ne reviennent pas, elle ne saura jamais. Je ne saurai jamais. Je sais qu'il a eu faim pendant des mois et qu'il est mort sans avoir mangé, qu'il n'a pas eu un morceau de pain pour se satisfaire la faim avant de mourir. Même pas une seule fois. Les dernières satisfactions des morts.

Depuis le 7 avril on a le choix. Il était peut-être parmi les deux mille fusillés de Belsen, la veille de l'entrée des Américains. À Mittel Glattbach on en a trouvé mille cinq cents dans un charnier, « qui pourrissaient au soleil ». Partout, sur toutes les routes des colonnes immenses, ils tombent comme des mouches. Aujourd'hui : « Les vingt mille survivants de Buchenwald saluent les cinquante et un mille morts de Buchenwald » (*Libres*, 24.4.1945). On a le choix. Ce n'est pas une attente ordinaire. Pendant des mois ils ont attendu. La faim creusait leur espoir. Leur espoir était devenu fabuleux. Fusillés la veille de l'arrivée des Alliés. L'Espoir les a fait vivre, mais c'était inutile : rafales de mitrailleuses dans la nuit même de la libération. Une heure après, les Alliés étaient là et ils ont trouvé leurs cadavres encore chauds. Pourquoi ? Les Allemands les ont fusillés et ils s'en sont allés. Les Allemands sont chez eux, on ne peut pas les toucher et leur dire : « Ne les fusillez pas, ce n'est pas la peine... » Ils sont dans une autre durée : ils perdent la guerre — ils fuient. Que peuvent-ils faire à la dernière seconde ? Rafales de mitraillettes, comme on casse la vaisselle dans la colère. Je n'en veux plus aux Allemands, ça ne peut plus s'appeler comme ça. J'ai pu leur en vouloir pendant un certain temps, maintenant entre l'amour que j'ai pour lui et la haine que je leur porte, je ne sais plus distinguer.

C'est une seule image à deux faces : d'une part lui face à l'Allemand la poitrine [trouée], ses yeux où se noie l'espoir de douze mois, à la seconde, en une seconde, d'autre part les yeux de l'Allemand qui le visent. Voilà l'image : deux faces — entre les deux, il me faut choisir, lui qui roule dans le fossé, l'Allemand qui remet la mitraillette sur l'épaule et qui part. Je ne sais pas s'il faut m'occuper de le recevoir dans mes bras et laisser l'Allemand fuir (fuir à jamais), sauver sa peau, ou bien me saisir de l'Allemand et avec mes doigts lui enlever ses yeux qui n'ont pas vu ses yeux à lui, et dans ce cas l'abandonner lui, dans le fossé. Tout est à l'avenant, toute image. Je n'ai qu'une tête, je ne peux plus penser à tout. Depuis trois semaines, je me dis qu'il faudrait les empêcher de les tuer. Personne n'a rien proposé. On aurait pu envoyer des commandos de parachutistes qui auraient pu « tenir » les camps pendant les vingt-quatre heures qui précèdent l'arrivée des Alliés. Jacques Auvray avait essayé de mettre au point la chose depuis août 44. Elle n'a pas été possible, parce que Frenay n'a pas voulu que l'initiative en revienne à un mouvement de résistance. Lui, ministre des Prisonniers de guerre et Déportés, n'avait pas le moyen de le faire. Ça n'a pas été possible. En fin de compte c'est ça qui m'intéresse. Les raisons m'échappent, je ne peux pas penser à tout. Ça ne s'est pas fait. C'est tout. Jusqu'au dernier camp de concentration ils seront fusillés. Il n'y a rien à faire pour les en empêcher. Parfois derrière l'Allemand il y a Frenay, mais ça ne dure pas.

Je suis fatiguée. La seule chose qui me fasse du bien, c'est de m'appuyer la tête contre le fourneau à gaz, contre la vitre de la fenêtre. Je ne peux plus porter ma tête. Mes jambes et mes bras sont lourds, mais moins lourds que ma tête. Ce n'est plus une tête mais un abcès. La vitre fraîche. Dans une heure D. sera là. Je ferme les yeux. S'il revenait nous irions à la mer. C'est ce qui lui ferait le plus de plaisir. Je crois que de toutes façons je vais mourir. S'il revient je mourrai aussi. S'il sonnait : « Qui est là ? » « Moi, Robert. » Tout ce que je pourrais faire, c'est d'ouvrir et puis mourir. S'il revient nous irons à la mer. Ce sera l'été, le plein été. Entre le moment où j'ouvrirai la porte et celui où nous sommes à la mer, je serai morte. Dans une espèce de survie je vois un océan vert, une plage un peu orange, je sens une brise salée à l'intérieur de ma tête, je ne sais pas où il est au moment où je vois la mer mais il vit. Quelque part sur terre il respire, je peux m'étendre sur la plage et me reposer. Quand il reviendra nous irons à la mer. C'est ce qui lui fera le plus plaisir. Il aime la mer. Et puis ça lui fera du bien. Il sera debout sur la plage et il regardera la mer, moi il me suffira de le regarder qui regarde la mer. Je ne demande rien pour moi. Du moment qu'il voit la mer, je la vois. La tête contre la vitre. Mes joues se mouillent. C'est moi qui pleure peut-être bien. C'en est une qui pleure entre six cent mille. C'est lui devant la mer. En Allemagne les nuits étaient froides. Là sur la plage il sera en bras de chemise et il parlera avec D. Je les regarderai de loin. Ils ne penseront pas à moi, absorbés par leur conversation. D'ailleurs je serai morte. De son retour je mourrai. Impossible qu'il en soit autrement. C'est mon secret. D. ne le sait pas. D'une façon ou d'une autre je mourrai, qu'il rentre ou non. Je n'ai pas une bonne santé. J'ai eu bien des occasions dans ma vie d'attendre comme je l'attends. Mais lui, j'ai choisi de l'attendre. Ça me regarde.

Je reviens vers le divan, je m'étends. D. va arriver. Il sonne : « Rien ? » « Rien. » Il s'assied dans le salon à côté du divan. Je dis : « Je crois qu'il n'y a plus beaucoup d'espoir à avoir. » D. a un air excédé, il ne répond pas. Je continue : « Demain, c'est le 22 avril. Vingt pour cent des camps sont délivrés. J'ai vu Sorel au centre, qui m'a dit qu'il en reviendrait à peu près un sur cinq cents. » Je sais que D. n'a plus la force de me répondre, mais je continue. On sonne. D. me regarde : « J'y vais. » Je reste sur le divan. J'entends la porte qui s'ouvre. C'est le beau-frère de Robert : « Alors ? » « Rien. » Il s'assied, il essaye de sourire, il me regarde, puis il regarde D. « Rien ?... » « Rien. » Il hoche la tête, réfléchit, puis : « D'après moi, c'est une question de liaison. Ils ne peuvent pas écrire. »

D. : « Marguerite est folle. Pratiquement, soyons pratiques, Robert n'est pas à Besançon, non ? Il n'y a pas de poste régulière en Allemagne ? Non ? »

Michel : « Les Américains ont autre chose à faire, malheureusement... »

Moi : « Ce qui est sûr, c'est qu'on a des nouvelles de ceux de Buchenwald. Il y a des chances pour qu'il y ait été, le convoi du 17 août est arrivé à Buchenwald. »

D. : « Et qui vous dit qu'il y est resté ? »

Moi : « S'il est parti en transport, il n'y a pas beaucoup d'espoir... »

Michel : « On ne vous dit pas qu'il est parti à la dernière minute, il a pu être transféré ailleurs au cours de l'année... »

D. : « Si Marguerite continue, lorsque Robert reviendra... »

Je suis fatiguée. Je voudrais que M. et D. s'en aillent. Je m'étends. Je les entends parler pendant un moment, puis je les entends moins. Il y a de longs silences dans leur conversation. Ce qu'ils peuvent dire m'est bien égal. Il arrivera ce qui arrivera. Je suis fatiguée... Tout à coup D. me prend l'épaule : « Qu'est-ce que vous avez ? » « Je ne sais pas. » Michel est debout auprès de lui : « Qu'est-ce que vous avez à dormir comme ça ? » « J'ai sommeil, je voudrais que vous partiez. » Ils continuent à parler. Je me rendors. Encore une fois, D. « Qu'est-ce qu'il y a ? » Je demande où est M. Il est parti. D. va chercher un thermomètre. J'ai un peu de fièvre. « C'est de la fatigue, je me suis trop fatiguée au centre. »

*

# CAHIER DE CENT PAGES

Le troisième des *Cahiers de la guerre*, dit « Cahier de cent pages », est un petit cahier d'écolier, au papier ligné, à la couverture bleue. Seules les trente-deux premières pages sont remplies et numérotées par Marguerite Duras. Probablement rédigées à peu près en même temps que le second cahier, c'est-à-dire vers 1947, elles contiennent la fin de ce qui sera le texte central de *La Douleur* : c'est le deuxième des « cahiers des armoires bleues de Neauphle-le-Château » évoqués dans la préface.

Les p. 206 à 211, remaniées, ont été reprises dans le deuxième fragment de « Pas mort en déportation », publié dans le second numéro de la revue *Sorcières* en 1976. Sous sa forme publiée, le texte est ponctué d'indications chronologiques : « samedi 26 avril », « dimanche 27 », « mardi 29 avril ».

Dimanche 22 avril 1945. Dionys a dormi au salon. Je me réveille. On n'a pas encore téléphoné cette nuit. Il faut que j'aille voir Mme Bordes. Je me fais un café très fort et je prends un cachet de corydrane. La tête me tourne et j'ai envie de vomir. Ça va aller mieux. Le matin, après le café et la corydrane, ça se passe. Je vais au salon : « C'est dimanche, il n'y a pas de courrier. » D. me demande où je vais. Je vais voir Mme Bordes. Je lui fais un café, je le lui porte au lit. Il me regarde et il a un sourire très très doux. « Merci ma petite Marguerite. » Je dis « non ». « Allons allons. » Je dis « non ». Mon nom me fait horreur. Après la corydrane, je transpire très fort et ma fièvre tombe. Je descends. J'achète le journal. Aujourd'hui je ne vais pas à l'imprimerie. Encore une photo de Belsen : une fosse très longue dans laquelle sont alignés des corps très maigres. Le cœur de Berlin, à quatre kilomètres. « Le communiqué russe sort de son habituelle discrétion. » M. Pleven annonce : la remise en ordre des salaires, la revalorisation des produits agricoles. M. Churchill dit : « Nous n'avons plus longtemps à attendre. » La jonction est peut-être pour aujourd'hui. Debû-Bridel s'insurge contre les élections qui vont avoir lieu sans les déportés et les prisonniers de guerre. En deuxième page du *Front national*, on annonce que mille déportés ont été brûlés vifs dans une grange le 13 avril au matin, du côté de Magdebourg. Dans *L'Art et la Guerre*, Frédéric Noël dit : « Les uns s'imaginent que la révolution artistique résulte de la guerre, en réalité les guerres agissent sur d'autres plans. » Simpson fait vingt mille prisonniers. Monty a rencontré Eisenhower. Berlin brûle : « Staline doit voir de son poste de commandement un terrible et merveilleux spectacle. » « Au cours des dernières vingt-quatre heures, on a compté trente-sept alertes. »

J'arrive chez Mme Bordes. Le fils est dans l'entrée : « Maman veut plus s'lever. » La fille pleure sur un divan. La loge est sale et en désordre : « On est frais, dit le fils, elle veut plus s'lever. » Je vais dans la chambre. Mme Bordes est couchée, j'élève la voix : « Alors Madame Bordes ? » Elle me regarde, elle a les yeux rouges. Elle dit faiblement : « Ben voilà. » Le fils et la fille entrent dans la chambre. Mme Bordes a une chemise décolletée, elle est maigre et ridée, elle a eu six enfants.

Ses manches de chemise sont relevées, on lui voit les coudes noueux et secs. D'habitude, elle a un petit chignon, maintenant ses cheveux sont dénoués. « Ell' s'rend malade », dit le fils. « J'ai plus d'goût, dit Mme Bordes, ils n'reviendront pas. » Puis les larmes sortent et coulent sur ses joues. Elle ne les sent pas. Je dis : « Il n'y a aucune raison de vous mettre dans cet état. Le III A n'est pas encore revenu. » Mme Bordes frappe du poing sur son drap : « Vous m'avez déjà dit ça il y a huit jours, Marcel il en a vu du III A au centre. » Elle sait que ses deux fils sont au III A, mais elle ignore où [est] le III A. Son jeune fils passe ses nuits dans des centres pour essayer de savoir. Je dis : « Je ne l'invente pas. Lisez le journal et vous verrez... » « C'est pas clair dans le journal », dit Mme Bordes. Je lui dis que si elle tombe malade elle sera bien avancée : « Je peux plus », et elle chiale, « ce qu'il y a de terrible c'est de rien savoir, j'peux plus ».

Je m'assieds au bord de son lit ; elle est butée, elle ne me regarde plus, elle pleure. « C'est ça qu'il y a d'terrible, dit le fils, on sait rien... » Mme Bordes dit dans des miaulements : « Vous m'dites qu'il ne revient pas, y a qu'ça dans les rues et puis il y a pas les miens, j'peux plus. » Je ne sais pas trop comment m'y prendre. Ils savent que je suis au service des recherches. Si je sais m'y prendre, elle se lèvera encore pendant trois jours. Encore une fois. J'ai envie de rentrer. C'est vrai que c'est un peu inquiétant qu'ils n'aient pas encore écrit. Je mens, le III A doit être libéré depuis deux jours : « J'sens que j'les reverrai pas », dit Mme Bordes. Elle pleure par saccades, elle est vidée. Là-bas sur les routes, dans les colonnes : « Je ne peux plus ». Il s'arrête, rafales. Ici, Mme Bordes « veut plus s'lever ». Ici, plus on approche de la victoire, plus Mme Bordes se vide, mais elle se lèvera. Faut qu'elle se lève, ça ne sert à rien qu'elle ne se lève pas, à rien. J'ai aussi une envie de la laisser aller, ça la regarde. Mais le jeune fils me regarde. Je prends le journal, je lis la chronique : ceux qui reviennent [*illis.*]. Les trois écoutent. J'explique. Je reprends le journal. Je réexplique. Mme Bordes ne pleure plus, elle écoute la bouche ouverte. « Tu vois », dit le fils. La fille sourit : « Elle est terrible. » « C'est pas ça, dit Mme Bordes, mais quand on sait pas... » Je les quitte. Je remonte. Avant, je vais chercher du pain. Une femme m'aborde. C'est ma crémière : « Dites-moi Madame Antelme, vous n'auriez rien sur le III A ? »

« Non, mais je pourrai savoir. » « Parce que ma mère », dit Mme Gérard. « Elle commence à se demander... elle tient plus l'coup. » Je lui dirai cet après-midi, oui, qu'elle compte sur moi. Je vais prendre le pain, je remonte. D. joue du piano. Je m'assieds sur le divan. D. ne réalise pas.

Je n'ose pas lui dire de ne pas jouer de piano. Ça me fait mal à la tête. C'est curieux, tout de même : aucune nouvelle. Le mouvement des troupes en Allemagne : ils ont autre chose à faire. Des milliers d'hommes attendent, d'autres avancent vers les Russes. Berlin flambe. Mille villes rasées. Des milliers de civils en fuite. Toutes les minutes partent cinquante hommes des terrains d'aviation. Cinquante passagers, cinquante prisonniers. Pas encore lui. Ici on s'occupe des élections municipales. On s'occupe aussi du rapatriement. On avait parlé de mobiliser les voitures civiles et des appartements. On n'a pas osé, de crainte de déplaire. On ne pouvait tout de même pas en arriver là. Pourtant c'était une occasion sans pareille, la seule depuis des siècles. De Gaulle n'y tient pas, de Gaulle n'a jamais parlé de ses déportés politiques autrement qu'en troisième lieu, après avoir parlé de son front d'Afrique du Nord. Le 3 avril, de Gaulle a dit : « Les jours de pleurs sont passés. Les jours de gloire sont revenus. » Il a dit aussi : « Parmi les points de la terre que le destin a choisis pour y rendre ses arrêts, Paris fut un temps symbolique. Il l'était quand la ville de sainte Geneviève, en faisant reculer Attila, annonçait la victoire des Champs Cataloniques. Il l'était quand Jeanne d'Arc... Il l'était quand Henri IV... Il l'était quand l'assemblée des trois ordres proclamait les Droits de l'homme. Il l'était lorsque la reddition de Paris en janvier 1871 consacrait le triomphe de l'Allemagne prussienne... Il l'était encore dans les fameux jours de septembre 1914... Il l'était en 1940... » (Discours du 3 avril 45.)

1848 est passé au bleu. En 1871, il n'a vu qu'une chose, c'est la consécration de l'Allemagne prussienne. C'est ça qu'on a au pouvoir. La France est prise dans une tenaille catholique réactionnaire. C'est ça la réaction : réagir contre les tendances du peuple à se croire de la force. De Gaulle saigne le peuple de sa force. Le soulèvement populaire l'écœure, sa délicatesse en est froissée. Il croit en Dieu, en ses œuvres et à ses pompes. Il souffre de ne pouvoir en parler clairement dans ses discours. La différence entre de Gaulle et Hitler, c'est que de Gaulle croit en la transsubstantiation. Il parle droit au cœur des catholiques. Hitler croit dans la force venue d'en haut. De Gaulle croit à la force venue d'En Haut. Voilà ce qu'on a au pouvoir. Aucune différence, sinon dans la nature du mythe de base. Outre-Rhin l'Aryanisme. Ici le Bon Dieu. Heureusement qu'il ne s'est pas nommé : « Après sainte Geneviève, après Jeanne d'Arc, moi, saint de Gaulle. » Tout ce qu'il a su faire, c'est envoyer le peuple à la boucherie. « Les jours de pleurs sont passés. Les jours de gloire sont revenus... » Il n'ose pas parler des camps de concentration, il répugne manifestement à intégrer les pleurs du peuple dans la victoire de peur de l'affaiblir, d'en diminuer la portée. C'est lui qui exige que les élections municipales se fassent maintenant. L'ordre. Il est d'active.

En ce moment le peuple paye. Il l'ignore. Le peuple est fait pour payer. Berlin brûle. Le peuple allemand paye. C'est normal. Le peuple, donnée générale. Les milliers de Français qui pourrissent au soleil : donnée générale. La discrimination se fait en haut, pas en bas. Depuis que l'histoire existe, le peuple paye. De Gaulle refuse de le lui rappeler.

Exalter les souffrances du peuple est dangereux, et risque de lui donner de l'assurance, de la hardiesse (voir 1871). Plus tard il dira : « La dictature de la souveraineté populaire comporte des risques que doit tempérer la responsabilité d'un seul. » Il a horreur du sang, c'est contraire à son tempérament. Les catholiques ont horreur du sang. De Gaulle, c'est un général catholique, c'est-à-dire que son rôle c'est de le faire verser mais sur ordre ; le soulèvement populaire lui soulève le cœur. Un autre con que lui, le Révérend Père Panici, a osé dire il y a quelques jours à Notre-Dame à propos du mot révolution, il dit : « Soulèvement populaire, grève générale, barricades, etc. On ferait un très beau film... Mais y a-t-il là révolution autre que spectaculaire, changement vrai, profond, durable ?... Voyez 1789, 1830, 1848. Après un temps de violences et quelques remous politiques... le peuple se lasse, il lui faut gagner sa vie et reprendre son travail... » Décourager le peuple. Il a dit aussi : « Quand il s'agit de ce qui cadre, l'Église n'hésite pas, elle approuve. » De Gaulle a décrété deuil national pour la mort de Roosevelt. Pas de deuil national pour les cinq cent mille déportés morts de faim et de balles. Il faut ménager l'Amérique. Roosevelt, ce n'est pas une donnée générale, c'est un cadre, un chef. Entre chefs on a des manières. Jour de deuil national : la France en deuil pour Roosevelt. Le deuil du peuple ne se porte pas.

Je n'en peux plus. Je me dis : il va arriver quelque chose ce n'est pas possible. Je devrais raconter cette attente en parlant de moi à la troisième personne. Je n'existe plus à côté de cette attente. Il passe plus d'images dans ma tête qu'il y a des images sur les routes d'Allemagne. Rafales de mitraillettes à chaque minute à l'intérieur de la tête. Mais je dure, elles ne tuent pas. Fusillé en cours de route, fusillé, fusillé. Mort le ventre vide. La Faim, la Faim tourne dans sa tête pareille à un vautour. Impossible de rien lui donner. Je peux tendre du pain dans le vide. Je ne sais même plus s'il a besoin de pain. S'il est mort, inutile. J'ai acheté du miel, du sucre, du riz, des pâtes. Je me dis : « S'il est mort, je brûlerai tout, personne d'autre... » Mais rien ne peut diminuer la brûlure que me fait sa faim. On meurt d'un cancer, d'un accident d'automobile. On meurt aussi de faim, on se meurt de faim, et on est achevé. Ce que la faim a fait a été achevé par une balle dans le cœur. Je voudrais pouvoir lui donner ma vie, je ne peux pas lui donner un morceau de pain. Je ne peux plus, ça ne s'appelle pas penser. Tout est suspendu. Mme Bordes ne pense plus. Je suis Mme Bordes. Mme Bordes est moi-même. Nous sommes interchangeables : « Toutes les conneries, me dit D., toutes les idioties, vous les aurez dites... » Mme Bordes aussi. Il y a en ce moment des gens qui pensent. « Il faut penser l'événement. » D. me dit : « Il faudrait essayer de lire... On devrait pouvoir lire quoi qu'il arrive... » J'ai essayé de lire. Je ne comprends plus rien. L'enchaînement des phrases ne se fait plus. Parfois je soupçonne qu'il existe, mais dans une autre durée que la mienne. Parfois, tout simplement, je crois qu'il n'existe pas, qu'il n'a jamais existé. Un autre enchaînement (mon enchaînement, je suis enchaînée) me tient : peut-être est-il mort depuis quinze jours, dans ce fossé, les bêtes lui courent déjà dessus, il est mort sans avoir mangé un morceau de pain, balle dans la nuque ? balle dans le cœur ? rafales dans les yeux ? sa bouche blême contre terre allemande, et moi j'attends toujours parce que ce n'est pas sûr, il vit peut-être encore, d'une seconde à l'autre il va peut-être mourir, seconde par seconde, toutes les chances se perdent et se retrouvent, peut-être est-il dans la colonne, pas à pas il avance, courbé, si fatigué qu'il ne va peut-être pas faire le prochain pas, qu'il s'est arrêté, y a-t-il de cela quinze jours ? six mois ? tout à l'heure ? il y a une seconde ? dans la seconde qui suit ? Il n'y a pas place en moi pour la première ligne du plus grand livre du monde. Le plus beau livre est inutile, il est en retard, moi je suis à la pointe de l'attente. Mme Bordes est à la pointe du combat sans armes, sans sang versé, sans gloire. Derrière Mme Bordes s'étale la civilisation en cendres, la pensée, l'esprit, la raison, toute la pensée du monde depuis des siècles, ramassée depuis des siècles, n'éclaterait pas en une fois, comme à chacun de ses battements éclate le cœur de Mme Bordes. Mme Bordes se refuse à toute hypothèse, toute consolation, ce qu'elle veut savoir c'est si ceux du III A sont revenus. Il arrive dans le cœur de Mme Bordes et dans sa tête des bouleversements, des analyses, des synthèses, des arrachements, des fulgurations d'espoir, des écrasements, des précipices, auprès desquels la pensée tourne sans y pénétrer, timide, grelottante. « Toutes les conneries vous les aurez dites... » Ça nous regarde. Ceci nous regarde, ne regarde que nous — vous qui nous jugez, retirez-vous ailleurs dans vos demeures. Si on me disait : « Tu vas te faire baiser par quatre-vingt-dix soldats et on lui donnera un morceau de pain », je demanderais d'être baisée par cent quatre-vingts soldats afin qu'il ait deux morceaux de pain. Si on disait à Mme Bordes, concierge de l'école : « Si tu cries "vive Hitler" en pleine rue à une heure du matin, ils auront un morceau de pain », Mme Bordes demanderait à le faire chaque nuit. Ce ne sont pas là pour nous des hypothèses imbéciles ; cela aussi, nous sommes prêtes à le croire. Ces calculs, je les fais trois cents fois par jour. Un doigt pour un morceau de pain, deux doigts pour deux morceaux de pain. Dix ans de ma vie pour qu'il en vive encore deux. Tout est toujours possible puisque nous ne savons rien. Vivant ou mort. Non seulement à chaque seconde de la journée, mais à chacune de ces secondes, la question se pose, et nous n'avons pas la moindre indication pour y répondre.

Toujours sur le divan près du téléphone. C'est dimanche. Aujourd'hui Berlin sera pris. C'est vraiment la fin. Les journaux disent comment nous l'apprendrons. Les sirènes sonneront une dernière fois. La dernière fois de la guerre. Les gens disent : moi je me saoulerai la gueule, ou bien : je me roulerai par terre, ou bien : je ne rentrerai pas de la nuit — mais surtout : je me saoulerai la gueule, formidable. Je ne vais plus au centre, je n'irai plus. Il en arrive à Lutétia. Il en arrive gare de l'Est. Gare du Nord. C'est fini. Non seulement je n'irai plus au centre mais je ne bougerai plus. Je le crois mais hier aussi je le croyais, mais à dix heures du soir je suis sortie : j'ai pris le métro, je suis allée sonner chez D. D. m'a ouvert. Il m'a prise dans ses bras. « Rien de nouveau depuis tout à l'heure ? » « Rien, je n'en peux plus. » Je suis repartie, je n'ai même pas voulu entrer dans sa chambre. J'avais envie de voir la figure de D. Sur la figure de D. il n'y avait aucun signe particulier, il n'avait pas l'air plus inquiet que le matin. Alors je suis repartie. J'étais allée le voir parce que sur le coup de dix heures et demie du soir j'avais eu peur. Tout à coup. Peur. « Mais tu ne vois pas qu'il ne reviendra jamais ? » Plus que ça. La glace dans le cœur. Je me suis retrouvée dehors, chassée. Une fois dehors, je me suis dit : « J'ai le temps d'aller et revenir avant le dernier métro. » Panique. La fuite, c'est ça. La sueur sur tout le corps. Du nouveau dans l'attente. Tout à coup j'avais relevé la tête, et l'appartement était tout changé et la lumière de la lampe n'était plus la même. Quelque chose menaçait. Menacé de tous les côtés. Tout à coup la certitude, la certitude, la certitude. Il cst mort. Mort. Mort. Mort. On est le vingt-sept avril on est le vingt-sept avril on est le vingt-sept avril. Mort Mort Mort. Le silence. Le silence. Silence. Du nouveau, il y a du nouveau. Je me suis levée et je suis allée au milieu de la chambre. C'est arrivé en une seconde. Qu'est-ce qui m'arrive ? La nuit noire est aux fenêtres qui me guette. Je tire les rideaux. Elle me guette toujours. Qu'est-ce qu'il m'arrive. Les signes, la chambre est pleine de signes noirs et blancs, noirs et blancs. Plus de battements aux tempes. Ce n'est plus ça. Je sens que ma figure change, change, se défait lentement. Il n'y a personne. Je me défais, je me déplie, je change. J'ai peur. Des frissons sur la nuque. Où suis-je ? Où ? Où est-elle ? Que lui arrive-t-il ? Plus de battements aux tempes. Je ne sens plus mon cœur. L'horreur monte lentement comme la mer. Je me noie. Il reste de moi une petite parcelle de rien — une pastille : la tête. Je n'attends plus. J'ai peur. C'est fini. Où es-tu ? Comment savoir ? Je ne sais pas où il se trouve. Je suis avec lui. Où ? Avec lui. Où avec lui ? Je ne sais pas, avec lui. Où ? Je ne sais plus. Quel est le nom de cet endroit ? Qu'est-ce que c'est que cet endroit ? Au fait, qu'est-ce que c'est que toute cette histoire ? Quelle histoire ? De quoi s'agit-il ? Qui c'est ça Robert Antelme ? Tu attends un mort, mais oui, voyons, un mort, quoi. — Plus de douleur. Je suis sur le point de comprendre… il n'y a rien de commun entre cet homme et toi. Il est mort, mais enfin, puisque c'est sûr. Autant en attendre un autre. Tu n'existes plus. Du moment que tu n'existes plus, pourquoi attendre Robert Antelme ? Tout aussi bien un autre, n'importe lequel si ça te fait plaisir. Plus rien de commun entre cet homme et toi. Qui est-ce Robert Antelme ? A-t-il jamais existé ? Qu'est-ce qui fait qu'il est Robert et pas un autre ? Au fait, dis-le un peu. Qu'attends-tu comme ça ? Qu'est-ce qui fait que tu l'attends, lui et pas un autre. Qu'est-ce que tu fous après quinze jours à te monter le ciboulot ? Qui es-tu ? Que se passe-t-il dans cette chambre ? Qui je suis ? D. le sait qui je suis. Où est D. ? Je peux le voir et lui demander des explications... Il faut que je le voie. Parce qu'il y a quelque chose de nouveau.

Mardi 24 avril. Coup de téléphone. Il fait noir. J'allume, je vois le réveil. Cinq heures et demie. J'entends : « Allô ? Quoi ? » C'est D. qui dort à côté qui répond. Ça y est. Ça y est. J'entends : « Quoi ? Qu'est-ce que vous dites ? Oui, c'est ici, Robert Antelme, oui. » Un silence. Je suis près de Dionys qui tient le téléphone. J'essaie d'arracher l'écouteur. D. essaie de retenir l'écouteur. Ça dure : « Quelles nouvelles ? » Silence. J'essaie d'arracher le téléphone, c'est dur, impossible. « Et alors ? Des camarades ? » D. lâche le téléphone et à moi : « Ce sont des camarades de Robert qui sont arrivés au Gaumont. » Je dis : « Ce n'est pas vrai. » Puis : « Et Robert ? » D. a repris l'appareil. J'essaie d'arracher l'appareil. D. ne dit rien, il écoute, il tient l'appareil. On lutte pour avoir l'écouteur. « Vous ne savez rien de plus ? » D. se tourne vers moi : « Ils l'ont quitté il y a deux jours. » Je n'essaie plus d'arracher le téléphone. Je suis par terre près du téléphone. Quelque chose a crevé. Il était vivant il y a deux jours. Je laisse faire. Ça crève, ça sort par la bouche, par le nez, par les yeux. Il faut que ça sorte. D. a posé l'appareil : « Marguerite, ma petite Marguerite. » Elle ne répond pas. Elle est occupée. Laissez-la tranquille. Ça sort en eau de partout. « Vivant, vivant. » On répond : « Ma petite Marguerite, ma petite Marguerite. » Il y a deux jours, vivant comme vous et moi, eh oui. « Ce n'est pas possible... » On répond : « Ma petite Marguerite, mon petit. » « Laissez-moi, laissez-moi. » Ça sort aussi en plaintes, ça sort de toutes les façons que ça veut. Ça sort. Elle se laisse faire. « Ah ! C'est un sacré bonhomme ! Je le savais... » D. me soulève, puis : « Allez, on y va. Ils sont au Gaumont, ils nous attendent. Faisons-nous un café. » D. a dit : faisons-nous un café, mais c'est pour que je prenne un café. D., sous la lumière électrique de la cuisine, rit. Rire extraordinaire de D. Il ne cesse pas de raconter : « Ah ! Vous pensiez qu'ils l'auraient ! Mais c'est un malin Robert... se sera caché au dernier moment... croyions qu'il n'était pas débrouillard à cause de son air... » D. est au cabinet de toilette et se lave. Il dit : à cause de son air... Elle est contre la porte du placard de la cuisine. Son air. Il n'a pas l'air de tout le monde, c'est vrai. Il est très distrait. C'est un marrant au fond. Il a jamais l'air de rien voir mais il les aura vus venir... Ah ! mais croyez pas. Elle se tient toujours contre le placard de la cuisine. D., de la salle de bains : « Vous préparez le café ? » « Oui. » Elle met de l'eau sur le gaz. Elle moud le café. D. répète : « Il s'agit de se grouiller. Dans deux jours, on le verra arriver. » D. vient. Le café est prêt. Le goût du café chaud : il vit. Je m'habille très vite. J'ai pris un cachet de corydrane. Toujours de la fièvre, je suis en nage. Il faudra s'en occuper. Les rues sont vides. D. marche vite. On arrive au Gaumont transformé en centre de transit. On nous a dit, demander Hélène D. On la demande. Elle vient. Elle rit. Je ris. Mais j'ai froid. Où sont-ils ? À l'hôtel. Elle nous conduit.

L'hôtel est vieux. Tout est allumé, un va-et-vient de zébrés et d'assistants en blanc. « Il en arrive toute la nuit », nous dit-on. Voilà la chambre. L'assistante s'en va. Je dis à D. : « Frappez. » Mon cœur fait des bonds, je ne vais pas pouvoir entrer. Au moment où D. va frapper, je lui demande d'attendre une seconde. Puis il frappe. Deux personnes sont dans la chambre, au pied d'un lit. Une femme et un homme. La femme a les yeux rouges. Tous les deux regardent le lit. Il ne disent rien. Ce sont des parents. Dans le lit deux zébrés, l'un d'eux dort, il a peut-être vingt ans, l'autre me sourit. Je demande : « C'est vous Perrotti ? » « C'est moi. » « Je suis la femme d'Antelme. » Il est très pâle. « Alors ? » « On l'a quitté il y a deux jours. » « Comment était-il ? » Perrotti regarde D. : « Il y en avait de beaucoup plus fatigués. » Le jeune s'est réveillé : « Antelme ? Ah ! oui. On devait s'évader avec lui. » Je me suis assise près du lit. Ils n'ont pas l'air pressés de parler. Je dis : « Ils fusillaient ? » Les deux zébrés se regardent, ils ne répondent pas tout de suite. « C'est-à-dire qu'ils avaient cessé de fusiller. » D. prend la parole : « C'est sûr ? » Perrotti dit : « Le jour où on est partis, ça faisait deux jours qu'ils avaient cessé de fusiller. » Ils se parlent. Le jeune : « Comment le sais-tu ? » « C'est le kapo russe qui me l'a dit. » Moi : « Qu'est-ce qu'il vous a dit ? » « Il m'a dit comme ça qu'ils avaient reçu l'ordre de ne plus fusiller... » Le jeune : « Ça dépendait des jours, il y avait des jours où ils fusillaient, puis d'autres non. » Perrotti le regarde, il me regarde, il regarde D., il sourit : « On est bien fatigués, il faut nous excuser... » D. a les yeux fixés sur Perrotti : « Comment se fait-il que Robert ne soit pas avec vous ? » « On l'a cherché pour s'évader ensemble au départ du train, mais on ne l'a pas trouvé... » « Pourtant on a bien cherché », dit le jeune. « Comment se fait-il que vous ne l'ayez pas trouvé ? » demande D. « Il faisait noir », dit Perrotti. « Puis on était nombreux encore malgré... », dit le jeune. Je vois : le train, la gare en pleine nuit. Ils ne l'ont pas trouvé parce qu'il a été fusillé : « Vous l'avez bien cherché ? » « C'est-à-dire que... » Ils se regardent. « Ah ! oui, dit le jeune, pour ça, on l'a même appelé, même que c'était dangereux. » « C'est un bon camarade, dit Perrotti, on l'a cherché, il faisait des conférences sur la France... » Le jeune : « Il parlait fallait voir, il charmait son auditoire... » Moi : « Si vous ne l'avez pas trouvé c'est qu'il n'y était plus, c'est qu'il a été fusillé. » D. arrive près du lit, il a des gestes brusques, il est presque aussi pâle que Perrotti : « Quand l'avez-vous vu pour la dernière fois ? » Ils se regardent. J'entends la voix de la femme : « Ils sont fatigués... » C'est comme si on interrogeait des coupables. On ne leur laisse pas une seconde de répit. « Moi, en tout cas, je l'ai vu, dit le jeune, j'en suis sûr. » Il regarde dans le vague et il répète : « J'en suis sûr. » Mais il n'est sûr de rien. J'entends D. : « Essayez de vous rappeler quand vous l'avez vu pour la dernière fois... » Perrotti : « Je l'ai vu dans la colonne, tu te souviens pas, sur la droite, il faisait encore jour, c'était une heure avant d'arriver à la gare... » Le jeune : « Ce qu'on pouvait être crevés ! Moi en tout cas, je l'ai vu après mon évasion, ça j'en suis sûr en tout cas, puisqu'on s'était entendus pour partir à la gare... » Moi : « Quoi ? Son évasion ? » Perrotti : « Oui. Il a essayé de s'évader mais on l'a surpris... » Je répète : « Quoi ? on ne fusillait pas ceux qui s'évadaient ? Vous ne dites pas la vérité. » Perrotti semble se décourager : « Puisqu'on vous dit qu'il reviendra, qu'on l'a vu... » D. intervient, et à moi : « Taisez-vous. » Puis il commence : « Quand s'est-il évadé ? » Ils se regardent : « C'était la veille ? » « Je crois bien », dit le jeune... Moi : « Comment ça se passait les fusillades ? » « Taisez-vous », dit D. Puis : « Faites un effort, nous nous excusons mais essayez de vous rappeler... » Perrotti sourit : « Je comprends bien, on est fatigués... » Une minute de silence, puis le jeune : « Moi, je suis sûr que je l'ai vu après qu'il a essayé de s'évader dans la colonne... maintenant j'en suis sûr... » Perrotti : « Quand ? » « Avec Girard sur la droite, j'en suis sûr. » Je répète : « Comment vous saviez qu'ils fusillaient ? » Perrotti : « Il y a pas de crainte à avoir, on l'aurait su, les S.S. fusillaient à l'arrière puis les copains se le disaient, on savait toujours qui... » D. : « Ce qu'on voudrait savoir, c'est pourquoi vous ne l'avez pas trouvé... » « Il faisait noir », dit Perrotti. « Peut-être qu'il s'était évadé... », dit le jeune. « En tous cas vous l'avez vu après son évasion. » « Sûr », dit Perrotti. « Tout ce qu'il y a de sûr », dit le jeune. « Qu'est-ce qu'on lui a fait ? » « Ben il a été rossé... Philippe il vous dira ça mieux que moi... c'était son camarade. » Moi : « Comment se fait-il qu'ils ne l'ont pas fusillé ? » « Les Américains étaient si près, ils avaient plus le temps... » « Et puis ça dépendait », dit le jeune. « Où sont-ils partis ? » « On ne sait pas. Mais ils n'auront pas dû aller loin... » « Oh ! non, dit le jeune, pour ça... les Américains étaient partout... » Moi : « Vous êtes-vous entendus avant ou après son évasion pour vous évader à la gare ? » Silence, ils se regardent. D. : « Vous comprenez, c'est très important, si vous lui avez parlé après. C'est une certitude de plus... »

Ils ne savent plus. De cela ils ne peuvent plus se souvenir. Ils ont fait un effort maximum : « Je me souviens plus. » On s'en va. D. dit : « Je suis tout à fait rassuré. » Je dis : « Je suis très inquiète. » D. m'affirme que Robert va arriver. « S'il n'est pas là dans trois jours... »

Commence une autre période de l'attente.

24 avril à onze heures et demie. Autre coup de téléphone : « C'est François. Philippe est arrivé, il a vu Robert il y a dix jours. Il s'est évadé. Robert allait bien. » J'explique : « J'ai vu Perrotti », puis : « Il paraît que Robert s'est évadé et qu'il a été rattrapé. Que sait Philippe ? » François : « C'est vrai, il a essayé de s'évader, il a été repris par des enfants... » Moi : « Quand l'a-t-il vu pour la dernière fois ? » Un silence. « Ils se sont évadés ensemble. Il était sur le bord de la route... Il a été battu. Philippe était assez loin, les Allemands ne l'ont pas vu. Il a attendu. Il n'a pas entendu de coups de feu. » Silence. « C'est sûr ? » « C'est sûr. » « C'est peu. Il ne l'a pas revu ensuite ? » Silence. « Non, puisqu'il s'est évadé. » Moi : « C'était quand ? » (Je sais que tous ces calculs ont été faits par François.) « C'était le 13. » Moi : « Quoi penser ? » François : « Pas de question, il doit revenir. » « Est-ce qu'ils fusillaient dans la colonne ? » Un temps. « Ça dépendait... Venez à l'imprimerie. » « Non. Je suis fatiguée. Que pense Philippe ? » Silence. « Pas de question, il doit être ici dans quarante-huit heures. » Moi : « Comment est-il ? » « Très fatigué, il dit que Robert tenait encore, qu'il était mieux que lui. » « Sait-il quelque chose sur la destination du convoi ? » « Non, aucune idée. » « Vous ne me racontez pas d'histoires ? » « Non, venez à l'imprimerie. » « Non, je n'irai pas. Et s'il n'est pas là dans quarante-huit

heures ? » « Qu'est-ce que vous voulez que je vous réponde ? » « Pourquoi dans quarante-huit heures ? » « Parce qu'à l'heure qu'il est, ils sont délivrés. D'après Philippe ils ont été délivrés entre le 14 et le 25, sûrement. Ce n'est pas possible autrement. »

Perrotti s'est évadé le 12. Il est revenu le 24. Philippe s'est évadé le 13. Il est revenu le 24. Il faut compter de onze à douze jours. Robert devrait être là après-demain. Peut-être demain.

Mercredi 25
Jeudi 26
Vendredi 27
Samedi 28
Dimanche 29
Lundi 30
Mardi 1er
Mercredi 2
Jeudi 3

Mercredi 25. Rien.

Jeudi 26. Rien. D. a appelé le docteur. J'ai de la fièvre, ce n'est pas grave. Une grippe, dit le docteur. Il m'a donné un calmant. Mme Cats et D. sont assis auprès de moi. Il fait nuit. C'est dix heures du soir. Riby a téléphoné. Je ne le connaissais pas. Il a demandé Robert. Il était dans la colonne, il s'est évadé après Perrotti, il est rentré avant lui.

Vendredi 27. Rien dans la nuit. D. m'apporte *Combat*. Première séance à San Francisco : « Molotov impassible, Bidault soucieux, Eden rêveur... On y parla beaucoup de justice, à la grande satisfaction des petites puissances. » En dernière minute, les Russes ont pris une station de métro. Stettin et Brno sont pris.

Les Américains sont sur le Danube. Je dis à D. : « Toute l'Allemagne est entre leurs mains. » D. se méfie. « En principe, mais pratiquement, c'est difficile d'occuper un pays. » « Que peuvent-ils en faire ? Qu'en ont-ils fait à la dernière minute ? » Je calcule que ceux de la colonne qui sont revenus sont ceux qui se sont évadés. Et les autres ? — Je n'ose plus demander à D. On se dispute presque chaque jour. D. se met en colère. Je le harasse. Quelquefois il essaie de « changer de conversation ». Ce n'est pas possible. Il dit : « Quelles [journées] tout de même... » Je dis : « Oui. » Quand Mme Cats est là, je n'ose trop rien dire, elle n'a aucune nouvelle de sa fille. Elle me dit : « Ils reviendront, mon petit. » Je dis : « Oui. » Elle m'empêche de fumer, alors je fume la nuit. Elle s'acharne à m'empêcher de fumer. C'est drôle. Je la laisse faire : « Le docteur l'a dit. » Elle y tient, ce n'est pas ordinaire, elle y tient énormément. Quelquefois elle dit : « Je me sens devenir mauvaise, ne faites pas attention. » Elle a soixante ans, elle est très forte encore mais elle a le cœur malade. Elle m'oblige à rester couchée et me fait chauffer du lait américain. Parfois, lorsqu'elle part, je dis à D. : « Mme Cats est terrible. » D. m'explique que c'est la seule chose qui lui fasse du bien. Si j'étais vraiment malade, je crois que Mme Cats penserait moins à sa fille. C'est extraordinaire. Elle arrive le matin à neuf heures et elle part le soir. Pendant toute la journée elle reste auprès de moi qui suis couchée, et elle m'empêche de fumer. Ça fait trois jours que ça dure. Parfois elle dit : « Je suis une vieille femme, pour moi ça n'a pas d'importance. Il vaut mieux que ce soit vous qui ayez des nouvelles. » Pendant qu'elle fait chauffer le lait américain, elle crie de la cuisine : « Si vous fumez, je le saurai à l'odeur. » Quand D. est là, il fume à ce moment-là et me donne une bouffée. Ce matin elle s'en est aperçue, D. a essayé de plaisanter mais j'ai cru qu'elle allait pleurer. Quand nous sommes seules l'après-midi nous ne disons rien. Parfois elle met son pouce et son index dans chacun de ses yeux et elle les enfonce. C'est quand elle n'en peut plus. Le reste du temps elle essaie de sourire. Elle me dit : « Ne pensez pas, essayez de dormir. » Il arrive aussi qu'elle oublie mon existence. Ses yeux se perdent à regarder au-dehors, elle hoche la tête, elle parle : « Je ne la reverrai pas, je ne la reverrai pas. » Elle fait « non » de la tête, un long moment. Sa fille était infirme, elle avait une jambe raide. « Je sais qu'ils tuaient les infirmes. Comment aurait-elle marché, la pauvre petite... » Mme Cats a attendu six mois, d'avril à novembre. Sa fille était morte depuis mars, elle l'a appris en novembre. Je ne lui parle pas de Robert. Ce n'est pas la peine, elle ne sait que me dire : « Je suis sûre qu'ils reviendront. » Et après elle dit : « Je suis sûre que je ne la reverrai pas. » Ce n'est pas la peine de lui demander quoi que ce soit. Les journées sont longues. Vers cinq heures il y a du soleil dans le salon. Vers cinq heures. Quelquefois un coup de téléphone. Mme Cats y va. Elle dit : « Non, rien encore. » Puis : « Elle se repose. » Puis elle coupe. Elle a donné des ordres chez elle pour qu'on lui téléphone chez moi, elle a laissé une lettre à sa fille à la concierge de l'immeuble où elle habitait, car « elle irait directement chez elle, elle ne sait pas que je suis en France » (Mme Cats est belge). Elle a aussi donné une lettre à sa concierge, car « si elle arrivait, il faudrait qu'elle sache où me joindre ». Dans cette lettre il y a : « Je suis chez Marguerite Antelme, téléphone à Lit[tré]... » Elle a aussi laissé des lettres dans les gares, dans les centres, chez ses cousins, chez sa sœur, car « on ne sait jamais, au lieu de rentrer chez elle, elle pourrait y aller directement ». Elle a acheté cinquante boîtes de lait américain, dix kilos de sucre, dix kilos de confiture, du calcium, des phosphates, de l'alcool, de l'eau de Cologne, un rond en caoutchouc, des alaises, du riz, des pommes de terre. Elle dit : « Tout son linge est lavé, raccommodé, repassé », et aussi : « J'ai fait doubler son tailleur noir et j'ai remis des poches à son manteau », et aussi : « J'avais tout mis dans une grande malle avec de la naphtaline, avant-hier, j'ai tout mis à l'air, tout est prêt », et aussi : « J'ai fait remettre des fers à ses souliers et j'ai mis un point à ses bas », et aussi : « Je crois que je n'ai rien oublié, tout est prêt ; seulement il faudra que je rachète du sucre, il leur faut beaucoup de sucre pour le cœur, oui, ils ont tous le cœur faible. » Et aussi : « Je ne la reverrai pas. Avec sa jambe raide ils l'auront gazée. »

Lorsque la conversation roule sur les Allemands, Mme Cats dit : « Je voudrais qu'il n'en reste plus un, même les enfants, s'il le fallait je les tuerais moi-même. » J'ai vu Mme Cats il y a une quinzaine de jours, elle n'avait pas changé d'avis, elle m'a dit : « S'il en venait un à Bruxelles dans mon bureau, je lui lancerais mon presse-papiers dans la figure, je suis forte encore, je suis sûre que je le tuerais. » Mme Cats dit ces choses d'une voix calme, je crois qu'elle en serait capable. Elle est bonne et mauvaise, sans compromis. Elle me dit : « Combien avez-vous de sucre ? » Je dis : « Je n'ai pas de sucre, j'ai bien le temps. » « Ce n'est pas raisonnable, Marguerite, à la dernière minute vous ne saurez pas en trouver. » Elle repart dans ses réflexions. Moi aussi. Perrotti, Philippe, Riby. Pourtant il aurait dû être là aujourd'hui. Il a été battu. Philippe n'a pas entendu de coup de feu. S'il a attendu, c'est qu'ils devaient normalement tirer. Ils auront peut-être tiré un peu plus loin, et Philippe n'aura pas entendu. Philippe est le dernier à l'avoir vu. Perrotti l'a cherché au train, il dit qu'il l'avait vu mais ce n'était pas sûr, il n'avait pas l'air si sûr. Tandis que Philippe, il est sûr de l'avoir vu puisqu'ils devaient s'évader ensemble. Mais Perrotti ne l'a pas vu. Il l'a cherché à la gare, il ne l'a pas trouvé. Pourtant lui aussi est sûr qu'il n'a pas été fusillé. Il faut attendre. Je reconstitue mais il y a un trou : entre le moment où Philippe *n'a pas* entendu de coup de feu et la gare, qu'est-il devenu ? Il s'agit d'être raisonnable et de chercher à comprendre. Trou noir. Je m'efforce, aucune lumière ne se fait.

27 avril. Je me lève. Mme Cats est partie. On n'a pas téléphoné dans la nuit. Le 14 il était encore vivant, peut-être le 15. Je me suis habillée, je ne quitte pas le téléphone. D. exige que j'aille manger au restaurant avec lui. Peut-être qu'il est dans un centre de transit en train d'attendre de partir. Le restaurant est plein. Mais dans ce cas, pourquoi n'écrit-il pas ? Les gens parlent de la fin de la guerre, de Berlin, ils se plaisantent sur les sirènes. « Des fois que les derniers avions allemands bombarderaient Paris ? » Je n'ai pas faim. Il est de nouveau dans ce fossé. Je n'ai pas faim. « Ils ne paieront jamais assez cher », disent les gens, ils parlent des atrocités allemandes. Moi j'en ai assez. Je veux mourir. Non, je n'ai pas faim. Puisqu'il est mort je veux mourir. Les gens parlent, parlent, ils mangent. Ce n'est pas de leur faute : « J'en connais un qui revient de Belsen. Affreux ! » « J'en connais un qui... » Coupée du monde, même de D. Si je n'ai pas de lettre ce soir ou de coup de téléphone cet après-midi, il est mort. D. me regarde. Il peut bien

me regarder. Il est mort. J'aurai beau le dire à D., il ne me croira pas, mais moi je le sais. D. me fait aussi un peu pitié. Tout le monde lit les journaux. L'Armée rouge au cœur de Berlin, Stettin pris, Brno, pris. La *Pravda* écrit : la douzième heure a sonné pour l'Allemagne. Le cercle de feu et de fer se resserre autour de Berlin. C'est fini. Il ne sera pas là pour la paix. S'il n'est pas là pour la paix, qu'est-ce que je vais faire ? Quoi faire ? Je n'ai pas faim. Les Partisans italiens ont capturé Mussolini à Faenza. Toute l'Italie du Nord est aux mains des partisans italiens. Mussolini est capturé. On ne sait rien d'autre. Les journaux tournent, la terre tourne, le peuple allemand est en bouillie. L'Allemagne est une bouillie. Lui aussi. *L'Humanité* dit que Pétain revient en wagon-lit, tandis que les déportés reviennent en wagon à bestiaux. *Le Monde* parle de l'avenir et parle de l'ordre gaulliste. L'avenir. Il sortira un avenir de cette aventure. Thorez parle aussi de l'avenir, il dit qu'il faudra travailler, il dit que le refus du sacrifice coûte plus cher que le combat, il dit que l'attentisme est un poison mortel. Oui. *Le Monde* dit que c'est heureux qu'en septembre 1944 la France ne soit pas tombée dans l'anarchie, qu'il était évidemment tentant de brûler les étapes. Il veut que « les réformes soient mûries », et que seul de Gaulle... C'est vrai, on va voter. Thorez parle de la souveraineté du peuple, *Le Monde* parle de l'ordre. Il ne parle pas du peuple. Quand il reviendra je lui expliquerai ce que c'est, *Le Monde*, ce que ça représente pour nous en ce moment, ce que signifie pour nous, l'avenir vu par *Le Monde*. Il faudra qu'il sache. Il ne peut pas deviner. Dès qu'il rentrera, on lui expliquera quel est le rôle temporisateur du *Monde* — journal à trois francs, porte-parole de l'« âme » gouvernementale, le Temps retrouvé, assez, il est temps de revenir à l'ordre, ressorti intact de six ans de silence, qui dispose de trois fois plus de papier que *L'Humanité*, PARCE QUE *L'Humanité* a le tort de s'être vendu pendant la clandestinité au prix du sang du peuple. S'il revient, on lui dira. Ce sera la joie. De lui dire ça et tout le reste. J'ai gardé tous les journaux pour lui. S'il revient je mangerai avec lui. Avant, non. Non. Le moment est arrivé de payer. Tout le monde paye. Je paye. Je ne mangerai pas. En Allemagne, la mère du petit Allemand de seize ans qui agonisait le 17 août 1944, tout seul sur un tas de pierres, sur le quai des Arts, paye aussi. On l'aura foutu à l'eau. On paye l'attentisme « criminel ». Noirceur de notre passé. Tristesse de notre enfance. Notre avenir menacé. De Gaulle est au pouvoir. Il a peut-être sauvé notre honneur, pendant quatre ans on y a cru. Maintenant qu'il est en plein jour, il a quelque chose d'effrayant. Il est avare de compliments à l'égard du peuple. Le peuple respire mal. Il parle du peuple de France à la manière de Louis XVI, et il n'y a plus à se tromper sur les gaullistes. Ce qui est terrible, c'est qu'en avril 1945 il y ait de telles différences entre mon voisin de table et moi. L'unanimité n'est pas. Les quelque cent mille Français pourrissent sur le sol allemand, mais ils ne rassemblent personne, ils n'ont pas fait osciller d'un millimètre la balance gaulliste. Les élections auront lieu quand même, dit de Gaulle, parce que je l'ai dit, parce que rien ne peut surseoir à l'ordre : « Tant que je serai là, la maison marchera. » Qu'après ces six ans de guerre, la France penche encore vers le socialisme, de Gaulle ne s'en remettra pas. Il paye, lui aussi, comme nous. Pas une seule fois il ne parlera pour s'adresser spécialement à ceux qui en ce moment payent, lorsqu'il s'adresse à « ses » Français, à ses brebis, c'est toujours pour les détourner de leur douleur — et ceci parce que l'espoir populaire prend racine dans la douleur populaire. En ce moment, celui qui lit *Le Monde* à mes côtés n'attend pas. Tristesse de cette fin. Quelque chose de cassé dans la haine — dans la colère — dans la joie. « Je me saoulerai la gueule. » « Moi je ne ferai rien. » Il n'y a que nous qui attendions quelque chose — nous attendons des nouvelles. Fausse attente du reste du monde qui attend la paix. Il y a des millions de Français qui attendent. Seuls les Américains savent ce que sont devenus les leurs. Les Français, les Allemands, les Russes ne sauront jamais. Les liaisons américaines sont assurées. La machine, l'Amérique, la guerre s'est transportée sur le continent avec ses câbles à nouvelles, ses pipes, ses blindés à émetteurs, ses chaînes de toutes sortes, de toutes natures. Aucun Américain n'aura disparu, ne sera tout à fait perdu. Les parents des petits gitans de Buchenwald ne sauront jamais s'ils ont été gazés ou égorgés par les Préposés à l'Égorgement des Enfants Juifs (en allemand), s'ils ont été brûlés, ou s'ils ont pourri au soleil. Des millions de partisans soviétiques ont disparu. J'attends. Aucun câble à nouvelles, mais simplement l'âme toujours tendue de ce côté du monde, où les morts s'entassent dans un inextricable charnier — russes, tchèques, français, allemands, italiens, belges, hollandais, grecs. L'Amérique a vu fumer les crématoires géants. La mère du jeune Allemand de seize ans ne saura jamais, jamais, jamais, j'ai été seule au monde à savoir, je suis forcée de penser à une vieille femme à cheveux gris qui attendra, dolente, jusqu'à la fin de sa vie. Quelqu'un l'aura peut-être vu dans ce fossé, alors que ses mains appelaient pour la dernière fois et que ses yeux saignaient, quelqu'un qui ne saura jamais qui c'était — et dont je ne saurai jamais qui il est. Seuls les morts américains et anglais sont étiquetés, c'est là l'avantage d'aller chez les autres. Nous, chez nous, dans notre vieille Europe, on a été moins prévoyants. C'est là qu'a soufflé le socialisme, c'est là qu'a poussé le cancer du fascisme. La vieille [emmerdeuse] du monde. Orgueil d'être de cette race, orgueil qui ne me sert à rien car plus rien ne me sert à rien du moment que je ne sais pas s'il est mort ou vivant. Mais néanmoins, trace d'orgueil dans la douleur de Mme Cats et dans la mienne. Nous sommes de la race de ceux des crématoires et des gazés de Maïdanek. Fonction égalitaire des crématoires de Buchenwald, de leur faim. Vérité prolétarienne des fosses communes de Belsen. Dans ces fosses, nous avons notre part de sang. Jamais on n'a vu des hommes si égaux, si pareils que les squelettes de Belsen, si extraordinairement les mêmes. L'Amérique n'a pas un seul de ces squelettes à son actif, tous ces squelettes sont européens, ils sont à l'avant-garde de cette guerre. Les quatre cent mille squelettes de communistes allemands qui sont morts à Dora, de 1933 à 1938, sont dans la grande fosse commune européenne, les États extra-continentaux ne s'y retrouvent plus, seuls les peuples de l'Europe les réclament, cela seul peut faire *penser* un homme européen. Quand les Américains nous disent : « Il n'y a pas en ce moment un seul Américain, fût-il coiffeur à Chicago, fût-il paysan du Kentucky, qui ignore ce qui s'est passé dans les camps de concentration en Allemagne », ils essaient *en même temps* de nous prodiguer une consolation, de nous rassurer, et en même temps d'illustrer à nos yeux l'admirable mécanique de la machine de guerre américaine : j'entends, le rassurement du paysan du Kentucky qui n'était pas sûr de la raison pour laquelle on lui a pris son fils et on le lui a envoyé sur le front européen.

Mais quand on lui apprendra que les partisans italiens ont exécuté Mussolini et qu'ils l'ont pendu aux crochets d'une boucherie afin que tous les Milanais puissent le voir dans cette posture, l'Américain n'éprouvera pas cette joie si intense, cet assouvissement fraternel que nous procure cette image. Que le peuple italien en soit capable nous donne un espoir, qui nous est particulier à nous Européens — et bien que ce soit ces mêmes Italiens qui nous aient bombardés pendant l'exode 1940, car nous y voyons les prémices d'un de ces retournements si proprement européens.

28 avril. Ceux qui attendent la paix n'attendent pas, rien. Je ne pense même pas à la paix, je voudrais savoir où il se trouve, savoir quelque chose. Depuis Riby rien d'autre. La paix m'apparaît comme une échéance lointaine encore, je n'ose pas la croire proche. Je vis d'heure en heure, je dure de matinée en après-midi. Toujours rien. L'attente devient fixe. La paix m'apparaît comme un crépuscule qui s'étendra sur des morts. Alors il n'y aura pas de raisons de ne pas avoir de nouvelles, il y aura de moins en moins de raisons. La paix : nuit profonde. Ce sera aussi le commencement de l'oubli. Paris est éclairé la nuit. Je me suis trouvée l'autre jour place Saint-Germain-des-Prés, complètement éclairée comme par un phare. Les Deux Magots étaient bondés. Des têtes émergeaient de la fumée de cigarette à l'intérieur. Il faisait encore trop froid pour qu'il y ait du monde sur la terrasse. La rue était déserte. La paix m'est apparue possible, et je suis rentrée chez moi rapidement. J'ai entrevu un avenir

possible qui émergeait. Je suis une épave, je n'ai de place nulle part, je ne suis nulle part qu'avec lui, c'est-à-dire dans une zone inaccessible à ceux qui n'ont personne là-bas. Je suis suspendue à une échéance improbable et les choses ne me touchent que comme des signes. Le réverbère de la place est un signe. Il a perdu pour moi toute autre signification. Il n'y a plus rien d'actuel, pour nous qui attendons. Les autres s'impatientent, au contraire, les soldats veulent rentrer chez eux, les civils veulent rentrer chez eux : « Qu'attendent-ils pour signer la paix ? » À cette phrase cent fois répétée, je sais que la menace est plus grande.

Aujourd'hui on apprend que Hitler est mourant. C'est Himmler qui l'a dit à la radio allemande dans un dernier appel, et en même temps qu'il adressait une demande de capitulation. Ma concierge monte et me dit : « Vous avez [vu] ce cochon-là ? On n'aura pas eu sa peau. » « Il n'y a pas de justice. » « C'est trop, on ne l'aura pas eu, c'est trop. » « On est volés. » Cela achève de gâter la paix, de la pourrir sur branche avant le jour. Le plus responsable parmi les plus responsables nous échappe. Cela achève aussi la sensation de dislocation invraisemblable de l'Allemagne. Berlin brûle, défendu seulement par les « trente bataillons du suicide », et dans son cœur, Hitler se tire une balle de revolver dans la tête. Hitler est mort.

La nouvelle n'est pas certaine. D'aucuns y croient, d'autres non. Mais un doute plane. Le monde entier pense à Hitler.

« Quand même. »

« Quand même quoi ? »

« Quelle minute il a dû passer ! Avez-vous pensé aux trois dernières heures de sa vie... jamais, aucun homme du monde, depuis que le monde existe, n'a mené à bien une expérience de cette importance. »

« À quoi croyez-vous qu'il ait pensé avant de mourir ? » « Peut-être à lui, à sa vie, pour la première fois. » « Plaçons-nous objectivement. »

« Non. »

28-29 avril. Himmler déclare dans son message qu'« Hitler est mourant » et qu'« il ne survivra pas quarante-huit heures à l'annonce de la reddition sans condition ». L'annonce de la reddition serait pour lui un choc mortel. Les États-Unis et l'Angleterre ont répondu qu'ils n'acceptaient la reddition qu'en solidarité avec l'URSS. C'est à la conférence de San Francisco qu'Himmler a envoyé l'offre de capitulation. En dernière minute, *Combat* annonce que l'offre de capitulation aurait été faite comme s'adressant aussi à la Russie. Les Italiens ne veulent pas livrer Mussolini aux Alliés. La presse est unanime à s'y opposer. Le journal *Avanti* écrit : « Le peuple italien a été la première victime de Mussolini, et c'est de la main de ce peuple qu'il devra expier. » Farinacci a été jugé par un tribunal populaire, il a été exécuté sur la place d'une ville (nom pas indiqué) en présence « d'une foule considérable ». À San Francisco : heures difficiles, l'Europe y est en minorité. C'est Stettinius qui préside. « Devant le spectacle qui [surgit] entre les grands, les petites puissances relèvent la tête » (*Combat*, 28 avril). C'est-à-dire la France et l'Italie et…

La paix n'est pas encore gagnée, on parle déjà de l'après-paix. C'est régulier. Eux, ils ne seront là ni pour la paix, ni pour l'après-paix. Ils sont très nombreux, vraiment très nombreux, on ne peut pas faire revivre les morts, il n'y a pas de résurrection, il y en a eu une seule au cours de l'histoire du monde et elle ne cesse pas d'être cette source d'étonnement sans fin. C'est impossible, on ne peut pas faire entendre à un communiste allemand mort à Dora en 1939, mort au sein de la montée du fascisme, que la victoire qui est arrivée quoi qu'on fasse, quoi qu'on en dise, est la sienne. Thälmann, lui, l'a su avant d'être fusillé. On a beaucoup écrit sur la mort. C'est là la source de prédilection où s'abreuve l'art. Le visage de la mort découvert en Allemagne, à l'échelle de onze millions d'êtres humains, déconcerte l'art. Tout se confronte avec ce crime, tout se défend contre cette dimension géante qu'aucune croix ne peut soutenir. Il s'est passé du nouveau. On me cite tel littérateur qui est très « affecté », et qui est devenu sombre, et à qui ça a donné « à penser ». Je pense à tous nos poètes, à tous les poètes du monde, qui attendent en ce moment que la paix se fasse pour pouvoir chanter ce crime. Problème. Pour le peuple, c'est plus simple, la question se pose au moment de manger le pain, de travailler ; pour le poète qui peut ne pas écrire, c'est plus difficile, ce sera une question de vie et de mort. Toutes les pensées, toutes les croyances sont attaquées et se défendent. Si ce crime n'est pas « entendu » à l'échelle collective, il n'aura pas été digne de l'humanité de le vivre. Le mort de Belsen n'a pas été enseveli dans « le linceul de pourpre où dorment les dieux morts », il savait pourquoi il est mort, pour sauver une justice naissante, quelle qu'ait été sa « position politique », il est mort pour qu'une servitude cesse de peser, il est mort tout seul avec une âme collective et une conscience de classe, celle-là même avec laquelle il a fait sauter le boulon du rail dans une certaine nuit, à un certain endroit de l'Europe, sans chefs, sans uniforme, sans témoin. Il n'était pas enrégimenté. Il n'est pas contenu dans la gloire immortelle des soldats. Il n'y a plus de soldats. Il y a un peuple qui se libère de dix-neuf siècles de servitude. Il n'y a plus de soldats ni de peuple, c'est une seule et même chose maintenant.

*

# CAHIER BEIGE

Le dernier des quatre *Cahiers de la guerre* est, de loin, celui pour lequel le travail d'édition a été le plus important. Sa rédaction s'étale sans doute sur une assez vaste période (entre 1946 et 1949 environ). De ce « Cahier beige », doté d'une couverture renforcée et toilée, ont été retrouvés quatre-vingt douze feuillets rédigés, dont quelques-uns sont partiellement ou entièrement remplis par des dessins d'enfant. La grande majorité des pages s'est détachée du cahier, et un nombre difficilement identifiable d'entre elles a été perdu. En outre, la rédaction y est assez discontinue et ne respecte pas l'ordre des pages encore assemblées. Afin d'en rendre possible la lecture, et plutôt que de chercher à retrouver un hypothétique ordre de rédaction, nous avons mis bout à bout les fragments liés à un même thème ou à une même œuvre publiée. Certains fragments, très courts et peu lisibles, ont été écartés.

L'inspiration du « Cahier beige » est très largement autobiographique ; en même temps, la quasi-intégralité des textes qu'il contient seront remaniés et publiés, la plupart du temps dans des récits romanesques. Ce dernier cahier offre donc un témoignage privilégié sur la façon dont Marguerite Duras, dès le début de sa carrière d'écrivain, puise dans les récits de sa propre vie pour en tirer matière à fiction.

Marguerite Duras extrait plusieurs passages du « Cahier beige » pour la revue *Sorcières* (1976) : on trouve ici trois de ces contributions (« Les enfants maigres et jaunes », « L'horreur d'un pareil amour » et le premier fragment de « Pas mort en déportation »). D'autres textes, plus longs, seront intégrés aux romans ou aux longues nouvelles du début des années 1950 (*Un barrage contre le Pacifique*, *Le Marin de Gibraltar*, *Madame Dodin*). Enfin, le cahier contient des notations autobiographiques qui disparaîtront des œuvres publiées (retour de Robert Antelme, vacances en Italie à l'été 1946, attente et naissance de son fils Jean, engagement politique, lectures, écriture et vie quotidienne rue Saint-Benoît). De nombreuses annotations en marge, au feutre rouge et de la main de Marguerite Duras, attestent de sa relecture ; ces notes renvoient aux thèmes ou aux titres des œuvres (« Déportation », « Guerre », « Barrage », « Dodin », « Marin », « Sorcières »...) ou à leur abandon (« non utilisé »).

Quand ses enfants mangeaient, elle se mettait en face d'eux et les regardait ; elle suivait tous leurs gestes, elle aurait voulu que Suzanne grandisse encore et Joseph aussi, si c'était possible.

— Prends de l'échassier, Suzanne, ce lait condensé ça te nourrit pas…

— Puis ça pourrit tes dents, dit Joseph, moi ça a pourri toutes mes dents, même que ça m'emmerde.

— Quand on aura de l'argent, tu te feras mettre un bridge et on verra rien, dit la mère à Joseph. Prends de l'échassier, ma petite Suzanne.

La mère se faisait très douce avec eux quand il s'agissait de les faire manger.

Suzanne se fit tirer l'oreille et prit un morceau d'échassier. La mère prépara un café pour Joseph, qui ajustait sa lampe à acétylène. Une fois qu'il l'eut posée, il l'alluma et sortit sur la véranda pour se rendre compte si l'angle de la lumière convenait.

— Merde, dit Joseph, il est crevé.

La mère et Suzanne vinrent auprès de Joseph. Dans la lueur de la lampe à acétylène, sur le talus qui bordait la rivière, le cheval s'était couché. Ses naseaux effleuraient l'eau grise, il avait dû tomber raide, d'un seul coup.

— Tu devrais aller voir de près, dit la mère.

Suzanne rentra. Elle ne pouvait pas supporter la vue du cheval mort. Elle s'assit sur un des fauteuils de rotin et recroquevilla ses jambes sous elle, et fixa la lampe à acétylène.

— Pauvre bête, dit la mère. Puis elle cria : Alors ?

— Il respire encore, cria Joseph de la cour.

— Qu'est-ce qu'on pourrait faire ? dit la mère. Suzanne, va prendre la vieille couverture à carreaux dans l'auto.

Suzanne alla sous le bungalow prendre la couverture.

— J'y vais pas, cria-t-elle à Joseph, viens la chercher.

Joseph revint, prit la couverture, l'étendit sur le cheval et alla à la rencontre des pisteurs qui arrivaient.

— Pauvre bête, continuait la mère, c'est terrible.

Il y avait beaucoup d'enfants dans la plaine. Ils se tenaient perchés sur les buffles. Ils pêchaient aux bords des marigots. Dans la rivière, il y en avait toujours des quantités qui jouaient. Quand les barques descendaient le rac, on en voyait aussi sur les barques. Avec le soleil, ces enfants rentraient se coucher dans les paillotes, dans leur coin, à même le plancher de lattes en bambou. Aux abords des hameaux dans la montagne, on rencontrait aussi des enfants qui s'aventuraient hors du village, des chèvres, des enfants et les premiers manguiers. Il y avait aussi beaucoup de chiens errants qui allaient de village en village, qui faisaient vingt kilomètres par jour pour essayer de trouver dans les ordures de quoi manger. Des chiens maigres, hauts sur pattes, voleurs de poulets, que les Malais chassaient avec des pierres ou qu'ils tuaient pour les manger. Ces chiens étaient les compagnons naturels des enfants. Partout où il y avait des enfants, il y avait des chiens, les enfants ne les chassaient pas. Chaque femme avait un enfant par an, ainsi il en était des enfants comme du riz, des [*illis.*] et des tigres et des pluies, des inondations, des épidémies. Les enfants poussaient bien dans la grande plaine, il y en avait des multitudes, des troupeaux, les femmes commençaient à les porter dans leur ventre et ensuite sur le dos, puis elles les lâchaient hors d'elles, et jamais un enfant n'empêchait sa mère d'aller repiquer le riz, de faire les semis d'automne et de se rendre à pied à Ram, à soixante kilomètres de là, acheter les pagnes de l'année. Quand l'enfant était très petit, elles le portaient sur leur dos dans des sortes de hamacs, ceints au ventre et aux épaules, l'enfant changeait de place sur la mère et la mère, aux heures de repas, mâchait le riz et de bouche à bouche gavait l'enfant de la pâte de riz mâché. Et lorsque ceci se passait devant un Occidental, l'Occidental détournait la tête de dégoût, et la mère riait car depuis mille ans qu'on faisait ça dans la plaine, le dégoût n'avait pas cours. La plaine baignait dans la misère, on n'y pleurait pas les enfants quand ils mouraient, on ne leur faisait pas de sépulture et on les enterrait à même la terre, dans la plaine, les enfants retournaient à la plaine comme les mangues sauvages des forêts, les fruits des palétuviers. Il en mourait beaucoup chaque année, une grande quantité. Ils mouraient du choléra que donne la mangue trop verte, mais comment empêcher les enfants de monter sur les manguiers ? et chaque année on en voyait des quantités perchés sur les manguiers, et ensuite il en mourait une certaine quantité, et l'année d'après d'autres prenaient leur place sous ces mêmes manguiers. D'autres quantités se noyaient, d'autres encore attrapaient des vers des chiens, s'emplissaient de vers et mouraient étouffés. Les [*illis.*] qui descendaient de la montagne les enduisaient de safran, mais il en mourait quand même, énormément. Il fallait bien qu'il en meure. La plaine ne donnait que sa quantité de riz et de poisson et de [*illis.*]. À supposer que les enfants ne seraient plus morts, les enfants seraient devenus comme un poison, la plaine aurait été envahie par les enfants comme par les sauterelles, et peut-être qu'on aurait été obligé de les tuer. Quand on demandait à une femme combien elle avait eu d'enfants, elle comptait sur ses doigts les enfants morts et ceux qui étaient vivants, il y en avait chaque fois beaucoup plus de morts que de vivants. Tous ces enfants apprenaient à parler, à chanter, à rire, à nager, à se battre, tout seuls, entre eux, sans l'aide des parents, et une fois grandis ils étaient comme leurs parents, travailleurs, gais et courageux.

La mère avait toujours eu quelques-uns de ces enfants au bungalow. Elle en avait pris en charge un grand nombre. Généralement, c'était des enfants qu'on lui avait donnés, ou qui étaient orphelins. Une mendiante lui avait donné une petite fille qui avait attrapé les vers des chiens, cette petite fille était morte comme était mort le cheval, de la grande misère de la plaine, de ce bel et fatal équilibre de cette plaine. La mère et Suzanne avaient pleuré sur cette petite fille. Et dans la vie de Suzanne, ce jour-là avait été un jour d'injustice et de colère.

Ce que la mère aurait voulu, ç'aurait été construire de grands barrages contre les marées qui brûlaient les récoltes. Pas seulement pour elle, mais pour toute la plaine, pour voir s'étendre les terres cultivables loin au-delà de leur limite actuelle, elle aurait voulu voir se multiplier les villages de chaque côté du rac, et voir sur celui-ci de grandes jonques de paddy prendre la haute mer jusqu'au Siam. La mère alla à la ville plusieurs fois, afin de demander au Bureau cadastral de bien vouloir venir se rendre compte de l'état de la plaine. Les délégués du Bureau étaient venus puis ils étaient repartis, il y avait trois ans de cela. Et la mer venait comme chez elle brûler les récoltes. Elle ne savait que faire d'elle, dans ce pays, la mère, et elle se consumait d'impatience.

Joseph l'avait rencontrée au cinéma. Elle avait fumé des américaines pendant toute la séance et comme elle n'avait pas de feu sur elle, Joseph lui avait allumé ses cigarettes et il en avait fumé qu'elle lui avait offertes. Ils étaient sortis ensemble du cinéma. Et de ce jour, Joseph avait quitté Carmen et on ne l'avait pas revu à l'Hôtel Moderne de huit jours et de huit nuits.

C'était ainsi que la mère, qui avait fait ce qu'elle avait à faire, avait dû attendre huit jours que Joseph revienne. Ni la mère ni Suzanne ne savaient conduire l'auto, et elles avaient dû attendre que Joseph revienne pour les ramener à la plaine.

Les deux premiers jours, la mère n'avait pas cessé de pleurer ; et elle prit tellement de pilules qu'elle avait dormi toute la journée. Elle ne s'était pas occupée de Suzanne, et l'avait laissée faire ce qu'elle voulait. Suzanne avait passé ses matinées chez Carmen, et le reste du temps elle l'avait passé dans les Hauts Quartiers.

Elle avait pris l'habitude des Hauts Quartiers. Elle n'y flânait plus. Elle quittait l'hôtel vers cinq heures et elle se rendait directement dans un cinéma. Ensuite elle quittait le premier cinéma, et elle se rendait directement dans un second cinéma. Après quoi, elle rentrait directement à l'hôtel. La mère lui avait donné un peu d'argent, et avec celui de Carmen cela lui suffisait pour prendre une place à l'orchestre et passer [plus] inaperçue. C'en était fini de la honte. Suzanne pensait beaucoup à Joseph ; elle croyait que c'en était fini de Joseph, et elle savait qu'elle comptait peu dans la vie de son frère. La mère ne lui était d'aucun secours. Il n'y avait que Carmen qui lui parlait, lui demandait ce qu'elle avait fait, et lui donnait de l'argent. Suzanne n'aimait pas Carmen, mais néanmoins elle acceptait son argent. Chaque soir, Carmen lui demandait si elle avait fait une rencontre, et Suzanne disait que non. Le lendemain, Carmen lui donnait encore de l'argent. Suzanne n'éprouvait aucune reconnaissance à l'égard de Carmen. Quand elle rentrait le soir, Carmen l'embrassait, l'entraînait dans sa chambre et lui demandait si elle avait « fait une rencontre » ou si elle avait vu Joseph. Suzanne ne rencontrait pas Joseph. Carmen n'était nullement attristée du fait que Joseph l'avait quittée, mais ce qu'elle aurait voulu, c'était tranquilliser la mère.

— Elle ne s'est pas encore levée, disait Carmen, ce que fait Joseph ça devait arriver mais elle est comme une jeune fille, elle veut pas le comprendre.

Suzanne quittait Carmen et allait voir la mère.

La chambre de Carmen ne comportait pas de lit, mais un divan couvert de coussins peints à la main.

Sur le mur, il y avait des Arlequins et des Pierrots. Sur la table à toilette à trois glaces, il y avait un pot de fleurs artificielles. Suzanne avait de cette chambre une horreur véritable, parce qu'elle savait que c'était là que ça avait commencé avec Joseph.

Elle savait ce qu'il en était. Joseph lui avait dit qu'on était tout nu avec une femme toute nue et dans le même lit. Elle voyait Carmen toute nue et elle ne comprenait pas Joseph. Et maintenant il était encore tout nu contre une femme toute nue. Et cela faisait une grande différence entre elle et Joseph.

C'était toujours la même chose. La mère, réveillée, étendue en chemise sur le lit, attendait Joseph dans la pénombre.

— Alors, tu l'as vu ? demandait la mère.

— Je l'ai pas vu, disait Suzanne.

Elle laissait Suzanne aller dans les Hauts Quartiers parce qu'elle espérait qu'elle rencontrerait Joseph. Alors la mère pleurait et demandait une pilule.

— Tu ferais mieux de venir dîner, disait Suzanne, que de prendre tes sales pilules.

La mère insistait. Jamais encore elle n'avait craint d'avoir une crise d'épilepsie comme en ce moment et de mourir. C'était sans doute de rester seule dans la chambre toute la journée qui lui donnait ces idées. Qu'elle attende Joseph de la sorte faisait que Suzanne éprouvait à son égard une sourde colère. Suzanne répétait ce que disait Carmen.

— Ça devait arriver, disait Suzanne, tôt ou tard. C'est pas une raison pour te rendre malade.

La mère disait qu'elle le savait, mais que c'était tout de même terrible de perdre Joseph de la sorte, si brusquement.

Suzanne allait à la fenêtre, s'asseyait contre la croisée et regardait le fleuve qui au loin, par-delà le fourmillement de la ville, s'étalait, large et clair. La mère s'endormait. Suzanne pensait aux films qu'elle avait vus.

C'est à l'hôtel qu'elle devait rencontrer le vendeur de fil de Calcutta. Il était de passage à l'hôtel. Il cherchait une femme pour se marier, il voulait qu'elle soit vierge, [jeune], française.

Il avait fait ses confidences à Carmen qui lui avait aussitôt parlé de Suzanne.

C'était un homme d'une quarantaine d'années, qui avait fait plusieurs fois le tour du monde.

*

On m'a dit : « Votre enfant est mort. » C'était une heure après l'accouchement, j'avais aperçu l'enfant. Le lendemain, j'ai demandé : « Comment était-il ? » On m'a dit : « Il est blond, un peu roux, il a de hauts sourcils comme vous, il vous ressemble. » « Est-il encore là ? » « Oui, il est là jusqu'à demain. » « Est-il froid ? » R. a répondu : « Je ne l'ai pas touché mais il doit l'être, il est très pâle. » Puis il a hésité : « Il est beau, c'est aussi à cause de la mort. » J'ai demandé à le voir. R. m'a dit non. J'ai demandé à la Supérieure. Elle m'a dit : « Ce n'est pas la peine. » Je n'ai pas insisté. On m'avait expliqué où il était, dans une petite pièce à côté de la salle de travail, à gauche en y allant. J'étais seule avec R. le lendemain. Il faisait très chaud. J'étais couchée sur le dos, j'avais le cœur très fatigué, il ne fallait pas que je bouge. Je ne bougeais pas. « Comment a-t-il la bouche ? » « Il a ta bouche », disait R. Et toutes les heures : « Est-il encore là ? » « Je ne sais pas. » Je ne pouvais pas lire. Je regardais la fenêtre ouverte, le feuillage des acacias qui poussaient sur les remblais de la ligne de chemin de fer de ceinture.

Le soir, la sœur Marguerite est venue me voir. « C'est un ange, vous devriez être contente. » « Que va-t-on en faire ? » « Je ne sais pas », disait la sœur Marguerite. « Je veux savoir. » « Quand ils sont si petits on les brûle. » « Est-ce qu'il est encore là ? » « Il y est encore. » « Alors on les brûle ? » « Oui. » « C'est vite fait ? » « Je ne sais pas. » « Je ne voudrais pas qu'on le brûle. » « Il n'y a rien à faire. » Le lendemain, la Supérieure est venue : « Voulez-vous donner vos fleurs à la Sainte Vierge ? » J'ai dit : « Non. » La sœur m'a regardé : elle avait soixante-dix ans, elle était desséchée par l'exercice quotidien d'organisatrice de clinique, elle était terrible, elle avait un ventre que j'imaginais noir et sec, plein de racines desséchées. Elle est revenue le lendemain. « Voulez-vous communier ? » J'ai dit : « Non. » Alors elle m'a regardée. Son visage était horrible, c'était celui de la méchanceté, celui du diable : « Ça ne veut pas communier et ça se plaint parce que son enfant est mort. » Elle est partie en claquant la porte. On l'appelait : « Ma mère. » (C'est un des trois ou quatre êtres que j'ai rencontrés que j'aurais voulu étriper. Étriper. Le mot est vertigineux. Étriper. Le mot a été fait pour elle, pour son ventre plein d'encre noire.)

Il faisait très chaud. C'était entre le 15 et le 31 mai. Été. J'ai dit à R. : « Je ne veux plus de visites. Rien que toi. » Allongée toujours face aux acacias. La peau de mon ventre me collait au dos tellement j'étais vide. L'enfant était sorti. Nous n'étions plus ensemble. Il était mort d'une mort séparée. Il y avait une heure, un jour, huit jours, mort à part, mort à une vie que nous avions vécue neuf mois ensemble et qu'il venait de mourir séparément. Mon ventre était retombé lourdement, floc, sur lui-même, comme un chiffon usé, une loque, un drap mortuaire, une dalle, une porte, un néant que ce ventre. Il avait glorieusement porté dans un bombement adorable, cette graine prospère, ce fruit (un enfant c'est un fruit vert qui vous fait monter la salive à la bouche comme un fruit vert) sous-marin qui n'avait vécu que dans la chaleur glaireuse, veloutée et obscure de ma chair et que le jour avait tué, qui avait été frappé à mort par sa solitude dans l'espace. Si petit et déjà tellement depuis qu'il était mort à part. « Où est-il ?, disais-je à R. Il est brûlé ? » « Je ne sais pas. » Les gens disaient : « Ce n'est pas si terrible à la naissance. Il vaut mieux ça que de les perdre à six mois. » Je ne répondais pas aux gens. Était-ce terrible ? Je crois que ça l'était. Précisément cette coïncidence entre sa « venue au monde » et sa mort. Rien. Il ne me restait rien. Ce vide était terrible. Je n'avais pas eu d'enfant, même pendant une heure, obligée de tout imaginer. Immobile, j'imaginais.

Celui-ci, qui est là maintenant et qui dort, celui-ci a ri tout à l'heure, il a ri à une girafe qu'on venait de lui donner. Il a ri et ça a fait un bruit. Il y avait du vent et une petite partie du bruit de ce petit rire m'est parvenue. Alors j'ai relevé un peu la capote de sa voiture, je lui ai redonné sa girafe pour qu'il rie de nouveau. Il a ri de nouveau et j'ai engouffré ma tête dans la capote de la voiture pour capter tout le bruit du rire. Du rire de mon enfant. J'ai mis l'oreille à ce coquillage pour entendre le bruit de la mer. L'idée que ce rire s'en allait au vent était insupportable. Je l'ai pris. C'est moi qui l'ai eu. Parfois quand il bâille, je respire sa bouche, l'haleine de son bâillement. Je ne suis pas une mère cinglée. Je ne vis pas que de ce rire, de cette haleine. Il me faut nombre d'autres choses, de la solitude, un homme. Non. Je sais le prix d'un enfant. « S'il meurt, pensai-je, je l'aurai eu ce rire. » C'est parce que j'en ai perdu un, c'est parce que je sais que ça peut mourir que je suis ainsi. Je mesure toute l'horreur de la possibilité d'un pareil amour. La maternité rend bon, dit-on. Foutaise. Depuis que je l'ai je suis devenue méchante. Enfin je suis sûre de cette horreur, enfin je la tiens, enfin les croyants me sont devenus absolument étrangers.

*

C'était un bel après-midi. C'était août. Ah ! ce mois, ce mois terrible dont on sait qu'il est le plus chaud, le cœur de l'année — cette cime — ce calvaire de beauté — ce chemin de croix du mois d'août. Le balcon du studio était ouvert sur la vallée — cette gigantesque vallée de cent kilomètres de long, de trente kilomètres de large, de mille mètres de profondeur qui s'étalait sous notre balcon avec forêts, lacs, champs, clairières — et de laquelle nous avions une vue aérienne, cosmique et qui faisait dire à D. : « Notre mère la Terre est verte. » D'habitude le vent passait à toute allure et sur le balcon on était sous la lame de rasoir du vent qui jour et nuit roulait, roulait. À devenir fou. Je disais à D. : « À Carcassonne, au XVIIe siècle, au bout de trois jours de vent, on levait les assises. Ça influençait les jurés. » Cet après-midi-là, accalmie. (L'accalmie qui se produit avant le crime, avant la mort.) Nous lisions en bas, dans le jardin, D. et moi, sur une natte, en face de la vallée. Puis ayant assez de lire, D. est allé regarder les fourmis au pied du tilleul et moi je suis allée ajuster le tuyau de caoutchouc au robinet de la cave et j'ai commencé à arroser l'allée puis je me suis déshabillée et je me suis arrosée puis à D. : « Viens que je t'arrose. » D. n'a pas voulu, puis l'herbe, puis le mur [...]

*

Il était cependant séparé de moi. Je me prêtais à lui pour qu'il se fasse. Dans ma chair baignait la sienne, naissante, mais distincte, avec sa jeunesse, ses énervements, sa fraîcheur, sa colère de bête sous-marine qui se débat pour atteindre la surface, son indépendance. Son indépendance était au fond de moi, tellement criante et nue, que je me tenais comme écartelée par la vérité, mise à nu, comme une femme baisante, sa vérité. Voilà le sentiment de la virilité de la maternité. Aucun des aspects les plus notoires de la virilité n'atteint celui-là, si dans virilité on entend l'exercice brutal d'une liberté. J'exerçais brutalement ma liberté en face de cette liberté totale qui grouillait au fond de moi. Je la sentais vivre et la mienne, autour, la contenir, aussi libre.

(Maintenant que je relis ces lignes, il est là, hors de moi, à quelques mètres, il dort. Sa liberté n'est pas moins totale, ni la mienne. Ma vie est liée à la sienne, elle en est dépendante jusque dans ses moindres détails. S'il meurt, la beauté du monde meurt et il fera nuit noire sur ma terre. Autrement dit, s'il meurt, je meurs au monde. C'est pourquoi je n'ai pas plus peur de sa mort que de la mort. C'est pourquoi, au moment où je suis le plus enchaînée, je suis le plus libre. Jamais ma révolte, ma puissance de révolte n'a été aussi violente. Puisqu'un tel amour, un tel enchaînement amoureux est dans l'ordre du possible, en même temps que ce possible contient la mort de l'objet de cet enchaînement, dans ce cas je souhaiterais que Dieu existe pour incarner ce possible, et pour pouvoir le blasphémer. Parce que l'objet de mon amour m'importe plus que moi — non seulement à mes propres yeux mais en soi, il s'encastre dans le monde plus précieusement, son prix est plus grand, ce n'est pas de moi à lui qu'il m'est précieux, mais il m'importe qu'il vive. Ceux qui n'ont pas d'enfant et qui parlent de la mort me font rigoler. Comme les puceaux qui imaginent l'amour, comme des curés. Ils ont de la mort une expérience imaginaire. Ils s'imaginent frappés par la mort, vivants, alors que morts, ils ne pourront pas jouir de cette mort. Alors que devant un enfant, cette idée se vit chaque jour et que si ça arrive, c'est vivant que vous jouissez de votre mort, vous êtes un mort vivant.)

Et j'ai eu peur que ce fût trop tard pour quoi que ce soit, même pour avoir cet enfant. C'est alors que j'ai pensé à ce soir entre Pise et Florence, à ce soir-là et à notre séjour à Bocca di Magra, parce que c'est là, dans le soleil, dans le poudroiement lumineux de la plage, devant la mer, en plein mois d'août, que pour la première fois de ma vie, le sentiment de la mort s'est, en moi, volatilisé. Tout comme si, dans cette lumière et dans ces couleurs, cette lente vaporisation de l'idée de mort qui toujours ombre ma vie, s'était soudain arrêtée, et me laissait libre. Alors j'ai senti, sous ma peau brûlante, le frais frissonnement de mon sang et de mes organes, je l'ai senti réellement car je sortais de l'eau et je me suis mise au soleil, et en même temps que j'étais profondément rafraîchie par le bain, je sentais sous mes aisselles sourdre cette fraîcheur, en une très légère sueur, je sentais ma chair fraîche du bain, bien protégée par ma peau, je n'avais pas chaud, bien que cette peau soit brûlante. Ma sueur a commencé à sortir entre les poils de mes aisselles et, à la base de mes côtes, dans un creux encore palpitant du bain (en regardant je voyais battre mon cœur sur la peau de mon ventre), ça a eu faim. C'est alors que ma vie était si précise, si bien délimitée, là, écrasée sous le soleil mais cependant combattante et réclamante et continuante, que l'idée de la mort est devenue acceptable, parce qu'aussi implacable réalité que moi-même. Et alors je me suis dit que tant que je pourrai vivre de tels moments et me sentir si fortement, sous une telle lumière, je pourrai vieillir joyeusement.

Et alors Ginetta m'a appelée : « Viens prendre le bain de soleil avec moi. » Nous avons grimpé la pente de la plage et sommes allées profond dans les roseaux, toutes les deux. Les autres, dont Elio, Robert, Dionys, Anne-Marie, Menta, Baptista, sont restés sur la plage. Les roseaux étaient si touffus qu'il y faisait un silence presque total. Ginetta a étendu sa serviette sur un espace nu, bien calfeutré entre les roseaux, et elle a enlevé son maillot. J'ai fait de même, j'ai étendu ma serviette à côté de la sienne et j'ai enlevé mon maillot. C'était la première fois que je voyais Ginetta toute nue. Je la trouvais très belle : « Tu es très belle, Ginetta. » Elle m'a dit : « Je ne sais pas, mais Elio me le dit. » Elle était très longue, très longue, comme sont longues certaines bêtes, l'antilope, la panthère, certaines races de chiennes aux longues pattes, aux flancs creux, au long col, des races de chasse et de course. Elle avait un ventre presque plat, à peine bombé, et des seins musclés, plutôt petits pour son corps, et accrochés d'une façon que je n'ai vue qu'à eux, accrochés avec une force égale sur tout leur contour et comme s'ils avaient des racines qui allaient loin, jusqu'à l'épaule, jusqu'à la naissance du ventre, jusque sous les aisselles, des racines étalées. Étendue, sur sa serviette, les bras sous la tête, on ne voyait de ses seins presque [que] la pointe brune. À peine faisaient-ils un renflement au-dessus de ses côtes. Elle m'a dit que, moi aussi, elle trouvait que j'étais belle et après nous nous sommes tues. Au-dessus des roseaux, les flancs neigeux des carrières de marbre de Carrare étincelaient de blancheur. De l'autre côté, on voyait Monte Marcello, au-dessus de la colline qui surplombe l'embouchure de la Magra, Monte Marcello enfoui dans ses vignes et ses figuiers, tout au sommet des flancs sombres de pins. Elio, Robert, Dionys, Baptista et Gino jouaient à la balle, et on entendait leurs rires ainsi que le bruit mou de la mer d'août, accablée de chaleur. En entendant Elio, ainsi, allongée près du corps nu de Ginetta, j'ai pensé à leur amour, non pas à cet amour dans le temps, mais dans l'espace, comment cet amour d'Elio s'était enraciné et se nourrissait chaque jour de cette femme. C'était un amour terrible, qui aurait pu nous terrifier parce que toujours si présent, à chaque minute, si présent et tellement définitif qu'il faisait peur comme fait peur l'absolu, parce qu'il vous forçait à croire à l'amour et que loin de vous appauvrir, du fait que vous, vous ne viviez pas un grand amour de cette sorte, loin de vous attrister, il vous faisait espérer de l'amour plus que vous n'en aviez espéré jusque-là, et vous faisait vous émerveiller (c'est le mot, je crois, être émerveillé, c'est-à-dire se tenir privé de raison devant un prodige) de ce que deux êtres, un homme et une femme, pussent trouver l'un dans l'autre un intérêt si total, si chaque jour rebondissant, intact, qu'ils se tenaient lieu, l'un à l'autre, de la totalité du monde. Non pas qu'Elio ou Ginetta ne se soient occupés qu'à s'aimer — loin de là, ce sont au contraire des gens très occupés dans la vie, très diversement absorbés, mais ils sont l'un pour l'autre ce tremplin duquel chaque jour ils partent, forts de cet élan qu'ils ne trouvent que l'un dans l'autre. On me dira que c'était beaucoup de chance d'assister à un tel amour, dans un paysage comme celui de Bocca di Magra. Je crois que c'était une chance.

En entendant la voix d'Elio, Ginetta a souri. « C'est comme un enfant », a-t-elle dit. Puis peu après elle a dit : « J'ai quarante et un ans. » Elle chassait les mouches avec une de ses mains qu'elle avait libérée de dessous sa tête, de sa longue main brune aux ongles pâles. À travers ses paupières, on voyait ses prunelles qui fixaient ces roseaux. Et comme elle était brunie de soleil, ces prunelles paraissaient beaucoup plus vertes que d'habitude — couleur exacte de la mer par Libeccio. « Et Elio, il a trente-huit ans », a-t-elle dit. La brise de la mer n'arrivait pas à percer à travers les roseaux, et la chaleur était terrible. Ginetta et moi sentions la sueur qui, peu à peu, sortait de nos paupières, d'entre nos cheveux relevés, aux jointures de nos genoux repliés, et au-dessus de notre lèvre supérieure, quand on léchait, c'était frais et salé. Ginetta s'est relevée, elle a fouillé dans son casque de bain et elle en a tiré deux moitiés de citron, elle m'en a tendu une, elle s'est recouchée et nous avons pressé le citron au-dessus de notre bouche ouverte. « Il fait très bon », a dit Ginetta. Ce n'était pas la vérité simple, mais je comprenais ce qu'elle voulait dire. Je me sentais une grande amitié pour elle, de l'avoir dit. Le soleil nous brûlait d'une façon presque insupportable, mais c'était une façon de se ressentir si violente, que cette brûlure était un mal heureux. On pensait à la mer qui était à quinze mètres et dans laquelle, en courant pour ne pas se brûler les pieds au contact du sable, on irait se jeter dans un moment. Mais on pouvait encore attendre, et encore un peu supporter la brûlure du soleil. C'était une brûlure terrible et de temps en temps, dans l'impossibilité de la supporter longtemps au même endroit, on se retournait, on se passait la main sur le ventre, sur les cuisses, pour les rafraîchir de la paume. Je savais que Ginetta pensait à sa vieillesse prochaine, pire que sa mort, au temps où leur amour perdrait de sa splendeur et qu'en ce moment, elle acceptait, vaincue par la réalité du soleil, de ce midi d'août en lequel elle se tenait, tout aussi réelle. Cette réalité irradiante était tellement puissante que c'était une halte forcée vers la mort. Et si la mort était au bout de cette réalité, elle était acceptable. Voilà ce que ressentait Ginetta, comme je le ressentais moi-même, à ce moment-là. Le citron coulait dans notre gorge, goutte à goutte, et arrivait sur notre faim à vif, l'avivait encore, et nous en faisait mesurer la profondeur, la force. Après le goût du sel dans la bouche lavée par l'eau de mer, à nu, le citron faisait se remplir la bouche d'une salive qui, dans la chaleur, paraissait d'une fraîcheur de source, et le citron était bien idéalement le fruit même de cette sorte de soleil-là, et de ce moment-là. Ces citrons de la plaine de Carrare sont énormes, ils ont une peau épaisse qui les conserve frais sous le soleil, ils sont juteux comme des oranges, mais ils ont un goût sévère, une acidité pure, ils n'ont pas, comme les citrons de notre côté, ce goût de fraîcheur.

Les autres continuaient à jouer à la balle, ils criaient lorsque l'un d'eux réussissait à l'attraper, lorsqu'il la ratait, d'autant plus fort qu'il la ratait, ou qu'il traînait trop à la renvoyer à son partenaire qui, immobilisé par l'attente, se brûlait le dessous des pieds. C'était Elio et Baptista qui criaient le plus. Dionys, un peu moins, et Robert presque pas. Menta aussi criait avec Anne-Marie. Elles arbitraient, et acclamaient ou conspuaient les joueurs. Nous avons remis nos maillots en hâte, ce n'était plus possible de rester sous le soleil ; nous avons traversé les roseaux et en arrivant au sommet de la plage, Ginetta a poussé un cri rauque et sauvage comme elle le faisait chaque fois lorsqu'elle arrivait de sa rive, en barque, sur la Magra, vers la nôtre (et un chien est venu, « Gibraltar »). Elio s'est retourné : « Hé, Ginetta ! » Nous sommes allées en courant dans la mer. Ginetta est partie loin. Moi j'ai fait quelques brasses, au bord, j'étais une de celles qui nageaient le moins bien. La mer était bleue, même là, sous nos yeux, et il n'y avait pas de vagues mais une houle extrêmement douce, la respiration dans un sommeil profond. Les autres se sont arrêtés de jouer et se sont accroupis sur leur serviette, dans le sable. Je me suis arrêtée d'avancer dans la mer et je les ai regardés, j'ai regardé Dionys et Robert. Robert me regardait, il clignait des yeux sous ses lunettes, il me souriait et relevait la tête par petits coups, de l'air de dire : « Et alors toi ? Comment ça va toi ? tu es toute petite dans la mer toi et tu te débrouilles toi pour nager et vivre, parfois j'oublie de t'observer toi et de [te] retrouver toi ça me fait plaisir. » Moi aussi je le regardais et je pensais : « Il est là parce qu'il n'est pas mort au camp de concentration. » Je savais qu'il savait que je le pensais, chaque jour, depuis un an. Et qu'en ce moment je pense : « Il est là à se marrer, il ne sait rien du tout, moi je sais. » Quand il faisait ses trente-huit kilos et que je le prenais dans les bras et que je lui faisais faire pipi et caca, qu'il avait quarante et un de fièvre, et qu'à la place de son coccyx, on voyait l'os de ses vertèbres, et que nuit et jour, nous étions six à attendre un signe d'espoir, il ne savait pas ce qui se passait.

Il était curieux de tout. Dionys lui lisait *L'Humanité*. Il nous demandait si on allait bien. Il ne savait pas qu'il était en train de mourir. Il était heureux. Il ne sentait pas la fièvre, il disait : « Je me sens plus fort », et c'était la fièvre, c'était qu'il se mourait de fièvre, et quand il essayait de soulever la petite cuiller pour manger sa bouillie, sa main tombait sous le poids. Et il était arrivé à trouver que la couverture était trop lourde et qu'elle lui faisait mal. Et maintenant, il est là à se marrer sur la plage, dans le soleil. Il est en Italie, parfaitement, il prend des bains de soleil, il joue à la balle, il est communiste, il parle avec Elio et Dionys de la justification marxiste du tourisme en période révolutionnaire. Parfaitement, il mange la *pastachuta*, il boit le chianti, il grimpe à San Marcello comme pas un. Il n'y a que Dionys et moi qui savons ces choses, ce qu'il fait, les autres non, et lui encore moins que les autres. Dionys et moi, à le voir faire, nous vivions une récapitulation constante, et derrière lui, on se marrait. Et bien que ça n'allât pas entre Dionys et moi, là-dessus, notre complicité était parfaite. On se marrait de l'air de dire : « Hein ? On l'a eu ! »

C'était la seule chose sur laquelle on était d'accord. Pour le reste, on ne l'était pas. Il n'est pas encore temps de dire ces choses, je ne pourrai d'ailleurs pas les dire clairement, car, outre que je n'ai d'idées claires à propos de rien, là-dessus j'en avais moins encore. Ce qui accentuait encore l'ombre qu'il y avait entre Dionys et moi à ce moment-là, c'était que lui disait qu'il en savait parfaitement la raison mais qu'il ne s'expliquait pas là-dessus, il refusait, prétendant que j'étais de mauvaise foi parce que je savais aussi bien que lui « ce qui se passait », mais feignais de l'ignorer. Je ne crois pas que ça ait eu tellement d'importance, que ça ait marqué gravement le souvenir que nous avons de ce séjour. Sur le moment même, ça n'en avait pas tellement, du moins je ne le crois pas, je ne sais pas si Dionys pense comme moi. Nous n'en avons pas reparlé, parce que peu après notre retour, j'ai attendu l'enfant. Mais il est de la nature de Dionys d'avoir un avis là-dessus. Il l'a certainement, mais je ne sais lequel.

L'enfant est venu tout balayer momentanément. Ce matin, dans cette lumière âpre et implacable, j'ai précisément senti que l'enfant était une solution. Non, dirait Dionys, il n'y a de solution à un problème que celle qui découle des données mêmes de ce problème. Pourtant, ce matin, j'ai senti que l'enfant était une solution même pour Dionys, à sa place, et quoi qu'il en pense. Je ne veux pas dire que cet enfant remplacera quoi que ce soit, et en particulier ce qui, entre nous, est passé, la folie des premiers mois. Non. C'est une solution d'apaisement. Au moment de la débâcle du couple, lorsque tout craque, dans le moment de l'un des plus grands doutes de la vie, celui où l'amour se meurt sur lui-même et où rien ne se laisse entrevoir qui redonnera à la vie ce sel, où, d'être à quatre jambes et à quatre bras, on se retrouve infirme et mutilé de l'autre, il vous pousse dans le ventre cette fleur. Alors on ne s'emmerde plus à savoir si l'on existe. On existe en raison de cette communauté. Et alors on se sent libre de se quitter, sans pour cela connaître le goût mortel de la mort. Plus exactement, on est libres. Le passé n'est pas détruit jusqu'à sa racine. Libres du passé. Bien que tout ait mal marché à ce moment-là, Dionys pesait le même poids, sa mort et sa vie, en moi, avaient le même sens et je pouvais le voir nager avec l'émotion d'il y a quatre ans. Une émotion plus grande encore, sans doute, parce que je ne le découvrais pas mais le redécouvrais, et il nageait, auréolé pour moi de la connaissance que j'avais de lui, de tout ce que je savais qu'il avait fait depuis quatre ans, avant de nager de la sorte ce jour-là.

Un jour, j'ai cru qu'il s'était noyé. Il faisait un terrible Libeccio comme chaque année au mois d'août. Même sur un fond de soixante-dix centimètres, les vagues vous terrassaient. Toute la mer était dressée, blanche, hérissée de vagues verticales, hautes de trois fois la taille d'un homme. Tout le monde avait décidé qu'il ne fallait pas nager, tout au plus, aller sur un grand plat, à l'abri de la jetée à l'embouchure de la Magra, se faire fouetter par les vagues. Dionys avait décidé de se baigner. Il est de son caractère de ne faire confiance aux autres que modérément et par pure gentillesse, mais jamais avec conviction. Tout le monde avait insisté. Dionys avait finalement cédé.

Et après qu'il l'eut décidé, il était furieux de l'avoir décidé. Il regardait la mer avec envie. Je savais ce qu'il pensait, qu'il se laissait faire et que c'était indigne, et que j'étais pour lui celle qui l'avait empêché, j'étais l'empêchement à vivre selon son gré. Seule la mer était démontée. Il faisait un soleil resplendissant, les couleurs étaient vives après l'orage de la nuit, l'air était frais, le temps était à aller tout le long de la plage jusqu'à Marina di Carrare tout en regardant la mer. Robert, Anne-Marie et moi, nous avions décidé de le faire. Dionys nous avait accompagnés pendant un petit moment et il s'était assis sur le sable, décidé à rester là, disait-il, à regarder la mer. C'était à mi-chemin entre la jetée où se trouvaient les autres, Elio, Ginetta, Menta et Baptista, et Marina di Carrare. Et nous savions que Dionys projetait de profiter de son absence pour se baigner en toute tranquillité. Nous étions arrêtés devant une file de rochers à vingt mètres de la plage, sur laquelle la mer se brisait de toutes ses forces. Au-dessus des rochers, une véritable muraille de vapeur s'échappait et s'écoulait sans cesse dans un grand fracas. À la base des rochers la mer frappait des bruits sourds comme des coups, et ensuite elle jaillissait et s'évaporait dans le soleil. Dionys dit qu'il voulait rester à cet endroit, à regarder. « Tu ne vas pas regarder ça pendant deux heures », dit Robert. Dionys dit que si, précisément, il le voulait, que c'était à force de regarder un même spectacle, sans cesse renouvelé, qu'on arrivait à passer de la curiosité à l'intérêt, que c'était cela, voir. Il le dit, et s'allongea, décidé à rester. Nous restions debout autour de lui à regarder tantôt la mer, tantôt son corps allongé sur le sable. Et nous voyions son corps dans la mer. Tout aussi bien que le feu, la mer l'aurait dévoré. C'était tout simplement inimaginable qu'il puisse s'en sortir. À voir la force avec laquelle les vagues se brisaient contre les rochers, on s'imaginait cette force l'attaquant de front, à la hauteur de sa poitrine, le terrassant et le maintenant sous elle, implacablement et avec la force d'une immense dalle d'eau, jusqu'à ce que mort s'ensuive, et alors le lâchant, et lui revenant alors dans l'entremêlement des crêtes écumeuses des vagues, tel un débris de roseau. Car la mer avait ce matin-là des dimensions inhumaines et autant se baigner dans les flammes, dans un haut fourneau, autant s'attaquer à un taureau furieux, à une meute de loups affamés, autant se lancer, seul, et de chair, contre un char d'acier en marche. Et cependant nous ne disions rien. Au regard de Dionys, on comprenait qu'il avait atteint ce degré d'entêtement limite qui le privait totalement de sa raison, et qui, si on s'y opposait encore tant soit peu, le ferait alors aller, sans hésitation aucune, au-devant de la mort. Il avait la bouche serrée, et son regard fixait les rochers, nous dédaignant absolument. À ce moment-là nous le haïssions, cependant que, comme jamais encore, nous mesurions ce que ce serait que d'être privé de lui, et ce que seraient toute cette admirable vallée de soleil, de fruits, et de neige de marbre, et nos vies, une fois qu'il serait englouti sous la mer. Et pourtant, en restant, nous faisions preuve d'une indélicatesse tellement insupportable, tellement déshonorante, impardonnable (tout comme si, de l'empêcher de satisfaire son envie d'aller se baigner ce matin-là, nous l'avions empêché de faire l'amour avec une femme dont il aurait eu le désir fou, et cela en vertu d'un odieux formalisme, par exemple, parce que la femme aurait été sa perdition, tout comme si, en un mot, on l'avait empêché de vivre, en lui refusant de courir l'aventure du danger, en prétextant de sa sauvegarde alors que, ne l'ayant pas courue, sa vie lui aurait été impossible à vivre, etc.), que sans nous concerter, et sans lui dire un mot de telle façon qu'il comprenne tout de même ce que contenait ce silence, nous sommes allés à Marina. Pour dire la vérité, nous n'étions pas sûrs qu'il se baignerait. Je dis à Robert : « Tu crois qu'il va se baigner ? » « Il n'est pas fou », dit Robert.

Je me souviens mal de Marina di Carrara. Avant de l'atteindre, on est passés près d'une colonie de vacances des usines Alfa Romeo. Tous les petits enfants mangeaient, debout, près d'une longue table. Marina était sillonnée de trams à sonnette, bondés, et qui filaient sous un soleil torride, au milieu d'avenues poussiéreuses bordées de lauriers-roses en fleur, devant des maisons bombardées. La seule chose que je dis, c'est que ça ressemblait encore une fois à l'Afrique, de même que Sarzana le jour du marché. Des enfants nus et blancs de poussière entouraient les étals de pastèques et de cotonnades, il n'y avait pas un arbre, pas une herbe sur la place blanche de poussière, c'était midi, de grands stores de toile blanche étaient tendus devant les cafeteria aux terrasses arrosées, un vendeur ambulant tonitruait dans un micro la qualité de ses élastiques, pendant que les petits enfants italiens aux yeux noirs, aux jambes grêles, se pinçaient, hurlaient ou dormaient à l'ombre des étals, dans la poussière. De temps en temps une fille sortait d'une maison, et l'une d'entre elles venait de la cafeteria où nous allions déjeuner, elle était fraîche, rose et brune, habillée de noir, éclatante et humide comme un fruit d'eau et de nuit encore gouttelant de fraîcheur et de nuit et qu'on aurait sorti de l'eau, ou comme si l'ombre dense des maisons fraîches de Sarzana, alors que le soleil du dehors torréfiait les couleurs, les sons, la terre elle-même qui s'élevait en une poussière blanchâtre d'incendie, avait recelé une sorte de végétation sous-marine, équatoriale, dont la seule vue dans la brûlure du soleil vous inondait de fraîcheur et de désir, et vous faisait sentir le prix de ce soleil-là dans lequel éclosait une ombre si riche, si lourde, si féconde, si ruisselante de beauté. Et lorsque nous avons pénétré dans le restaurant, les yeux de la fille luisaient en silence, noirs et humides, dans l'ombre des stores, elle se tenait debout, sa bouche s'ouvrait sur ses dents, sa bouche comme l'intérieur vierge d'une huître, mouillée, ses lèvres comme les bords prêts à saigner d'une blessure faite à l'instant, et qui auraient fait à elles seules se dresser, nues et meurtrières, toutes les verges des hommes qui les auraient vues s'entrouvrir pour sourire, alors qu'elle se tenait, totalement, aussi totalement que plante, ignorante d'elle-même, la main posée sur la table blanche et croulante sous un plat de tomates ruisselantes d'huile et de ce rouge des lèvres de la fille, rouge de froid incendie de l'ombre après le soleil.

Je disais que Marina ressemblait à Sarzana, et je le disais pendant que je croyais que Dionys était déjà mort et froid, flottant à la crête des vagues. Je sentais le soleil sur ma vie mais tout l'intérieur de mon corps était parcouru d'une source glacée. Robert a acheté une bouteille de chianti. Il avait l'air rassuré. Anne-Marie a acheté du chocolat. Nous étions dans l'avenue principale de Marina. Les trams passaient toujours. Je suis allée prendre un café dans un bar, sous un parasol. Le café était très bon et il faisait très bon à cette terrasse. Anne-Marie et Robert sont venus me rejoindre avec la bouteille de chianti à la main et du chocolat, et je me dis que ce n'était pas la peine puisque Dionys était mort. Ils ont pris un Cinzano et moi un autre café, et ils m'ont raconté ce qu'ils avaient vu et qu'ils auraient dû acheter à l'épicerie. Ils y mettaient tellement d'insistance que j'ai compris qu'ils essayaient de me rassurer sur Dionys, de me prouver que s'ils avaient été vraiment inquiets, ils n'auraient pas pensé à des choses pareilles. Mais moi je me dis : « S'ils ont acheté le chianti, c'est pour me rassurer », et je n'y croyais plus. Nous avons pris le tram pour revenir et à l'arrêt dernier du tram, au bord d'un bois de pins, nous avons repris la plage. À droite, pendant un moment, nous avons longé un bois d'oliviers, ils étaient très anciens, leurs troncs étaient torses et de formes difficiles, trapus, courbes, mais leur feuillage était jeune, léger. Après, nous avons atteint l'épaisse haie de roseaux. Il n'y avait pas de vent, le soleil était à pic sur la plaine et tous les villages de la chaîne de Carrare, lorsqu'on se retournait, ce qu'on ne pouvait s'empêcher de faire, se détachaient, blancs, dans les vallées à flanc de montagne. J'attendais le moment où nous atteindrions le mur de rochers. La mer était toujours terrifiante, en proie à une fureur vaine et amère. Anne-Marie et Robert parlaient de Marina et des bombardements côtiers, de celui de Marina en particulier. Partout sur la plage, de petits mollusques se mouraient, arrachés à la mer, ils se desséchaient au soleil et s'étalaient dans des petites flaques vert vif, gluantes. La mort était partout. L'air embaumait la mort, l'odeur des pins, de l'iode, de la pluie, c'était celle de la mort. Je regardais la jetée au loin et je me dis que ma vie s'étendait jusque-là, après quoi, je ne pourrais rentrer à l'hôtel. Nous avons atteint le mur de rochers, Dionys n'y était pas. Sur la plage, il y avait la trace de son corps allongé. « Il sera rentré à l'hôtel », dit Robert.

Mais après, Anne-Marie et lui n'ont plus bavardé et ils ont regardé au loin, sur la plage. J'avais cessé d'exister. Tout le monde a connu cela, a vu une plage vide alors qu'il s'attendait à y trouver quelqu'un. Chacun a vu cela, la plage vide et la mer vide et c'est tout, le soleil par là-dessus, et, au loin, des montagnes, des villages grouillants et clairs sous le soleil, des vergers à perte de vue, croulant de fruits. Qui n'a pas connu cela ? La mer vide, la plage vide, le soleil et *tout* le reste. Vidé. Là où on s'attendait à trouver quelqu'un, rien, seule la trace du corps sur le sable, et la mer à côté. La mer à côté. Insondable. À perte de vue, la mer. On fait la relation entre la mer et la trace du corps sur le sable, et c'est l'horreur. La chose insurmontable. Continuer à vivre avec l'idée de ce corps précieux perdu dans la mer aux mesures inhumaines, mathématiques, diaboliques, ballotté dans le hasard de l'eau, dans les fonds de la nuit. Le corps que vous avez touché, aimé, que vous avez senti sous vos doigts. Deuxième mort que celle-là.

Dionys n'était donc pas là où nous l'avions laissé, mais un peu plus loin, près de la jetée. Il s'était creusé un trou dans le sable et il nous attendait tranquillement, dit-il, mais un peu impatient en fait, parce qu'on avait tardé. Et moi, je n'ai pas dit un mot de plus que les autres. « Bonjour », nous avons dit et Dionys s'est levé, nous avons longé la plage et après nous avons enfilé le chemin qui menait de la plage à l'hôtel par le Camp des juifs (dont il faudra parler). J'étais très tranquille, et je découvrais qu'en entendant parler Dionys et à le savoir là, marchant à mes côtés, je ne demandais rien de plus, rien. Il me faisait encore la tête à cause de mon attitude de ce matin et il eut quelques phrases aigres à mon propos, mais c'était comme s'il avait parlé à mille lieues de là ou dans des temps très anciens. D'ailleurs, je n'écoutais que le son de sa voix, et m'aurait-il injuriée que je n'aurais écouté que le timbre de sa voix, je n'en aurais senti que les contours, le poids, le son dans le soleil. J'étais une caverne à recevoir cette voix, rien de plus, je n'étais plus terrestre, non pas que j'eusse été plus heureuse, mais je vivais une sorte d'instant cosmique, une sorte d'ascèse si on veut, où rien ne m'atteignait plus de la vie que l'idée même de la vie, et non pas [ses] manifestations terrestres, Dionys était en image, pour ainsi dire, et rien ne [la] défigurait plus.

C'est ainsi que j'ai su que du moment que j'ai vécu cela à cause de lui, que je tenais à lui, fondamentalement. Non pas que je l'aimais, car cela n'était pas probant de l'amour, car la passion s'accommode de la mort qu'elle se subordonne à elle-même. Non, que je tenais à lui. Et que c'était important. Je restai dans cet état toute la journée et par une étrange contagion, Robert était, à mes yeux, atteint de la même éternité que Dionys. Et à midi, sous la tonnelle, je les laissai boire du Cinzano tant qu'ils en voulaient, et eux s'étonnaient. Ils s'étonnaient et je souriais de leur étonnement, ils étaient des petits enfants et moi j'étais pareille à un croyant devant les incroyants, ou quelqu'un qui croit à la vie éternelle devant des enfants qui sont oublieux de tout, sauf de leurs jeux.

C'était ainsi lorsque Robert est revenu d'Allemagne, pendant des mois. Je le regardais et j'étais comblée. Il mangeait une côtelette de mouton et après il suçait l'os, les yeux baissés, attentif seulement à ne laisser aucune parcelle de viande. Après quoi il remangeait une deuxième côtelette et une troisième ensuite, sans lever les yeux. Il était assis près d'une fenêtre du salon, tout entouré de coussins, sa canne à côté de lui, dans ses pantalons, ses jambes flottaient comme des béquilles, lorsqu'il faisait du soleil, on voyait à travers ses mains. Il revenait de très très loin, de là où d'habitude, on ne revient jamais. Vous savez, il y avait derrière lui un abîme de douleur, la mort était derrière lui, il en revenait, c'était visible, il se désenlisait de la mort, il se tirait accroché à son os de côtelette comme un noyé à une épave, il n'osait pas encore le lâcher, encore, ces premiers temps, il ne perdait pas une miette de pain. Moi je le regardais, tout le monde faisait de même, un inconnu l'aurait aussi regardé car c'était là un spectacle inoubliable, celui de la vie aveugle. Celui de la vie bafouée, écrabouillée, humiliée, sur laquelle on a craché, frappé et dont on était assuré qu'elle était touchée à mort jusqu'à la racine, et voilà que dans la plus profonde épaisseur du corps, un filet de vie coulait toujours, l'arbre desséché n'est pas mort, à son pied, un bourgeon. Et ça repart. Et le signe que ça repart c'est la faim, plus que la faim, la dévoration entêtée, aveugle, celle du nouveau-né au sein. À bien chercher, je crois que rien, dans le domaine de la beauté et de la force, ne m'a bouleversée comme de voir Robert manger pour la première fois trois semaines après son retour. Le docteur l'avait mis aux bouillies pendant trois semaines, lorsque la fièvre le tenait, il ne savait pas ce qu'il avait.

Toute nourriture ne faisait que le traverser de part en part, sans le nourrir, et une cuiller à café de bouillie l'étouffait, après l'avoir avalée il se tenait droit dans son lit, nous le soutenions, il cherchait l'air. Au bout de trois semaines, le docteur dit qu'il fallait lui donner à manger de tout, le mettre devant la nourriture. Et alors il commença à avoir faim, dès qu'il eut mangé et ensuite sa faim appela sa faim, elle prit des proportions gigantesques, effrayantes. On le laissait avec la nourriture, *seul, dans la pénombre du salon*, et en silence, dans un silence plus pieux et plus sacré que celui de n'importe quel office religieux, il mangeait. Nous évitions de lui parler à ces moments-là, de le distraire, et on marchait sur la pointe des pieds. On lui mettait le plat devant lui et on le laissait et il fonctionnait. Dans cette première période il n'avait pas de préférences marquées pour les plats, il était un gouffre de faim, un énorme appel lui venait de ses entrailles décharnées, une voix si puissante, grondante, un ordre auquel il obéissait, servile, humble, aveugle tout comme une plante. Du moment qu'il a faim, disait le docteur, c'est que la vie reprend. Je le regardai. Je regardai Dionys dormir, tiède et respirant, doré, vivant, sous les tonnelles de muscat, dans cet après-midi qui avait suivi sa mort en moi. Pendant un mois je regardai Robert, sans pouvoir m'habituer, sans me lasser. Quand les plats n'arrivaient pas assez vite il sanglotait, il disait qu'on ne le comprenait pas. A-t-il faim ? demandait le docteur. On riait. Et quand il sanglotait de faim, on se cachait pour rire tout son saoul. Toutes ces choses m'ont marquée et ce matin, lorsque je me suis réveillée, elles étaient pesantes, non pas que j'y aie pensé directement mais elles étaient là, elles me meublaient — comme mes meubles meublent ma chambre sans qu'à tout moment je les voie, ces choses sont là, profondément. Je ne pense pas qu'elles ne soient pas, elles y sont. C'est ma vie ; c'est ce que je ne peux pas partager ni soustraire. Elles *étaient* dans le grondement de la poubelle sur le trottoir, dans la lumière qui sourdait à travers les fondations de l'École de Médecine, étaient aussi, et dans la signification de la marche d'un homme, seul, dans une rue silencieuse, elles entraient pour une part. Depuis que j'ai vu manger Robert à son retour, depuis cette peur à mort, auprès de laquelle toute vanité, ambition, projets, ont été littéralement balayés [...].

Entre toutes les villes j'aime celles-là, celles qui ressemblent à Sarzana, Marina di Cararre, Aden et certaines villes corses, Bonifacio, Pontevecchio, Toulon aussi, les villes sans arbres (Florence aussi, la chose la plus frappante c'est qu'il n'y a pas un seul arbre à Florence) aux places brûlantes, qui, de midi à trois heures, se vident, se ferment, sont complètement mortes. Généralement ces villes sont sales, elles sentent l'oignon, le crottin de cheval, et comme elles sont sur la mer, le poisson. Les maisons y sont vieilles, mal construites, pauvres, populeuses, les entrées et les corridors sentent le moisi, il n'y a pas de jardins, sur la place une fontaine de laquelle sort un petit filet d'eau. Les devantures y sont rares, elles s'encastrent dans des fenêtres, il y a des chaussons, des berlingots, des cartes postales, des blouses de travail. Tout croule dans ces villes, les chaussées sont défoncées, le balayeur public dort de une heure à trois heures, il n'y a qu'un seul balayeur pour toute la ville car la municipalité est pauvre, et dans les caniveaux traînent des ordures. Ces villes sont balayées par le vent de mer qui se lève vers trois heures de l'après-midi et alors sur les places vides, la poussière s'envole dans des nuages, la poussière de ces villes est fine, salée, elle sent l'urine, il y en a partout, les buis du jardin du curé (les seules plantes de la ville) en sont couverts, et les petits enfants en ont les pieds poudrés.

Lorsque fin août il y pleut, ces villes embaument comme aucune autre, la poussière de cinq mois d'été, de pourritures de toutes sortes, se gonfle et exhale ses odeurs de chairs mouillées. Ces villes ne sont pas faites pour plaire, ce sont des marchés où viennent s'approvisionner les campagnes environnantes. À leurs alentours traînent des forains, des cinémas ambulants. Ces villes me sont les plus érotiques du monde. Villes d'ombre, de soleil. L'ombre contrastante. L'ombre est érotique.

C'est à ces villes-là, me dis-je, que rêve Gaston le balayeur.

*

[illegible] toutes plantes de la ville [illegible] les [illegible] et ont les mêmes [illegible].

Lorsque l'on sent s'y établir ces villes, entièrement comme aucune autre, on pensera que c'est [illegible] de [illegible] des [illegible] se [illegible]. [illegible] de [illegible] de [illegible], ces villes ne sont pas faites pour plaire. Ce sont des marchés où viennent s'approvisionner les [illegible] environnants. [illegible] leurs [illegible] trouvent les [illegible] anciennes [illegible]. Ces villes ne sont les plus [illegible] du monde, villes d'ombre, de soleil, l'ombre contraste [illegible] l'ombre est [illegible].

[illegible] ces villes [illegible] c'est à le [illegible].

[illegible]

Fallait voir comment il mangeait. Cet homme mangeait comme jamais homme ne mange. Ni bête non plus. Ni rien, aucune espèce, même pas le tigre, ni le requin qui fait des milles et des milles, la gueule ouverte et qui, en vertu d'une chlorhydrie insensée, avale douze fois son volume de nourriture. Non, il mangeait avec patience et acharnement.

D'abord il n'a pas pu manger de la sorte. Je veux dire dès qu'il est revenu, parce que son estomac était tellement rétréci qu'il se serait déchiré sous le poids de la nourriture, ou s'il avait résisté, il aurait appuyé sur le cœur qui lui, au contraire, dans la caverne de sa maigreur, s'était dilaté et battait si vite qu'on aurait pu compter ses pulsations, qu'on n'aurait pas pu dire qu'il battait à proprement parler mais qu'il tremblait comme, sous l'effet de l'épouvante, une bête traquée. Non, il n'aurait pas pu manger sans en mourir. Or il fallait qu'il mange, il ne pouvait rester encore sans manger sans en mourir.

C'était là la difficulté. Lui avait faim. Lorsqu'il est arrivé, il a embrassé ses amis. Il a fait le tour de son appartement. Il souriait. C'est-à-dire que ses joues se plissaient et se décollaient un peu de sa mâchoire. Ensuite il s'est rassis dans le salon. C'est alors qu'il a commencé à regarder le clafoutis qui restait sur une console. Puis il n'a plus souri. « Qu'est-ce que c'est ? » « C'est un clafoutis. » Puis, « je peux en manger ? » « Attendons le docteur. » Mais au bout d'un moment : « Je ne peux vraiment pas en manger ? » Alors il nous posait des questions sur ce qui s'était passé durant son absence. Mais c'était fini, [il] ne regardait plus que [le] clafoutis. Quand le docteur est arrivé dans le salon, il était sur le divan. Le docteur est resté la main sur la poignée, il s'est arrêté net et il a pâli. Mais il est quand même rentré et est allé jusqu'à lui, il n'est pas ressorti comme on aurait pu le craindre.

Le docteur lui a interdit le clafoutis. Mais il nous a dit à nous que du moment qu'il avait envie du clafoutis, c'était qu'il y avait sans doute encore un peu d'espoir. Nous lui avons enlevé le clafoutis sans [qu'il] le voie. Puis la lutte a commencé. Avec la mort. Il fallait y aller doux avec elle, avec délicatesse, tact, doigté. Elle le cernait de tous les côtés, mais, mais, tout de même, il y avait encore moyen de l'atteindre lui, ce n'était pas grand, cette ouverture par où communiquer avec lui, mais la vie était quand même en lui, à peine une écharde (mais une écharde de vie ça a quand même couleur et nom : vie). La mort montait à l'assaut. 39,5 le premier jour. Puis 40. Puis 41. La mort s'essoufflait. 41. Le cœur vibrait comme une corde de violon. 41 toujours. Mais il vibrait. Le cœur, pensions-nous — le cœur va s'arrêter. Toujours 41. La mort, à coups de boutoir, frappait. Mais le cœur était sourd. Ce n'est pas possible, le cœur va s'arrêter. Non.

De la bouillie, avait dit le docteur, par cuillers à café. Mais une cuillerée à café de bouillie l'étouffait — il s'accrochait à nos mains, cherchait l'air et retombait sur son lit. Mais il l'avalait.

Six ou sept fois par jour on lui donnait de la bouillie. Six ou sept fois par jour il demandait à faire caca. On le soulevait en le prenant par-dessous les genoux et sous les bras. Il devait peser trente-sept ou trente-huit kilos : l'os, la peau, le cœur, le foie, les intestins, la cervelle, les poumons, tout compris : trente-huit kilos répartis sur un corps de un mètre soixante-dix-sept. On le posait sur un seau hygiénique, sur les bords duquel on disposait un petit coussin pour qu'il ne soit pas blessé — car à la place des articulations, là où elles jouaient à nu sous la peau, la peau s'en ressentait et elle était à vif. (La petite juive de dix-sept ans du faubourg du Temple avait les coudes qui avaient troué la peau du bras et l'articulation était au-dehors au lieu d'être en dedans, sans doute à cause de sa jeunesse et de la fragilité de sa peau, elle n'en souffrait pas, la chose s'était faite insensiblement, sans souffrance : l'articulation sortait, nue, propre, et les bords de la peau s'étaient endurcis et ne formaient pas de plaie. Ni de son ventre, elle ne souffrait pas non plus, duquel on avait sectionné, un à un, et à intervalles éloignés, tous ses organes génitaux, pour mieux voir le vieillissement prématuré qui s'ensuit.) Une fois assis sur son seau, il lâchait sa merde d'un seul coup, dans un glouglou énorme, inattendu, démesuré. Ce que se retenait de faire le cœur, l'anus ne le pouvait, il lâchait son contenu. Tout lâchait son contenu, même les doigts qui ne retenaient plus les ongles, qui les lâchaient à [leur] tour, sauf le cœur qui continuait à retenir son contenu. Le cœur. Et la tête, hagarde mais sublime, seule, elle sortait de ce charnier, elle émergeait, se souvenait, racontait, racontait, reconnaissait, réclamait. Elle tenait au corps par le cou comme d'habitude les têtes tiennent, mais ce cou était tellement réduit (on en faisait le tour d'une seule main), tellement desséché, qu'on pouvait se demander comment la vie y passait, comment, jusqu'à une cuillerée à café de bouillie y passait à grand-peine, le bouchait. (En bas du cou, à sa naissance, il y avait un angle droit et en haut, sous les mâchoires et sous la tête, il s'étranglait. Au travers de sa peau on voyait se dessiner les vertèbres, les carotides, les nerfs, le pharynx, comme sur les pièces d'anatomie, sous la peau devenue papier à cigarette qui, elle, continue longtemps à recouvrir. Mais cependant le sang passait à travers ce cou.)

Il faisait donc sa merde. C'était une merde gluante, vert sombre et qui bouillonnait. Comme personne n'en avait jamais encore vu. Parfois, lorsqu'il l'avait faite et qu'on le recouchait, anéanti, les yeux clos, du harassement qui suit l'éjection d'une telle merde, il m'arrivait de m'appuyer le front contre les persiennes closes de sa chambre (quand je l'attendais, c'était sur le fourneau à gaz que je m'écrasais le front pour essayer de ne plus songer à rien) et d'essayer de freiner le désespoir qui me gagnait à voir cette merde incroyable lui sortir du corps. Pendant dix-sept jours, l'aspect de cette merde resta le même. Cette merde et la façon qu'il avait de la faire était inhumaine. Elle le séparait de nous plus que la fièvre, plus que la maigreur, les doigts désonglés, les traces des coups. Bien qu'on [ne] lui donnât que de la bouillie, elle restait vert sombre. Cette bouillie jaune d'or, claire, bouillie de nourrisson aux lèvres roses, elle ressortait de lui vert sombre et bouillonnante comme de la vase de marécage. Avez-vous déjà vu de la merde qui bouillonne ? Celle-là bouillonnait. Le seau hygiénique fermé, on entendait le bruit que faisaient les bulles lorsqu'elles crevaient à la surface. Cette merde était aussi glaireuse et gluante comme un gros crachat. Et dès qu'elle sortait de lui, la chambre s'emplissait d'une odeur de vase, d'une odeur qui n'était pas celle de la putréfaction, du cadavre (y avait-il encore dans son corps matière à cadavre ?) mais plutôt celle d'un humus végétal, celle des feuilles mortes des sous-bois trop épais. C'était là en effet une odeur sombre, épaisse, comme le reflet de cette nuit épaisse de laquelle il émergeait — et que nous ne connaîtrions jamais. (Je m'appuyais aux persiennes et la rue, sous mes yeux, se passait. Et comme ils ne savaient pas ce qui se passait dans la chambre, j'avais envie de leur dire que dans cette chambre au-dessus d'eux un homme chiait de la sorte, une merde si différente de celle qu'ils connaissaient, qu'ils en resteraient changés.) Évidemment, il avait fouillé dans les poubelles pour manger, des pissenlits, de l'eau de machine, mais cela n'expliquait pas. On cherchait d'autres explications. Peut-être se mangeait-il, sous nos yeux, peut-être digérait-il son foie, sa rate. Comment le savoir ? Comment savoir ce que ce ventre contenait encore de douleur, d'inconnu ?

Dix-sept jours je le répète, sans que cette merde s'humanise un peu, ressemble à quelque chose de connu. Chacune des sept fois qu'il faisait par jour nous la humions, nous la regardions, mais sans [la] reconnaître. Nous la lui cachions avec soin pour éviter qu'il s'en épouvante. De même que ses jambes, son corps que nous recouvrions à ses propres yeux et auquel on ne *pouvait pas* s'habituer, qui était incroyable, incroyable parce qu'il *vivait encore* (c'était cela l'incroyable) ; lorsque les gens entraient pour la première fois dans la chambre et qu'ils voyaient sa forme sous le drap, ils ne *pouvaient* pas en supporter la vue, ils détournaient les yeux.

Tout cela pour vous dire comment il était.

Au bout de dix-sept jours la mort se fatigua. La merde ne bouillonna plus, elle devint liquide, resta verte, mais elle eut une odeur plus humaine, une odeur de merde d'homme (plus délicieuse pour nous que les premiers effluves du printemps, celle de cette merde qu'enfin nous reconnaissions).

Et un jour la fièvre tomba. Après qu'on lui eut fait douze litres de sérum salé, un matin, la fièvre tomba. Couché sur ses neuf coussins (un pour la tête, deux pour les avant-bras, deux pour les mains, deux pour les bras, deux pour les pieds, car tout cela ne pouvait plus se supporter, assumer son propre poids, il fallait en engloutir le poids dans le duvet), immobile, il écouta la fièvre sortir de lui. La fièvre revint mais retomba encore, revint encore, un peu plus bas mais retomba encore plus bas, et un matin — « j'ai faim », dit-il.

Nous assistions à ce mystère.

Et un jour le docteur nous dit : « Essayons de lui donner à manger. Commençons. De tout, donnez-lui de tout. »

Peut-être était-ce de la rate qui lui sortait du corps, ou de son cœur. Car enfin qu'était-ce ? Ceux qui font la grimace en ce moment même où ils lisent ceci, ceux à qui ça soulève le cœur je les conchie, je leur souhaite de rencontrer sur leurs pas, un jour, un homme dont le corps se viderait ainsi par son anus, et je souhaite que cet homme soit ce qu'ils ont de plus beau et de plus aimé et de plus désirable. Leur amant. Je leur souhaite du malheur de cette sorte.

*

Ici à Rocca, pendant quelques jours, je connaissais le vieil Eolo. J'avais peur de me retrouver seul. Je voulais rester à un endroit où j'aurais connu quelqu'un, même un seul homme. Je me connaissais, je savais que j'aurais fui d'un endroit où je n'aurais connu personne, au bout de deux jours je serais rentré à Paris. À Rocca, je connaissais déjà le vieil Eolo.

— Elle le sait que vous allez la quitter ? demanda la fille doucement.

Je trouvais naturel de lui raconter mon histoire. C'était une histoire très ordinaire, très simple, que tout le monde pouvait entendre et comprendre.

— Je le lui ai dit, mais elle ne le croit pas.

Ce qui me faisait croire que ma décision était prise c'était cette prudence dont je l'entourais, la méfiance dans laquelle je me tenais.

— Peut-être que vous lui avez dit souvent sans avoir le courage de le faire.

— Je ne lui ai jamais dit. J'y pense depuis quatre ans [*illis.*]. C'est la première fois que je le lui dis.

— Peut-être que vous n'allez pas [*illis.*] le faire. Si ce n'est pas fait, jusqu'à la dernière minute vous ne pouvez pas le savoir si vous le ferez.

Elle était très sérieuse. On parlait comme des amis et non comme un homme avec une femme.

— Je le ferai, dis-je. C'est très simple. Je n'ai même rien à faire positivement. Elle fera ses valises, elle prendra le train. Moi je resterai là. Ce que je veux faire ne me demande même pas de bouger le petit doigt.

— Et si elle pleure ? Si elle vous supplie de prendre le train avec elle ?

— C'est une femme courageuse, dis-je. Elle ne pleurera pas.

La fille réfléchit.

— Je vois, dit-elle, de quel genre elle est.

— Et si elle pleure je n'irai pas l'accompagner, je resterai dans la mer, trois jours s'il le faut, pour ne pas la voir. Pour moi, c'est une décision très importante.

La fille me regarda avec beaucoup d'amitié.

— Si on dansait ? dit-elle. Ça vous ferait du bien.

Par ici, les filles avaient des seins de [marbre].

— Et vous ? lui dis-je. Qu'est-ce que vous faites ?

— Je suis servante, dit-elle, chez un écrivain. Je suis mariée avec un marin. Il y a longtemps qu'on ne s'aime plus mais on ne peut pas divorcer. Alors je prends la vie comme elle vient.

Elle me regarda de telle façon que je compris que si je voulais coucher avec elle, elle le ferait volontiers. Non pour me faire plaisir mais parce qu'elle aimait ça.

C'est elle-même qui choisit l'endroit.

— Comment t'appelles-tu ? dis-je.

— Candida, répondit-elle en riant. Comme si c'était un nom pour moi.

— Pourquoi, tu as beaucoup d'amants...

Elle s'assombrit pendant un très petit moment.

— Je serai servante toute ma vie, dit-elle, et toute ma vie je serai mariée à ce marin. Il faut beaucoup d'argent pour divorcer. Alors qu'est-ce qui me reste à faire d'autre ?

— Et quand il y en a un qui te plaît plus que les autres, tu le gardes ?

— Je le garde, bien sûr, et je fais tout pour le garder.

— Et quand tu n'y arrives pas, tu supplies, tu pleures ?

— Je supplie, je pleure, chaque fois, dit-elle en riant, et ça [m'occupe] au moins deux mois. Jusqu'à ce que j'en rencontre un autre. Il m'en faut toujours en avoir un.

Le lendemain je me levai tôt et j'allai sur la plage. Il faisait tout aussi chaud qu'à Florence mais ça n'avait plus d'importance ici, à Rocca. Bien au contraire.

Après le déjeuner que je prenais avec Jacqueline, j'allai me baigner dans la Magra tout seul. Jacqueline partit pour la plage. Je me baignai longtemps, jusqu'à une heure. Eolo m'avait prêté sa barque et je m'en servais comme plongeoir. Je longeais l'autre rive, et je vis le bal et l'endroit où nous avions été ensemble, Candida et moi. J'étais content de l'avoir rencontrée. Il y avait peu de maisons sur la rive de la Magra, mais par contre de grands vergers très bien soignés et qui comportaient chacun un petit ponton privé. À mesure que la matinée passait, la circulation sur le fleuve devenait plus intense. Les barques allaient dans tous les sens. Elles étaient recouvertes de bâches et on ne pouvait pas voir ce qu'elles transportaient. Sans doute des pêches et des citrons.

Je me baignai avec beaucoup de plaisir. La soirée que j'avais passée avec Candida m'avait fait du bien, un peu le même bien que m'avaient fait la rencontre avec le chauffeur de la camionnette et celle d'Eolo. Tout en nageant je repensais à elle, à Candida, et je me dis qu'il me faudrait essayer de connaître d'autres gens comme elle et le chauffeur. Et alors, pour la première fois depuis que ce chauffeur m'en avait parlé, j'eus envie de voir cette Americana. C'était évidemment une envie légère, très légère, qui me laissait tout à fait libre et que j'aurais pu surmonter. Mais il n'y avait pas de raisons de ne pas suivre cette envie. J'avais retrouvé ma curiosité avec les gens, et c'était pour cela que j'avais envie de voir comment était faite cette Americana dont tout le monde parlait.

« Je vais aller sur la plage, me dis-je. Tout le monde y est à cette heure-ci. »

Je rendis la barque à Eolo et partis pour la plage. En arrivant je vis immédiatement qu'elle n'y était pas. Comme ils disaient tous qu'elle était extraordinairement belle, c'était facile de voir qu'elle n'y était pas.

Je la regardai une dernière fois. Dans ses yeux, sous son [*illis.*], je vis de l'inquiétude : c'était vrai, je ne l'avais pas touchée depuis Florence. « Bonjour », me dit-elle. « Bonjour. » Elle s'éloigna de moi sans me dire un mot. Je fermais les yeux à moitié. Il faudrait que je lui explique, me dis-je, mais je ne pus rien lui dire. Je lui avais assez fourni d'explications le matin même. Puis il fit si chaud tout à coup que je l'oubliai.

J'étais rafraîchi par mon bain dans la Magra. J'avais marché dans la chaleur pour arriver à la plage, mais cette fraîcheur durait encore. Tout brillait autour de moi aussi fort que de la poudre d'or, la mer et le sable. Je fermais toujours les yeux à moitié. Lorsque j'ouvrais les yeux, les couleurs ensoleillées me cinglaient. Je le [fis] plusieurs fois : je fermais les yeux une longue minute et je les ouvrais brusquement. Les images étaient si fortes qu'elles me rentraient dans la cervelle. En fermant les yeux, j'emmenais la mer dans ma tête et elle me remplissait pendant quelques secondes. Le sentiment de ma défaite, qui jusqu'à hier soir me travaillait, se volatilisa. Ma décision de quitter l'État civil et Jacqueline était sereine, et je ne comprenais pas pourquoi elle m'avait demandé un tel effort pendant tant de jours.

Sous ce soleil-là, plongé dans ces couleurs-là qui me retournaient comme un gant, je me sentais très précisément sans aucune importance.

Je commençais à suer, à sentir sourdre la sueur sous mes aisselles.

Je savais bien que cela ne pouvait suffire de se laisser vivre. Mais en même temps, je me dis qu'à la rigueur, on pouvait s'en contenter. On pouvait se contenter de tout sous ce soleil-là, tout accepter, même de mourir. J'avais toujours eu très peur des maladies, des microbes, de la mort. Au ministère, quand je clôturais un acte d'état civil par un trait définitif au-dessus duquel, à la rubrique décédé, je mettais une date, j'allais me laver les mains. Même si le type était mort en Guinée, j'allais me laver les mains. Pour me laver de sa mort. Je repensai à cette manie et je me mis à sourire. J'étais un con mais je me trouvais sympathique. Tout à coup je tapai sur ma cuisse... fraternité. Il fallait célébrer ce moment. Il faut, me dis-je, que je fasse plaisir à ce con sympathique que je suis.

J'avais envie de quelque chose. De quoi au juste ?

Je cherchais — mon estomac faisait toujours glouglou. J'avais un excellent estomac. J'avais une excellente santé.

Je trouvai tout d'un coup de quoi j'avais envie. D'un apéritif. De quelque chose qui emprisonnerait mon estomac et exaspérerait ce glouglou libérateur. Je cherchai, et cela me prit toutes mes forces, de quel apéritif j'avais envie.

Je les passai tous en revue. J'hésitais entre le pastis et le Cinzano.

Je fus plein d'un espoir fou. Je n'avais jamais aimé le Pernod. J'avais essayé deux ou trois fois d'y goûter, mais sans plaisir. Au contraire j'aimais bien le Cinzano. Et voilà que tout d'un coup, je comprenais le pastis, la joie incomparable de boire un pastis, et que sans avoir à y goûter je me mis à l'aimer. Je me dressai — voilà que j'ai attrapé une insolation, me dis-je pour m'expliquer à la fois ce goût nouveau et la joie disproportionnée que j'y prenais.

Je remuai la tête dans tous les sens et je la pris entre mes mains. Comment savoir quand on a une insolation ? À part cette envie, je me sentais très normal. Je n'avais mal nulle part.

« Faut te calmer, me dis-je. C'est en cherchant à comprendre ce qui t'arrive que ça n'ira plus. »

Je ne pus pas arriver à trouver et je repris ma pose immobile, terrassé par l'envie de Pernod.

Jacqueline vint près de moi.

— Qu'est-ce qui t'arrive ?

— Rien, dis-je, c'est le soleil.

Son visage aux yeux fermés contenait du temps, et du temps comme d'autres, la fraîcheur et l'innocence. Jusque-là, je n'avais eu cette impression qu'en regardant les visages de certains hommes. Et, je le répète, certains paysages, certaines villes.

Non pas que sa beauté. C'était impossible autrement. Cette beauté qui vraiment était très grande, particulière, avait dû lui servir à acquérir une grande connaissance du monde. On la disait très riche, et c'était certain que la richesse devait être venue à elle comme les rivières à la mer. Mais de cela, j'en fus sûr dès la première minute, elle avait été pauvre autrefois. Elle ne devait jamais l'avoir oublié. L'argent ne troublait en rien la vision qu'elle avait du monde.

J'étais sûr qu'elle acceptait d'être riche avec une certaine douleur. La richesse l'avait obligée à une surveillance supérieure. Mais maintenant celle-ci lui était devenue naturelle, comme une conscience double, et donnait à tout son être une sorte de densité peu commune. Les gens nés dans l'argent, je l'avais remarqué, avaient tous quelque chose de commun : la négligence du détail, donc de la nuance. Tous m'avaient donné un peu l'impression d'avoir plus ou moins commencé à mourir. J'avais toujours [trouvé qu']un visage d'ouvrier mort est moins mort qu'un visage d'homme riche vivant.

C'était une sorte de paysage que cette femme. Sa beauté n'était pas une beauté naturelle. Elle devait s'être faite dans le temps et dans l'histoire. Tout le monde devait avoir une histoire, mais elle, à cause de sa beauté, elle devait en avoir une à part. C'était bien ça. Il se dégageait d'elle, non seulement de son visage mais aussi de son long corps nu, une sorte de paix éveillée qui n'était [pas] essentiellement différente de la sérénité des femmes, mais qui rappelait celle des hommes d'expérience et d'intelligence.

*

Lorsque je me suis réveillée, je n'ai pas immédiatement regardé le réveil. Je n'ai pas ouvert les yeux. Mais ma fenêtre était ouverte et j'ai entendu que quelqu'un longeait la rue, quelqu'un qui marchait d'un pas rapide, régulier. Puis, tandis que ce quelqu'un était arrivé au bout de la rue, quelqu'un d'autre pénétra de nouveau dans la rue. Tandis que le pas du premier s'effaçait, le pas du second s'amplifiait jusqu'au moment où il est passé devant ma fenêtre et où, dans la rue vide, car à ce moment-là, l'autre avait quitté la rue et il était seul, il se détacha avec une intense sonorité.

J'ai compris alors que le matin était arrivé et que déjà, des gens partaient pour leur travail.

Saint-Germain-des-Prés a sonné six coups. J'ai ouvert les yeux. Il faisait une lumière gris pâle. Je ne sais pas de quel côté le soleil se lève, mais ça doit être de l'autre côté de l'École de Médecine. À travers les fondations de ciment armé il sortait une lumière. C'était ni une couleur, ni du jour, c'était de la lumière. On aurait pu dire qu'elle était grise, grise à travers les piliers gris du ciment armé. Tout le reste était dans l'ombre, et moi-même dans mon lit, j'étais dans l'ombre épaisse du fond de ma chambre, et je voyais l'École de Médecine qui se détachait au loin, comme un écran. Je ne pouvais pas me rendormir, ni tenir les yeux fermés. Il arrive qu'on se réveille ainsi, sans raison, et que l'on ne puisse se rendormir. Je regardais l'École de Médecine et tout en la regardant, j'écoutais. Un pas relayait l'autre, dans la rue. Ces pas martelaient le silence, ils l'occupaient intégralement, ils occupaient intégralement l'espace sonore qui va du boulevard Saint-Germain jusqu'à la rue Jacob. J'ai aussi entendu un bruit clair, celui d'un renversement d'eau. C'était une gouttière qui se vidait. Il pleuvait. Pas une pluie forte, mais une pluie régulière, bien installée. J'ai pensé que les gens qui passaient marchaient sous la pluie. J'ai soulevé la tête de mon oreiller et je l'ai tournée vers la fenêtre ouverte. De cette façon j'ai pu entendre la pluie. C'était un très léger bruissement, mou, plein. En même temps que j'écoutais, je regardais : c'était un bruissement mou, dans de la lumière grise. Des gens passaient toujours.

Je ne pouvais pas me rendormir. Tout à coup, je ne le pus pas. J'étais éveillée plus qu'à n'importe quel autre moment de la journée. Je me rappelais avoir été réveillée de la sorte, au petit matin, et c'était toujours un éveil à part — dans le corps lavé par le sommeil et immobile, et sans la préoccupation du lever, l'éveil se coule, clair, et on pense et on ressent, on écoute et on voit en soi et au-dehors comme à travers une vitre. La concierge a traîné la poubelle depuis la petite cour intérieure de l'immeuble jusque dans la rue — le bruit de la poubelle sur les dalles de l'entrée était sourd et grondant, très fort, dans la rue il est devenu clair et métallique, avec un temps d'arrêt au moment où la concierge l'a fait glisser sur la marche, de l'entrée au trottoir. Le bruit était métallique et gris dans la lumière grise.

J'ai alors pensé très puissamment à Mme Fossé, ma concierge. Je l'entends très souvent sortir la poubelle, pas chaque matin, mais néanmoins peut-être une fois par semaine. C'est un travail qu'elle déteste. Au moment où je l'ai entendue, j'ai imaginé son visage maussade et tendu par l'effort. Elle dit que c'est un travail pénible, au-dessus des forces de son âge, elle a soixante-neuf ans, et que si les locataires vidaient leur poubelle chaque jour comme ils devraient le faire, la cuve serait moins lourde, mais qu'ils s'en fichent, qu'ils ne la vident que lorsqu'elle est si pleine qu'ils ne peuvent plus rien y mettre. Je me rappelais que la concierge m'avait fait cette réflexion bien souvent, et que je lui disais que tout compte fait, ça devait revenir au même du moment que tous les locataires ne vidaient pas leur poubelle chaque jour. Mais ceci, ma concierge ne peut le comprendre, ou elle ne le veut pas. Elle dit que la poubelle est lourde, trop lourde pour ses forces. À mon avis, je crois que c'est surtout moral chez elle. Ce qui lui est insupportable, c'est d'avoir dans la cour, si près de sa loge, une cuve pleine d'ordures puantes parce que vieilles de plusieurs jours, de la traîner, et d'en sentir les miasmes pendant qu'elle la traîne. Elle dit qu'à voir ces locataires si bien habillés et, à considérer le montant des loyers de l'immeuble, si riches, jamais on ne pourrait croire qu'ils sont assez dégoûtants pour supporter chez eux des ordures pourrissantes, et cela pendant plusieurs jours. Et ainsi, chaque matin, lorsqu'elle traîne la cuve d'ordures, ma concierge repense-t-elle amèrement ou plutôt, revit-elle (au sens de revivre), un aspect de l'humain qu'elle se sent seule à connaître, et qui la rend d'autant plus amère qu'elle est seule à le connaître et ne peut le partager avec personne. Et, du fait de sa condition, qu'elle se voie obligée d'assumer cette tâche dégoûtante, d'en passer par là, sous peine d'être renvoyée de sa place, d'être obligée en fin de compte de vider ces ordures, puantes parce que bon semble aux locataires de ne les vider que selon leur bon plaisir, lui fait revivre chaque matin l'horreur de sa condition. Cela fait quatre ans qu'elle traîne cette cuve et quatre ans qu'elle se plaint des agissements des locataires à son égard, lesquels elle n'a jamais pu convaincre de la véritable horreur qu'elle éprouvait à l'idée qu'ils la méprisaient assez pour ne pas faire cet effort qu'elle prétend minime, de vider chaque jour leur poubelle.

Lorsque je l'ai entendue ce matin et que j'imaginais son visage tendu par l'effort et le dégoût, qu'elle doit écarter de la cuve alors qu'elle la traîne, j'ai pensé que c'était là le visage bouleversant d'une dignité farouche et inexpugnable. Car, je le répète, elle n'a jamais pu s'y habituer. Et dans cette lumière grise, dans cette pluie tenace, ce matin, ça m'a été très apparent. C'était une heure violente, et encore le mot n'est pas juste, une heure forte conviendrait mieux je crois — une heure qui a de la force, parce que vierge, naissante, l'heure où le soleil n'est pas encore levé mais où il va se lever, où cet immense événement s'annonce. Voilà où est la force de l'heure : c'est qu'elle [est] celle de l'espoir et qu'elle en a tous les caractères, car elle contient plus de promesses que n'en tiendra le jour qui naît, car à mesure qu'il s'écoulera, cet espoir s'ensablera de nouveau dans la nuit qui suivra ce jour, mais du moment qu'il n'est pas né, cet espoir est intact et plein de l'inconnu du jour qui vient, et qui maintient dans l'homme le feu brûlant de la vie.

Qu'il faudrait pouvoir dire ces choses, et les dire si bien, si adéquatement, qu'il serait inutile ensuite d'essayer de le faire, et bien que ce que je dis là soit une énorme absurdité, car autant dire qu'il pourrait exister une réussite auprès de laquelle toute autre, fût-elle incomparablement plus valable, tomberait d'elle-même parce que conditionnée par la première, j'ai appris à regarder, écouter les choses, et à ne m'accorder dans l'affaire que l'importance de « l'autre ». Cet homme qui marche seul, d'un pas rapide, qui habite la rue plus complètement et plus suggestivement, d'une présence plus réelle et plus impressionnante que celle d'un héros de tragédie sur une scène de théâtre, je l'écoute en lieu et place d'une collectivité, je suis à l'écoute, à moi seule, [de] toute une ville éveillée et troublée, car cet homme ne me concerne pas en tant qu'individu particulier ayant une expérience et une sensibilité particulières, mais en tant que membre de cette collectivité dont nous sommes tous deux, au même titre. Ce qu'il y a d'extraordinaire, c'est que cet homme qui marche est n'importe qui, je suis n'importe qui qui écoute marcher, et cet anonymat existe avec une très grande force et m'emplit de joie — d'amour — d'espoir.

Rien ne s'était passé que ceci : un homme passe sur le trottoir et je m'éveille à ce moment-là, lavée par le sommeil, neuve, disponible, et voilà que ses pas me passent sur le corps et s'incrustent, et emplissent de leur sonorité cette conque que je suis. Ceci est habituel, de même que le grondement de la poubelle. Et bien que je connaisse Mme Fossé, je la retrouve alors, abstraite des relations particulières que nous pouvons avoir, elle est n'importe quelle vieille femme qui traîne une poubelle à six heures du matin, maudissante, aigrie, terrible, elle penche sur cette poubelle un vieux visage ridé, indigné, sauvage, elle le fait pour pouvoir manger jusqu'à sa mort, après soixante ans de travail. Après soixante ans de service, elle se retrouvait ce matin à traîner sa poubelle, dans la pluie, seule, inconnue, et se retenant de hurler à la face du monde l'horreur qu'elle en a. Il faudrait pouvoir décrire cela : un homme qui marche seul dans une rue vide, au petit matin, alors que vous venez de vous réveiller, que le jour filtre à peine à travers une bâtisse de ciment armé, et au même moment une vieille concierge traîne, de sa cour à la rue, une poubelle pleine d'ordures puantes, et vous entendez le bruit de la poubelle et les pas de l'homme, alors que vous êtes dans votre lit, dans la chaleur, le repos, l'abandon.

*

[...] existence si parfaite qu'elle se pourrait vivre en lieu et place de la vôtre, parfois je le souhaiterais, et qu'ensuite les hommes abandonnent la vanité de l'écriture. Je sais ce que va dire Dionys, que j'ai lu trop de Hemingway ces temps-ci. Je lui montrerai mon texte et il dira : « Vous avez lu Hemingway ces temps-ci, n'est-ce pas ? » et il me laissera, complètement désespérée. Je lui dirai : « Il est vrai que j'ai lu *Les Vertes Collines de l'Afrique*. Mais vous savez, ce que j'écris là — croyez-vous que je n'aurais pu l'écrire tout aussi bien, un jour ? » D'ailleurs, l'histoire de la poubelle, si histoire il y a, elle m'appartient, c'est une histoire stagnante et lente, et qui me procure une joie et une tristesse qui n'a rien à voir avec celles, fulgurantes, des héros de Hemingway. Un jour viendra où je répondrai à Dionys une phrase définitive. Cela fait quatre ans que je la cherche, mais je ne l'ai pas trouvée. C'est toujours lui qui formule la phrase définitive à mon sujet. Il faudrait beaucoup s'étendre là-dessus, et expliquer que moi je crois aux formules définitives de Dionys et du seul Dionys, et pas Dionys aux miennes. Je ne lui ai jamais rien dit de définitif à propos de quelqu'un que nous connaissions, parce que je crois que rien de définitif ne peut être dit de quelque chose qui, de par son caractère mouvant, peut démentir à tout moment votre affirmation. Pourtant, au sujet de Robert, c'est une perpétuelle tentation, et lui-même, Dionys, n'y échappe pas. Parce que Robert a dans la vie, et à propos de ses moindres gestes, de la moindre de ses paroles, de ses pensées profondes aussi bien que de la façon dont il déambule dans une rue, une telle harmonie, que, inévitablement, on en recherche le secret. L'autre jour, j'ai dit que Robert agissait par tropismes, et je ne suis pas mécontente de la formule. Mais Dionys dit que ce n'est pas suffisant, il cherche lui aussi. En ce qui concerne Robert, c'est irrésistible. On devrait pouvoir se taire, mais instinctivement on cherche à formuler son émotion à le voir se nourrir, se raser, ou simplement dormir.

En été, Mme Fossé, ma concierge, sort, de même chaque matin, sa grosse cuve de poubelle. Mais à cette heure-là en été, il fait jour, et la tenancière de la pension « L'Abbaye », qui est en face de mon immeuble, se tient sur le pas de sa porte. Alors elles se parlent. Et à cette heure-là, le silence de la rue est tel que de mon lit, lorsque je suis éveillée, j'entends très distinctement leurs paroles. C'est toujours ma concierge qui commence : elle ne lui dit pas bonjour, elle se plaint des poubelles. Elle dit : « Quand même, il y a de l'abus. » Et Mlle Ginsbourg lui répond invariablement qu'en effet, il y a de l'abus. À cause de la présence de Mlle Ginsbourg, en été, la souffrance de Mme Fossé est plus supportable, car au moment le plus critique elle trouve un écho en

Mlle Ginsbourg. Après qu'elle s'est plainte, sa voix se fait plus douce, et en général elle parle de la journée qu'il va faire. Elle dit : « Le ciel il est lourd, va faire de l'orage », ou bien : « Le ciel il est clair, va faire beau. » Mlle Ginsbourg approuve ou ajoute quelques nuances, elle dit : « Ça se lèvera vers midi », ou bien : « C'est pas dit qu'il fasse beau, le ciel est lourd de ce côté-là. » Elle doit désigner du doigt le côté en question, mais je ne sais lequel.

Parfois, lorsque le balayeur a commencé à balayer la rue Saint-Benoît un peu plus tôt que d'habitude, ou que Mme Fossé est en retard sur son horaire, il se trouve qu'il est en train de balayer à la hauteur du numéro cinq lorsque Mme Fossé et Mlle Ginsbourg se parlent de leur pas de porte, alors il se mêle à la conversation, sous l'adjuration de Mme Fossé. La conversation prend alors un tour plus général et plus philosophique. Il est question de leurs emplois respectifs, et des avantages et désavantages qu'ils comportent. Le balayeur dit que son métier est dur en hiver, et en particulier quand il neige. Mme Fossé dit, plus brièvement, que le métier de balayeur est un métier, tandis que le sien n'en est pas un. Elle lui dit que lorsqu'il a fini son travail, il a fini son travail, qu'en dehors de ses heures de travail il peut faire ce qu'il veut, et qu'elle, au contraire, n'en a jamais fini, que même la nuit, elle reste concierge, qu'elle est toujours réveillée par la sonnette, qu'elle ne peut pas prendre de vacances car si elle trouvait, à la rigueur, quelqu'un pour lui garder sa loge, personne par contre ne se chargerait de vider sa poubelle à sa place, que ça n'a l'air de rien d'être concierge, mais que c'est une sale situation, surtout rapport aux poubelles, etc. Elle est concierge la nuit, le jour, à chaque minute de sa vie. Elle s'explique mal. Elle ne fait pas grand travail, mais elle est dans l'état de concierge nuit et jour. Elle épie les pas dans l'escalier nuit et jour. Condition si strictement superposée à sa condition humaine, qu'à y bien penser, elle est cauchemardesque, [elle] coïncide avec l'« autre » si parfaitement. L'idée fixe. L'horreur. La glu sirupeuse du cauchemar. Ne pas en sortir.

Jamais elle ne s'explique longuement à ce sujet. Mlle Ginsbourg prend rarement part aux conversations du balayeur, dont elle ne partage pas les opinions politiques. Comme ils se parlent chacun de l'endroit où ils se trouvent, c'est-à-dire des pas de porte et du milieu de la rue, ils parlent haut et leurs voix m'arrivent claires, distinctes. En été, lorsque le soleil perce, rose et safran, à travers l'échafaudage de l'École de Médecine, ces voix arrivent, entremêlées du bruit sonore des pas des passants sur les trottoirs de ciment, jusqu'à moi et, cela dépend des jours, elles m'engourdissent plus avant dans le sommeil, ou elles me transpercent comme des flèches de lumière, m'inondent d'une clarté si intense que je ne peux me rendormir.

Lorsque Mme Fossé parle du jour qu'il va faire, avant d'ouvrir les yeux, je sais la couleur du ciel, je sais que le matin est arrivé, et cet instant qui se lève sous la voix de Mme Fossé est proprement irremplaçable pour moi. Mme Fossé dit les choses comme elle les voit, elle les dit brièvement, et sa voix, plus claironnante, plus prophétique que le chant du coq, annonce l'événement du jour qui vient. Le coq chante chaque matin, indistinctement, métaphysiquement. Mme Fossé, elle, me remue les entrailles, parce qu'elle dit humainement, et en vertu d'une expérience humaine mûrement consommée, le sort d'une journée de l'homme, qui sera ce qu'elle sera, mais contre l'aspect général de laquelle elle ne peut rien.

L'année dernière, dans le fond du jardin de sa pension, Mlle Ginsbourg élevait un coq, et je l'ai entendu bien des fois. C'est ainsi que j'ai pu comparer le retentissement de son message avec celui de Mme Fossé. Il arrive que le balayeur donne son avis sur le temps qu'il fera, mais il le fait sur un ton désabusé, et non avec la gravité de la concierge. Bien qu'il soit jeune, ce balayeur s'est fait, de l'idée du temps qu'il va faire, une fatalité inéluctable. Qu'il fasse beau ou mauvais, son emploi du temps ne change guère, il balaie la rue Saint-Benoît, la rue Jacob dans toute sa longueur et, je crois, la rue Bonaparte. C'est différent pour Mme Fossé, surtout en été.

S'il fait beau, elle s'installe sur une chaise devant sa porte et pendant deux heures durant, après le déjeuner, elle détricote de vieux pull-overs, qu'ensuite elle retricote patiemment et tout en interpellant les habitants de la rue qu'elle connaît. Nous avons eu des conversations sur ce balayeur. Pendant un temps, sa démarche sûre, sa belle tête intelligente et je ne sais quoi de noble dans l'allure, m'impressionnaient. Nous nous saluions chaque jour. À grands gestes réguliers, de son grand balai, campé au milieu de la rue, la casquette sur l'oreille gauche, *L'Humanité* bien en vue dépassant de sa poche, il faisait son travail avec à la fois une désinvolture et une efficacité souveraines, ne se dérangeant jamais même au passage de gros camions, qui sont obligés de contourner sa personne pour passer. Je demandai un jour à Mme Fossé si le balayeur faisait partie du Parti communiste. Elle me dit qu'elle l'ignorait, mais qu'il tenait un langage qui aurait pu le faire croire. Je ne sais à quelle occasion j'abordai ce balayeur, et lui posai habilement la question. Il me dit qu'il était communiste de sentiments, mais qu'il n'était pas inscrit, parce que la politique le dégoûtait et que jamais il n'entrerait dans un parti quelconque, qu'il était bien trop libre pour cela. Il me dit tout cela d'un air gêné, et je m'y attendais si peu que je ne sus quoi lui répondre. Je le quittai, déçue. Depuis, nous nous serrons la main, mais n'abordons jamais la question de savoir s'il a changé d'avis. Il reste très noble à mes yeux, mais je crois moins à sa désinvolture depuis que je sais que ce n'est pas celle, hautement consciente et élevée à la hauteur d'un principe, d'un ouvrier conscient, mais plutôt celle d'un homme désabusé et naïf qui joue à l'individualiste, qui ne se veut aucune contrainte excepté celle de son travail qu'il subit sans l'aimer, ce qui l'aigrit chaque jour davantage, sans lui permettre de l'élever à l'altitude revendicative et de le sauver. J'ai essayé d'expliquer cela à Mme Fossé, en lui disant qu'un homme tel que le balayeur, dans toute sa jeunesse et la force de son âge, du moment qu'il restait balayeur, devait devenir militant communiste ou bien essayer de faire autre chose, de changer de métier. Mme Fossé m'a dit que c'était dommage en effet, sans s'expliquer, mais avec sincérité ; elle ressentait que c'était dommage qu'il ne fût pas du Parti communiste, mais elle ne me parut pas convaincue.

Et puis une amitié la lie au balayeur, et tandis que je lui parlais, elle se demandait, je l'ai bien vu, si mes paroles ne contenaient pas une certaine médisance à son égard. Il est vrai aussi qu'elle ne connaît rien du Parti communiste, et qu'elle a dû comprendre que je doutais des sentiments communistes de son ami. Il lui casse son bois, et lorsqu'elle est malade, c'est lui qui traîne la poubelle, en contrepartie de quoi elle lui donne un paquet de cigarettes de temps en temps. Ne ferait-il rien de positif pour elle, du moment qu'il l'écoute lorsqu'elle se plaint des locataires, elle le considère comme un ami sûr et compréhensif. Je lui ai dit un jour que de se plaindre de la sorte au balayeur, et à Mlle Ginsbourg, et à moi-même, ne la menait à rien, et qu'il lui fallait adhérer au Syndicat des concierges du VIe, que là seulement elle trouverait un écho à ses plaintes, et que par la suite, si beaucoup d'autres faisaient comme elle, le syndicat trouverait bien un moyen d'agir sur les locataires. Elle y a mis du temps mais elle s'est inscrite, et depuis c'est un des membres les plus assidus du Syndicat. Son moral est meilleur depuis qu'elle partage ses soucis avec d'autres concierges, et qu'elles unissent leur colère et leur indignation.

Ce matin, je n'ai entendu ni Mlle Ginsbourg, ni le balayeur, mais seulement le bruit de la poubelle sur les dalles et sur le trottoir. Car c'est encore l'hiver et Mme Fossé n'a pas à qui parler. Je l'ai imaginée restant un moment sur sa marche, à regarder la pluie tomber, et en espérant la venue du balayeur. Puis elle a dû rentrer. Je ne pouvais pas me rendormir. Une fois que j'ai écouté la poubelle, j'ai essayé de me rendormir, mais mes paupières se relevaient d'elles-mêmes. La lumière se faisait plus nette à travers l'échafaudage de l'École de Médecine et de Saint-Germain-des-Prés et de… Le son des cloches de la première messe arrivait. J'ai pensé à ce que j'allais faire de la journée, en dehors des obligations ordinaires de mon travail et du ménage. Il faudrait que je me décide à mettre des rideaux aux fenêtres du salon et à changer la table ronde de la chambre de Robert, et lui mettre à la place la table de bridge de la salle à manger. Je voulais que Robert eût une chambre tranquille, et pourvue d'un tel confort qu'il pourrait y travailler à son aise. Je pensais que j'aurais voulu voir R. heureux et D. de même, ces deux-là en particulier. Et ensuite que tout le monde fût heureux. Il me semblait que si Robert avait cette table carrée dans sa chambre, il y serait à l'aise pour travailler, et qu'ayant bien travaillé durant toute la journée, le soir il serait heureux. Je me sentais bonne et disposée à me dépenser pour le bonheur des autres, de Robert et de Dionys en particulier. Les gens passaient toujours dans la rue.

Une nuit, il n'y a pas si longtemps, un homme et une femme sont passés sous mes fenêtres. C'était le cœur de la nuit. Ils chantaient une certaine chanson, je ne sais pas laquelle, mais il me semblait l'avoir déjà entendue, une fois, seulement une fois dans ma vie, peut-être dans une heure de bonheur. C'était un air bien scandé, qui avait le rythme et le ton d'une ritournelle ancienne. C'était donc le cœur de la nuit et à cette heure-là, qui était celle du sommeil, il y en avait deux qui chantaient cette chanson. Seuls dans le monde, ils chantaient, d'une voix douce, appliquée, ils ne braillaient pas comme des ivrognes, ils s'écoutaient chanter. Seuls deux qui s'aimaient, qui étaient encore dans le vif d'un amour naissant, pouvaient chanter de la sorte, au cœur de la nuit, seuls, à cette heure où l'humanité écrasée d'oubli se repaît de sommeil, eux avaient ce loisir de s'appliquer à chanter. Au cœur de la nuit vide, à ce point de jonction des deux versants de la nuit, cette chanson s'élevait : c'était une fleur rouge qui tout à coup sortait de la nuit de pierre. Chanson contre la mort, à vous faire soulever des montagnes. Toute ma chair se mit à crier et j'eus envie d'un homme, et le couple s'était éloigné depuis longtemps, je continuai à ne pouvoir dormir de l'envie d'un homme. J'étais seule. J'imaginais qu'un homme aurait pu rentrer. Un inconnu. Surtout un inconnu, inconnu comme la rue. Pourquoi ? sans doute par souci de pureté. Pour que ne soit pas mêlé le sentiment à cet instant où l'amour des autres, de ceux-ci qui venaient de passer, me comblait. L'inconnu m'aurait pénétrée complètement et serait resté immobile et muet, et moi, de même, immobile et satisfaite, remplie de ce dont j'étais vide, d'un sexe d'homme, pleine comme un verre de vin, en communication avec autrui, avec le monde par cette verge encastrée en moi, qui me planterait au sol.

On est immobilité et ce [à quoi] on aspire c'est cette immobilité.

Deux sont passés ensemble, et ils parlaient entre eux, tout en marchant vite sous la pluie. Je me suis dit que si chacun pouvait écouter la rue de la sorte, chaque matin pendant un certain temps, il changerait par la force des choses. Il n'y a pas si longtemps, j'ai pris le métro à six heures du matin, tout le monde lit *L'Humanité* dans le métro. Il y a là une coïncidence entre le sort de l'ouvrier et son appartenance au PC qui, s'ils en prenaient conscience comme d'un fait, aussi réel et indiscutable qu'un fait purement matériel (aussi matériel que la constatation des grandes lois sociales qui règnent dans notre société), qui, s'ils l'observaient, ferait réfléchir et découragerait beaucoup de gens, juste assez pour les fatiguer d'imaginer le réel au lieu de le voir, et de créer en eux une disposition à recevoir ce réel, naturellement et sans préjugés. Je me suis dit cela, et qu'il faudrait le dire bien et simplement, mais c'est très difficile. J'écoutais la rue, les pas, j'avais entendu le grondement sinistre de la poubelle que, en vertu d'un sort de classe, Mme Fossé se voyait obligée de porter chaque matin, et ce matin-là en particulier, si seule sous la pluie, et je me sentais au cœur d'une réalité vivante qui s'emparait de toutes choses, et de mon corps, et de mes pensées, qui étaient claires et nettes comme les choses.

Et alors l'enfant que j'ai dans le ventre a bougé. Il a bougé pendant que passaient ces ouvriers, dans la réalité précise de la rue. Je n'avais pas oublié mon enfant, tandis qu'il se tenait immobile au fond de mon ventre, car peut-on oublier qu'on est vivant ? Mais au moment où il a bougé, il s'est ajouté harmonieusement à la réalité environnante. C'est au moment où, lassée d'essayer de me rendormir, je m'étais délibérément mise sur le dos, les oreilles bien dégagées de mon oreiller, qu'il a bougé. Il s'est mis à grouiller juste un peu au-dessus du pubis, et alors j'ai posé mes mains à plat sur cette partie de mon ventre, pour le sentir. Il soulevait mes mains et furetait là-dedans, si joyeusement et d'une façon si matineuse, que j'en ai souri. Je me suis demandé s'il dormait, car il y a des moments d'immobilité et des moments de mouvement, de grouillement, d'impatience. Avec mes mains j'essayai de sentir ses formes mais je ne sentais que son contour, surtout en hauteur, depuis peu au-dessous du nombril jusqu'au pubis. Il était profond en moi, presque contre mon dos, et dans ce chaud bassin il s'ébattait à l'aise, m'habitant et me chahutant à son aise, grandissant et se fortifiant chaque jour, me suçant un peu de mon sang, chaque jour, éprouvant ses forces chaque jour plus grandes, jusqu'au jour où, fait, accompli, il s'immobiliserait dans une solennelle gravité, pour franchir ce passage de ma chair qui le sépare du jour. J'ai déjà eu un enfant, et je sais que ce moment est terrible où, tête baissée, il creusera, enfoncera mon utérus, jusqu'au moment où il sera assez large pour y passer tout entier. À ce moment-là il ne remuera plus, et son cœur battra plus vite sous l'effort. Je sais, car j'ai déjà eu un enfant, que c'est une souffrance terrible et qu'elle m'attend dans trois mois. Ce matin, alors que je le sentais remuer sous mes mains, dans la nuit de mon ventre, à peine séparé de moi par cette paroi souple de ma peau, je pensais à l'accouchement, à ce passage qui se ferait, à cette sortie, et je ne pouvais l'imaginer tant était clos mon ventre, tant il y était paisible, tant béatement il contenait mon enfant. C'est une chose extraordinaire. Bien sûr, elle a été vécue et dite et décrite, mais néanmoins elle reste extraordinaire.

Mais ce matin, si extraordinaire qu'elle m'ait paru, elle prenait place dans cette totalité du petit jour, et non moins extraordinaire était d'entendre les pas des premiers ouvriers sur le trottoir, le bruit de la poubelle sans écho, l'écoulement lent et régulier de la pluie, de savoir que le jour allait insensiblement monter, et enfouir tout cela dans sa diversité et dans la multiplicité de ses aspects. Mais pour le moment, quelques-uns de ses aspects — l'ouvrier du matin, solitaire, marche vite sur le trottoir — l'horreur de la condition forcée de Mme Fossé gronde et se fait voir — mon enfant dans mon ventre — étaient isolés, et me donnaient à ce point ce que Paulhan appelle « l'illusion de la totalité du monde » qu'il me semblait le toucher avec mes doigts, sentir sous mes doigts une abstraction. Mes mains sur mon ventre, l'ouvrier marchait et se déplaçait dans le déclic régulier de ses pas, et cela se passait dans le silence obscurci par le grondement de la poubelle du prolétariat opprimé.

Je voudrais rendre la joie de cette heure. Ce n'est pas une exaltation, une excitation de l'esprit. La joie ne venait pas du jour qui se levait sur ces choses, mais plutôt de ces choses qui se levaient dans le petit jour — tout comme s'il existait un matin apparent des choses. Pendant que des enfants se font, que grandit l'horreur du prolétariat opprimé, des hommes vont travailler à l'usine et préparer la libération. C'était une heure qui s'ouvrait sur l'avenir de toutes les façons. Ce n'est pas parce que je suis communiste [mais] ce matin, je l'ai vu et pris dans un certain sens. Du moins, je ne le crois pas. Comment le savoir ? Il me semble que n'importe qui d'autre, ce matin, aurait vu la pluie, entendu les pas, le grondement de la poubelle, et senti son enfant remuer dans son ventre de la même façon, et aurait trouvé un lien fondamental d'imbrication entre ces diverses manifestations de la nature.

Mais peut-être est-ce parce que je suis communiste, que je crois que n'importe qui les sentirait pareillement. Dionys me dirait qu'on ne [le] dit pas, que c'est faux de le dire. Qu'on ne l'annonce pas. Je suis d'appartenance communiste, ce qui ne veut pas dire que je le suis, dirais-je. Entre Pise et Florence, je l'ai dit au chauffeur de la camionnette auprès duquel j'étais assise. Je le lui ai dit mi-en anglais, mi-en italien. Arrivés à Florence, j'ai dit à Dionys que je lui avais dit, cette fois il m'a donné raison. Nous sommes allés boire un chianti dans une cafeteria, Dionys, Robert, le chauffeur, un maçon et moi. Nous avions été « reconnus » à Pise, par le maçon qui était aussi un camarade. Nous attendions le car, lui aussi (il faisait partie d'une équipe d'ouvriers de la reconstruction à Pise, et chaque samedi, ils rentraient à Florence). Lorsque la camionnette est arrivée, il est allé dire au chauffeur qu'il y avait là des « compagnons » français, et qu'il fallait les prendre parce que le car qui arrivait de Viareggio le samedi soir, c'était plein. Ainsi, pendant que je connaissais mieux le chauffeur, Dionys et Robert faisaient connaissance du maçon, auxquels ils disaient qu'eux aussi étaient des compagnons. C'était fin août. Le chauffeur a commencé à propos de Gasperi. Chaque fois qu'il prononçait « Gasperi », il lâchait le volant, brandissait ses poings et tapait sur le volant, alors l'auto faisait une embardée et on entendait les bâches qui couvraient le camion claquer dans le vent. C'était un Toscan ce chauffeur, il avait vingt-cinq ans, il était très beau. Il m'a dit qu'il était internationaliste, et qu'entre « toi et un de mes compagnons de Florence, je ne fais aucune différence ». Quand nous passions dans des villages, il marchait très lentement afin que je puisse lire les inscriptions à la craie sur les murs des maisons, « Viva il Partito Comunista », « Viva la Repubblica », et le V renversé devant « Il Re ». Je lisais chaque fois attentivement, et je lui disais qu'en France c'était la même chose, qu'on se servait des mêmes procédés. Il a parlé de Gasperi et je lui parlai de de Gaulle, et de la façon dont nous nous en étions débarrassés. Il était heureux, toute analogie entre nos deux pays l'exaltait.

Le ciel était rouge lorsque nous avons débouché dans la vallée de l'Arno, au-dessus du fleuve, sur les collines toscanes, les seules du monde à être habitées de cette façon qu'on ne pourrait les imaginer vierges, se profilaient les cyprès et de loin en loin, entre les villages, de longs monastères plats, écrasés par des toits aux angles larges, aux portes rondes. Je demandais au chauffeur : « Es-tu de Florence ? » et il me disait : « Pas de Florence même, mais de Toscane, de par ici. » Je regardais. L'Arno était vert entre ses berges sombres, vert comme de la mousse, l'auto filait sur la route, sans phares encore. Il faisait frais, la chaleur était tombée. Juste comme on débouchait dans la vallée de l'Arno, il fit frais, et on pouvait croire que la fraîcheur montait du fleuve, irisée par les forêts d'oliviers et par les hautes berges rocheuses et mousseuses de l'Arno. Florence nous attendait au bout de la route. J'étais très impatiente de voir Florence. Le chauffeur, toutes les dix minutes, me disait : « Encore vingt minutes, un quart d'heure et tu la verras, les collines de Fiesole, aussi. Nous passons juste au-dessus de la *Citta* ! »

Je ne sais pas pourquoi je parle de ce chauffeur, et de ce soir où nous vîmes Florence pour la première fois. Pourquoi n'en parlerais-je pas ? Cette heure-là, près de ce camarade italien, était aussi limpide que ce matin. Certes, elle n'avait pas le même sens, mais ce matin j'y ai repensé, ainsi qu'à notre séjour à Bocca di Magra. J'y ai pensé parce qu'ayant entendu la pluie, et, les mains sur mon ventre, à surprendre mon enfant, j'ai pensé à ma mort, ou plutôt qu'à ma mort, à mon âge. J'ai trente-deux ans et ce matin, comme tout était si clair, le chiffre trente-deux suivi du mot : « ans » m'est apparu, et il est arrivé se plaquer sur moi. La foudre. C'était un chiffre qui me concernait. J'avais vécu trente-deux ans. Je connais ces moments-là. Inutile de les décrire.

Lorsque je l'entends, je le ressens comme essentiellement quotidien. C'est chaque matin qu'il a lieu, chaque matin de chaque jour, de chaque jour de l'année, moi je ne l'entends que rarement et lorsque cela arrive, je ressens que je ne l'entends pas chaque jour mais que chaque jour il a lieu, je l'entends comme tel, quotidien. Je voudrais arriver à exprimer cela parfaitement. Dans la tempête abstraite de bruit d'une locomotive qui passe près de vous (le seul qui vous annule, qui vous vide, on est un pou sous ce bruit), toutes les locomotives passent et vous ressentez qu'il en existe des milliers dans le monde, qui existent et que vous n'entendez pas, et vous vous situez, dans un fulgurant éclair de conscience, dans le monde des locomotives du monde, dans votre monde plein de locomotives qui, dans toutes les directions, hurlent et filent, charriant des nuées de wagons remplis de vos contemporains qui voyagent. De même la poubelle, dans le temps cette fois, me fait ressentir le monde des poubelles de mon monde, de ces poubelles pleines de ces épluchures, boîtes de conserve vides, de mes contemporains qui mangent, remangent, mâchent et remâchent pour durer, se conserver en vie, qui digèrent, assimilent, redigèrent, s'entretiennent, dans un effort de persévérance inouï, et d'une telle ampleur et d'une telle régularité qu'elle est plus probante, à elle seule, de la volonté de durer des hommes, que les plus fameuses des cathédrales, que l'on cite pourtant en exemple, mais qui ne sont que des records de persévérances accumulées et qui étonnent par leur caractère gratuit, qui n'étonnent que ceux qui n'entendent pas l'énorme rumeur de broiement, de rumination chaque jour répétée, des hommes. Cette rumeur, cette rumeur, reprise en écho par les poubelles, c'est le bruit le plus parfait qui existe pour vous situer dans votre contemporanéité, dans votre historicité, c'est le cri de la fraternité car tous mangent et, refusant de ressembler en quoi que ce soit à votre ennemi, vous faites comme lui, vous durez. À ce grand [effort], sur ce sous-sol, poussent d'autres [efforts].

Bientôt elle ressortit, et dans la même pose, regarda de nouveau la porte du 5, bêtement. Je me penchai un peu hors de la fenêtre et vis que les volets de Mme F. n'étaient pas encore ouverts, et que Mlle G. regardait précisément ces volets, mais cependant sans faire le moindre geste, ni la moindre tentative d'avancer dans la direction de ces volets. Ai-je dit que Mlle G. était pour moi l'incarnation même de la bêtise ? Mlle G. est vierge et elle a quarante ans. Quiconque la verrait tenir sa pension de famille avec ce soin, ce scrupule, dans le contentement le plus parfait, la satisfaction la plus évidente, quiconque assisterait au bonheur de l'économie de son existence, bonheur de se suffire à elle-même, de s'être bâti cette certitude, comprendrait que Mlle G. est la proie la plus indiquée pour le crime, et penser que son assassin pourrait être châtié pour un crime pareil pourrait mener aux pires conclusions sur la justice même. Mlle G. est un jouet entre les mains de Mme F. Et on peut dire que Mme F. est pour Mlle G. la seule ouverture de sa vie vers la déraison, la passion, l'illogisme.

Par quel admirable subterfuge Mme F. a-t-elle obtenu de Mlle G. que, pratiquement, elle la nourrisse gratuitement, qu'elle ait un droit de prélèvement incontesté sur les plats les plus délicieux et les plus rares que Mlle G. se fricote pour elle seule ? Je l'ignore. Mais c'est un fait acquis que Mlle G. ne peut pratiquement plus se passer de partager ses gâteries avec Mme F. Tous les jours, à midi et à sept heures du soir, la bonne de Mlle G. traverse la rue et porte à Mme F., soigneusement enveloppée dans un linge impeccable, la part qui lui revient sur le déjeuner et le dîner de Mlle G.

— L'était bon votre gigot, mais pas assez cuit à mon avis, dit Mme F.

— Ah !, dit Mlle G., vous croyez ?

— Puisque je vous le dis, dit Mme F., j'ai pas l'habitude de parler pour rien dire.

Je crois donc que Mlle G. ne peut plus se passer d'une autorité de ce genre. Mlle G., ayant échappé à la suprématie d'un mâle, par vertu imbécile, n'échappe donc pas à celle de Mme F., en laquelle elle cherche quotidiennement une censure brutale et arbitraire. Cette censure ne s'exerçant pas seulement à propos des plats que Mlle G. lui envoie, mais à propos des actes et des moindres des initiatives de Mlle G.

Le balayeur est d'humeur trop sombre. Le balayeur couve un gros œuf depuis deux ans. Il grossit, grossit. Et, Mme F. me l'a avoué l'autre jour, en secret, mais sans me donner d'explications, il boit. Quand il a bu, elle le voit de loin. Dès qu'il débouche dans la rue Saint-Benoît, à cinquante mètres de l'immeuble, et qu'elle se trouve sur le pas de la porte, elle l'examine, les poings sur les hanches et hoche la tête. « L'a bu. » Elle rentre dans sa loge, va chercher sa plus grosse casserole, va l'emplir d'eau et la pose sur sa table. Et elle continue à vaquer à ses occupations, sans que rien paraisse de ses intentions, sauf peut-être une célérité plus grande dans son travail. Quand le balayeur approche de l'immeuble, elle ouvre ses volets, et s'immobilise près de la fenêtre, la casserole d'eau à la main. Le balayeur, qui a l'habitude, commence à se marrer, mais doucement. Et à siffler. Il ne siffle que lorsqu'il est saoul. Il lui reste toujours assez de lucidité pour balayer la rue, et provoquer Mme F. en sifflant doucement devant le 5. Il balaye : c'est-à-dire qu'il balaye comme on doit le faire en rêve, en dansant dans le soleil, sans rien balayer réellement, une rue de rêve. Il siffle donc à la hauteur du 5, en se marrant doucement, tout en ne quittant pas des yeux la fenêtre à barreaux de Mme F. Arrivé devant la fenêtre, il s'immobilise à son tour, cesse de siffler et dit : « Allez-y. » Mme F. lui balance toute la casserole d'eau à la tête. Alors le balayeur se met à rire d'un rire énorme. « Cochon », dit Mme F. Sa rage atteint son comble. Mais le rire du balayeur a attiré Mlle Ginsbourg et le garçon du restaurant Saint-Benoît. Ils rient avec le balayeur. Mme F. sort à son tour. « Ça vous apprendra », dit Mme F. Et à son tour, elle rit de son rire magnifique, gras, velouté, qui ne sort jamais complètement, et qui est le plus beau rire que j'aie jamais entendu. « Ça m'apprendra quoi », hoquette le balayeur. « Ça vous apprendra à plus boire, dit Mme F. La prochaine fois ce sera ma bassine à vaisselle. » Ils rient ensemble longtemps jusqu'à ce que Mme F. s'enferme dans sa loge et réfléchisse à ce mal que traîne le balayeur.

Mme F. et le balayeur ont une complicité certaine. Je n'aimerais pas la nommer, je n'y arriverais pas. Il est certain que si Mme F. avait seulement vingt ans de moins, elle aurait fatalement couché avec le balayeur. Elle le sait, et s'est certainement formulé la chose. Il le sait, et s'est certainement formulé la chose. Et elle s'est dit qu'il se l'était dite, et [lui] qu'elle se l'était dite. En somme, ils se plaisent parfaitement, ils se conviennent. Ils « s'entendent ». Mais elle a soixante ans et lui trente.

[...] Ce drame qui tourne court, se retourne, au mépris des lois les plus sacrées et les plus consacrées du drame, est un des moments les plus émouvants et les plus dépaysants qui puissent se penser. Car si Mme F. lutte contre la tendance malheureuse qu'a le balayeur de boire, elle lutte non seulement pour le sauver, mais pour se sauver elle-même de l'échéance qui la menace. Car s'il continue à boire, elle doit être persuadée que ça finira mal pour elle, et qu'un jour viendra où il la tuera. Il le sait. Elle sait qu'il le sait. En vertu de quoi elle lui balance sa casserole d'eau, et en vertu de quoi ils se marrent ensemble.

L'assassin met sa victime en joue, mais son revolver s'enraye, et voilà-t-il pas que victime et assassin se marrent ensemble du sérieux qu'a mis l'assassin à viser, du ridicule qu'encourent parfois les assassins, fussent-ils les plus grands, devant leurs victimes même les plus désarmées, et qu'ils se « réconcilient » donc sur le dos de l'humanité entière, qui s'attendait à l'explosion de la balle en plein cœur, et non à celle de cet avortement monumental du drame. Victime et assassin se « renversent ». La victime devient l'assassin de l'assassin, en ceci qu'elle le conteste dans sa qualité d'assassin (un assassin dont le revolver s'enraye devant sa victime est aussi ridicule qu'un président d'État qui s'étale les quatre fers en l'air devant ses sujets), et qu'elle le domine par le rire, qu'elle dilue littéralement tout son sérieux, et quel sérieux ! dans le rire.

Un jour, ma mère vénérable, vénérée et terrible, dégringola, sous mes yeux, toutes les marches d'une entrée de métro. Et cela sur le derrière, et moi, de voir sa vénérabilité rouler sur le cul et dans cette posture inattendue, je ris tout à coup d'un rire inextinguible. Et ma mère de m'engueuler, en me demandant de l'aider à se relever. Et les gens de s'indigner qu'une fille rie de la sorte de sa mère. Et finalement, ma mère, qui avait du rire la même vertu que moi, rit à son tour avec moi, contre la foule.

*

Saint-Germain-des-Prés : l'Église

Rue Saint-Benoît : rue Sainte-Eulalie : rue du Père, rue du Fils

Mlle G. : Mlle Marie

Mme F. : Mme Dodin

1. Ne pas me mettre en cause.
2. Éviter les termes assassins quant à Mme D.
3. Ce n'est pas un simple portrait psychologique mais une histoire, un *roman*.
4. Retour de la poubelle *nécessaire*.
5. Procéder par petits chapitres ?

. Fil conducteur.

. [Boire]

. La rue ?

. *Royauté* de Mme D.

. Surprise et mère sur le cul

. *Nous* au lieu de *je*

. Difficulté qu'il y a à écrire sur sa mère ? sur Mme D. ?

. Le vol du beurre
. Le vol du lange
. Dire les craintes qu'inspirent Mme D. et le balayeur dans le quartier, et le *respect*
. Revenir à la poubelle qu'on n'entend pas ce matin-là
. Enterrement de Mme D.
. Le fils de Mme D., et sa fille
. Conversation avec Mlle G., qui m'apprend l'existence de vingt-quatre mille francs
. Le balayeur

Et depuis, il prétend qu'il lui faudrait une somme équivalente pour pouvoir aller dans le Midi — pour changer de vie — pour pouvoir délaisser son métier honni — changer de vie — être heureux. En somme le jeu continue. C'est un jeu supérieur, dont les parties elles-mêmes ignorent l'enjeu. Il sait qu'elle ne lui donnera pas ses économies. Elle sait qu'il sait. Qu'elle ne les lâchera jamais. Non seulement parce qu'il s'agit des économies de six ans (toutes ses anciennes économies, elle les a laissées par deux fois à ses maris), car si la santé du balayeur nécessitait cette dépense, il est certain qu'elle les lui donnerait, mais aussi pour l'empêcher, comme elle le dit, « de couler », de s'en aller vers une espèce de bonheur marin, très douteux, fait de paresse, de soleil, de refus. Car, d'instinct, Mme Dodin n'aime pas les gens heureux. Il y aurait beaucoup à dire là-dessus, elle fustige les adultères de ses locataires, et veille soigneusement à entretenir toutes les occasions de troubles dans les ménages.

C'est là que Mme D. et le balayeur en sont arrivés. Outre les vols, Mme D. s'est mise ces temps-ci à la pratique de la lettre anonyme. Elle n'a fait que commencer. Elle a envoyé au locataire (précisément celui à qui elle volait son beurre) des lettres anonymes de menaces. [Comme] elle est à peu près illettrée, c'est Gaston le balayeur qui les rédige.

— Si j'écris des lettres anonymes, c'est que ça me plaît, et qui a à dire là-contre ?

Tous les locataires se voient, de la sorte, contestés dans leur droit, jusque-là tacite, d'avoir une poubelle, donc de vivre.

Certains d'entre eux, sans doute mal préparés à la guerre de contestations, se voient ainsi traités avec aussi peu d'[égards]. Mais ce sont ces locataires-là, qui ont la naïveté de s'indigner, sur lesquels Mme D. s'acharne avec le plus de résultats.

Car mis à part, peut-être, l'institution de la poubelle, rien n'entamera jamais l'insatisfaction de Mme D., rien ne tempérera jamais ce qu'on pourrait appeler son scepticisme fondamental. La grande noblesse de Mme D. c'est ça, c'est qu'elle est imperméable à la charité. Quand les religieuses de la paroisse Saint-Germain-des-Prés lui portent, à Noël, le « rôti des vieux du VIe », elle les regarde en se marrant.

— J'irai pas à la messe pour autant, j'vous préviens, leur dit-elle, c'est mon habitude.

Et lorsque le balayeur, [pris à témoin], est là à se marrer comme elle, elle lui déclare :

— De quoi je me mêle ? Puis faudrait leur faire des mômes à toutes ces garces-là, ça leur apprendrait à s'occuper un peu moins des autres.

Et, de même, mis à part son plus sûr ami, seul complice, Gaston le balayeur, Mme D. se refusera à tout compromis avec l'humanité, fût-ce même par le canal des bontés de Mlle G. à son égard. Et comme je le disais, Mlle G. n'est pour elle et pour le balayeur, pour eux deux, que le témoin apeuré de leur complicité, un jouet, et pour ainsi dire, leur victime. C'est pourquoi, lorsque Gaston apparaît, à cinquante mètres de l'immeuble, en sifflant et qu'il a bu [...].

[...] et surtout que même le dernier acte, l'assassinat de Mme D. par Gaston, n'altère profondément. Car si Mme D. s'inquiète du balayeur, pour l'empêcher qu'il en vienne à devenir son assassin, il n'en existe pas moins qu'elle ne l'en estime pas moins, et que pour être digne de son amitié, pour soutenir avantageusement cette compétition de chaque jour entre elle et lui, elle en arrive enfin à se livrer à sa nature la plus profonde, à sa vérité jusque-là refoulée, qui est ce qui est communément appelé la canaillerie. En somme, Mme D. s'épanouit parallèlement au balayeur. Elle en est arrivée à écrire des lettres anonymes et à voler. À voler, comme je ne connais personne capable de voler à son âge, dans la pureté. Ainsi, tout en déplorant l'inclination de Gaston à la boisson, sa lente chute, elle l'y encourage. C'est à qui tiendra les propos les plus blasphématoires, à qui bafouera les valeurs les plus sacrées, les autorités les plus reconnues, à qui accomplira les choses les plus audacieuses. En somme, Mme D. veut être à la hauteur du crime de Gaston.

Leurs propos font frémir tout le quartier, et c'est là un grand plaisir pour eux.

— Les guerres, dit [Gaston].

Ce à quoi Mme D. répond :

— Les Allemands [...].

Et si les vols de Mme D. ne sont connus que de quelques [*illis.*], ils tendent à les rendre publics, insensiblement, ils tentent de les faire avec de moins en moins de prudence.

De toute la gamme [des] réjouissances intimes, il n'a que l'acte dernier, la liquidation : les fleurs dans le ruisseau. Autrement dit, il fut un temps où Gaston croyait que [*illis.*] son métier pouvait satisfaire sa curiosité très grande. Il croyait sans doute pouvoir être aussi le balayeur des âmes, des consciences, recueillir les confidences inavouables et qu'on n'avoue qu'au balayeur. Mais hélas, quand il demande à Mlle G. : « Et votre œil, comment va-t-il ? » Celle-ci lui répond qu'il va le mieux possible alors. Et il sait qu'il n'en est rien, que l'œil de Mlle G. baisse chaque jour davantage, mais qu'elle le lui cache parce qu'elle craint (sans peut-être se l'être formulé), elle craint qu'un beau soir, quand Gaston sera saoul et quand il saura son œil assez bas pour ne pas le reconnaître, il ne s'aventure dans sa digne pension dans un but très, vraiment très effrayant : à cause de ses idées politiques. Donc, même de l'œil de Mlle G., le balayeur a de fausses nouvelles. En conséquence de quoi, naturellement, il ne fait que [se] sentir du même bord que les assassins, les proscrits. Il en remet dans ce sens.

— Pierrot est mort, annonce-t-il en parlant de Pierrot le Fou, ou bien encore il connaît par cœur toutes les identités [*illis.*].

— Un beau crime, voilà, pour un balayeur, ce qui peut arriver de mieux. Il ne se passe pas de crime qu'on n'interroge le balayeur. C'est là la seule chose distrayante pour un balayeur.

Mme D. et Mlle G. le regardent et lorsqu'il s'éloigne, Mlle G. déclare d'un air hypocrite :

— Depuis quelque temps, il a de ces propos…

Et Mme D., qui, quand même, est du bord du balayeur, répond :

— Un homme pareil, c'est pas donné à tout le monde de le comprendre.

Dès que Gaston est là, la conversation prend un tour plus général, plus philosophique. Il est question de leurs emplois respectifs et des avantages et des désavantages qu'ils comportent.

— Ça au moins c'est un métier, balayeur, commence Mme D.

— Faut jamais parler de ce qu'on sait pas, dit Gaston, sans ça on parle pour ne rien dire.

Car Gaston a lui aussi, de son métier, une certaine horreur. Mais il en a aussi la philosophie.

— Nous avons, dit le balayeur, tous les deux, des métiers méconnus.

— Pour bien parler, vous vous y connaissez, dit Mme D.

À l'aube, alors que se ferment les portes du club Saint-Germain, s'amène le balayeur.

— Je viens toujours trop tard, dit le balayeur, c'est fermé, fini la musique. En fait de belles filles, il paraît que ça en est plein, ceinture. Pour ce que j'en vois, c'est que ça pisse ferme sur les murs du club. Faudrait que vous alliez voir ça. Les murs sont noirs, c'en est même curieux.

— Faut bien que ça pisse, dit Mme D., puisque ça boit toute la nuit.

— La pisse c'est pour Gaston le balayeur. Gaston est promu à la pisse de ces messieurs.

Mme D. regarde Gaston avec fierté et amour. Gaston a du langage la même faculté que Mme D. Mlle G. baisse les yeux. Tout ce que dit Gaston lui paraît entaché d'intentions douteuses et secrètes.

— Si vous en jugez par la pisse, continue Gaston, ça doit boire ferme.

— Ça pisse, donc ça boit, dit Mme D.

— Ça me rappelle quelque chose, dit Gaston le balayeur, ce que vous dites là. Un philosophe a dû dire la même chose : je pense donc je suis, lui a trouvé ça. Descartes.

— L'aurait mieux fait de se taire, dit Mme D. Tout le monde peut en dire autant.

— Des cartes de quoi ? [avance] Mme D. Des cartes de mon cul ?

— Et puis comment vous savez ça ? demande Mme D.

— J'aime la lecture, dit Gaston. Je me suis entendu avec un gars de la benne, il me refile les vieux livres, et moi les mégots.

— En attendant, dit Gaston, ça nous avance pas.

— Pour ça, dit Mme D., je sais vraiment pas ce qui nous avancerait. Et puis y a un crivain dans la maison, c'est lui le plus sale.

— Ça veut rien dire, dit le balayeur.

— Faut pas généraliser, dit timidement Mlle G.

— Vous, [avec] votre de Gaulle, dit Mme D., vous me [courez].

Bien que par son automatisme, sa régularité, sa monotonie, celui de Mme D. puisse à la rigueur s'en rapprocher, il serait indigne de ne trouver dans celui de Mme D. qu'un même pittoresque, par définition toujours imbécile.

Mme D. ne peut pas partager notre goût de [vivre]. Si elle se laissait aller, ne fût-ce qu'une fois, à une compromission honteuse, elle [trahirait] avec son ennemi naturel : le locataire.

Mme D. est une insoumise de grand style.

Car Mme D. a de la Providence une idée bien particulière (citation) et de l'avenir du socialisme une conception non moins particulière (citation). Mais néanmoins, Mme D. met en doute, dans son principe même, l'une des institutions les plus communément admises, la violence la plus invisible, la plus dérisoire, la plus innocente de la société bourgeoise : l'institution de la poubelle. Envoyer la lettre, lui donner satisfaction quant à son cas particulier ferait de Mme D. (bien que j'en doute) une concierge replète, satisfaite, régnante, et qui ne ferait plus souffler dans l'immeuble du 5 de la rue Saint-Benoît une de ces colères comme il est bon qu'il en existe. Tous les locataires, quels que soient leurs mérites, sont confondus et traités à égalité, et même dans une égalité parfaite, et dont je ne vois aucune autre occasion dans la vie courante. Et, ma foi, je ne crois pas qu'il soit mauvais que certains d'entre eux soient contestés, jusque dans le droit qu'ils croient avoir de jeûner le vendredi.

[...] chaque jour son refus en est aussi total qu'au premier jour, aussi vierge d'aucune soumission, d'aucune acceptation qu'il est possible de l'être. Mme F. pourrait mourir pour la cause de la suppression de l'institution de la poubelle. Il ne se passe pas de journée qu'elle ne donne de son horreur à un [quelconque] locataire une justification quelconque. Ses raisons sont nombreuses, elles procèdent d'une mauvaise foi criante et cela est bien normal. Sa passion l'aveugle, et elle ne peut pas la formuler dans le calme. En général, c'est le locataire qui le dernier a vidé sa poubelle. C'est devenu une des petites obligations particulières à l'immeuble. On se fait engueuler parce qu'on a vidé sa poubelle. On l'a vidée parce qu'on en avait une à vider, on en avait une à vider parce qu'on mange, et que tant que l'on vit on en aura une à vider. Et c'est ainsi que nombre de locataires mal préparés à ce genre de choses ont appris qu'on pouvait contester leur droit jusque-là reconnu, légal, d'avoir des poubelles, et que ceux les plus imbus de leurs [droits] se sont vus traiter avec autant [...]

La conséquence la plus inattendue de son amitié avec Gaston, c'est qu'il l'a détachée de ses enfants, en particulier de son plus jeune fils. Elle ne désire plus le voir, il l'ennuie. Elle l'a très bien élevé et elle a fait pour lui des sacrifices que peu sont capables de faire. Son mari buvait son salaire et elle, pour [élever ses] enfants, elle a travaillé en usine pendant quinze ans. À la suite de l'usine, le soir, elle faisait des lessives. Sa fille est postière. Elle habite un département éloigné et la voit rarement.

— De ce côté-là, j'suis tranquille.

Mais son fils est maraîcher à Chatou. Il vient la voir au Nouvel An, le 14 Juillet, à Pâques, et elle l'accueille invariablement par cette phrase : « J'en ai tellement fait pour eux, que j'en suis dégoûtée. Tout ce que je leur demande c'est d'me fiche la paix ».

Sa fille, son fils lui demandent souvent de venir « finir ses jours » auprès d'eux.

— Même que j'serais chez vous comme une reine, j'préfère crever à l'asile.

Quelquefois le fils de Mme D. vient la voir. Car Mme D. a deux enfants. Il vient la voir au Nouvel An, à l'anniversaire de la Libération et le jour de Pâques. De même que contre ses locataires, Mme D. a contre son fils des griefs constants — aussi vagues — aussi terribles.

— Les enfants, c'est tous des salauds, et toujours même les meilleurs, commence Mme D., sans exception.

Le fils s'assied dans la loge :

— Ça va commencer, dit le fils de Mme D.

— Si t'es pas prêt, dit Mme D., à entendre que'ques vérités, t'as qu'à retourner d'où c'est que tu viens.

— C'est pas qu'il est mauvais, dit Mme D. aux locataires, mais c'est forcé, il attend que j'crève. Alors c'est encore avec lui que j'ai le moins de choses à dire.

Et elle ajoute invariablement :

— J'aime pas les macaronis.

Cette phrase, en apparence gratuite, bénigne, est destinée à sa belle-fille, qui est italienne.

— Faudrait voir ce que tu as à me reprocher, dit le fils.

*

Je cherche une dame s'étant déjà occupée d'enfants et ayant les plus sérieuses références (si possible d'une quarantaine d'années) le matin de neuf heures à douze heures pour s'occuper du ménage et l'après-midi de quatre heures à six heures pour sortir le bébé, sauf le dimanche.

Moyennant quoi
une chambre de bonne meublée avec électricité
4 000 francs
le petit déjeuner
et le repas de midi.

*

On ne peut plus dormir.

L'ouverture du Club Saint-Germain-des-Prés a bouleversé la rue Saint-Benoît. Toute la nuit, ce n'est que ronflements de moteurs, coups de klaxon, claquements de portières. Il est pratiquement impossible de fermer l'œil jusqu'à trois heures du matin. Notons qu'il y a rue Saint-Benoît, presque à la hauteur du Club Saint-Germain-des-Prés, un hospice de vieillards. Notons, par exemple, que le numéro 5 compte à lui seul onze enfants. Et nous apprenons qu'un autre Tabou va s'ouvrir impasse des Deux-Anges. Cela fera trois boîtes de nuit dans une rue étroite et [*illis.*]. Ne pourrait-on pas faire de la rue Saint-Benoît une rue à sens interdit ? Et demander que le [*illis.*] ait lieu place Saint-Germain où des voies de garage sont prévues ? Et où la sonorité, étant donné la grandeur de la place, serait moins insupportable ?

*

Le PS s'est prononcé contre les élections cantonales. Il fuit le suffrage universel, le suffrage des travailleurs, des ménagères, des classes moyennes. Il a peur. Et il y a de quoi. Et comme il ne veut pas montrer sa peur, il trahit, il vend, il fait le donneur. Lors de la séance consacrée aux élections cantonales, il a « donné » les parlementaires malgaches.

Et pour tromper son monde, voilà comment il a procédé : alors qu'il n'était question que des élections, il a détourné la question, il a commencé par demander la suspension des poursuites contre les parlementaires malgaches. Deux députés, [Violette], UDSR, et [*illis.*], indépendant, se lèvent, et disent que le Parlement ne peut interdire un [*illis.*] judiciaire. Et comme frappés par l'évidence, aussitôt, les socialistes retirent leur demande et s'abstiennent. Et à cause de leur ignominie, la demande est retirée.

Et ensuite le PS, croyant s'être dignement racheté à l'avance par une initiative [*illis.*], ayant vendu les parlementaires malgaches à la réaction, ils [votent] contre les élections cantonales et se prononcent pour le scrutin uninominal à deux tours en mars 1949.

À la suite de cette nouvelle ignominie qui s'ajoute à leur lutte déjà trop longue, cinq députés socialistes et Paul Rivet, directeur du Museum et conseiller municipal de notre arrondissement, a donné sa démission. Nous l'en félicitons. Rapprochons ce fait de la création, dimanche dernier, du PS unitaire, et des « dégoûtés » socialistes qui sont chaque jour plus nombreux. Et espérons que les voix des masses « d'en bas » se feront de plus en plus entendre contre leurs dirigeants.

*

On est mal sur une table ronde, les coudes ne reposent pas et on ne peut pas les appuyer pour se reposer d'écrire, et quand on écrit ils sont dans le vide, et si on ne s'en aperçoit pas tout de suite, on se dit : « Je ne sais pas ce que j'ai, je suis fatigué », et c'est à cause des coudes qui ne reposent pas sur la table.

*

# AUTRES TEXTES

*Dernière page du texte où Marguerite Duras raconte la mort de son père, en 1921 (p. 353)*

Ballerines cambodgiennes.

La première fois que je vis une danseuse cambodgienne, c'était dans cette partie du haut Cambodge, prise entre la mer et la montagne, vers la frontière du Siam. Là, il n'y a plus qu'une seule route, de plus en plus mauvaise et qui s'arrête, vaincue, devant la mer. La chaîne de l'Éléphant la longe jusqu'au bout et va plonger dans le paisible golfe de Ream où quelques îlots la signalent encore, de plus en plus rares. Des petits villages pauvres sont semés aux abords de la route, enfouis dans la forêt. Vers le soir, ils s'allument de grands feux de bois vert et de lourdes traînées de fumée résineuse embaument alors la campagne.

Cette lokhon, cette danseuse allait de village en village. Lorsqu'elle arriva à Banteai, je m'y trouvais par hasard. Un petit tam-tam monotone l'annonça depuis le matin ; sans répit il appela, il implora qu'on vînt la voir, et à la nuit tombée les chemins furent pleins de curieux, d'hommes et de femmes venus d'autres villages.

— Lorsque j'y vins la paillotte était sombre et déjà pleine de monde. Au milieu, sur une estrade nue la lokhon danse déjà. Des lampes fumeuses semblent l'isoler du reste du monde et de la nuit.

Une vieille cambodgienne, accroupie, dans un coin de la paillotte chante une mélopée au rythme dur. Sa voix est creuse et éraillée, sa voix est laide, mais elle sait y mettre la passion d'un rythme implacable.



*Première page de la version manuscrite de « Ballerines cambodgiennes » (p. 357-358)*

L'HORREUR

par Marguerite Donnadieu

« Tiens, c'est toi, c'est bien toi? »

Il était encore sur l'autre trottoir. Immédiatement elle reconnut son pas, sa carrure bien que la nuit fut très noire. Elle n'éprouva aucune surprise tandis qu'il traversait la rue sans se presser, s'efforçant d'être naturel.

" Toujours en retard, c'est pas chic pour une ancienne".

Il plaisantait volontiers de la sorte, un brin.

Lorsqu'il fut près d'elle de toute sa hauteur, elle s'étonna de ne pas ressentir un coup de faiblesse comme autrefois. Elle proposa d'aller prendre quelque chose. Du champagne. Naturellement: depuis six mois elle attendait son retour d'Alger, la chose valait bien ça.

Revenu. Il était là. Mais elle avait beau se hurler la chose intérieurement. Quelle malchance: aucun effet.

A partir de ce moment il exista entre eux une angoisse assommante, à se fuir. Ils furent aussi séparés que les deux rives d'un même fleuve, aussi près également.

Elle essaya, tout d'un coup: elle lui toucha la main. Rien. Ou plutôt, elle eut envie de la retirer. Leurs mains désormais étrangères l'une à l'autre ne se recherchaient plus. Autrefois



*Première page de « L'horreur »,*
*signé « Marguerite Donnadieu » (p. 367-368)*

Marg. Duras

E D A

ou

LES FEUILLES

-------

Lorsque Jean se mit à sa fenêtre il vit ce qu'il voyait d'habitude au-delà du toit rouge de l'Ecole Municipale : la plate forme de la drague. Elle était à peu près à cent mètres de là, sur l'autre rive de l'étang. Ses pétarades régulières s'entendaient de loin. Une dizaine de détonations sèches suivies d'une sourde, et ainsi sans répit .

L'homme de la plate forme était vêtu d'un maillot vert, qui moulait son torse trapu. Une petite casquette brune protégeait le haut de son crâne contre le soleil ; au-dessous son cou luisait, très rouge . De temps à temps il criait quelque chose à la douzaine d'ouvriers qui remplissaient les wagonnets de sable , les poussaient et les renversaient plus loin , derrière les arbres , d'où partaient [...] re d'énormes camions Latil.

[...] l'homme au maillot vert . C'était Lucien . [...] inctement les autres, mais d'après la place [...] devinait très bien ce qu'ils étaient en train [...]

[...] il avait travaillé trois mois à la drague . [...] rs moins dix , [...] ruit de la drague cesserait. S'il faisait [...] le printemps était bien arrivé cette fois

CONFLUENCES

JEAN CASSOU
MARGUERITE DURAS
ROGER CAILLOIS
JULES MONNEROT
HENRI MICHAUX

PAGES DE SAINT-JUST

LE MOIS
par
JULES MONNEROT
GAËTAN PICON
MAURICE NADEAU
NICOLE VÉDRÈS
CHOU-LING
G. B.-DELAPIERRE
F. GUILLOT de RODE
JEAN GRANEL
PIERRE DESGRAUPES

LECTURES

Fonds Marguerite Duras / Imec

*Première page dactylographiée de « Eda ou les Feuilles », paru sous le titre « Les Feuilles » dans la revue* Confluences *(dirigée par René Tavernier) en octobre 1945*

Les quatre textes autobiographiques que Marguerite Duras consacre à son enfance et aux membres de sa famille, que nous avons réunis ici sous le titre « L'enfance illimitée » (Marguerite Duras), ainsi que les six récits de fiction qui suivent, ont été écrits à la même période que les *Cahiers* (peut-être même, pour certains, un peu avant le début de la guerre). Ils sont tous inédits, à l'exception de la nouvelle « Eda ou les Feuilles », publiée dans la revue *Confluences* en octobre 1945.

Les quatre premiers textes sont les plus anciens du fonds Marguerite Duras à l'Imec : on peut les dater approximativement de la fin des années 1930. Rédigés au crayon à papier, sur des feuilles pliées en quatre, ils n'ont pas été mis au net et sont parfois difficilement lisibles. Chacun témoigne de la prégnance de son histoire familiale alors qu'elle accède peu à peu à une indépendance professionnelle, financière et affective (elle termine ses études et commence à travailler en 1937 ; elle épouse Robert Antelme, rencontré la même année, en 1939). Le dernier de ces courts écrits, qui retrace les circonstances de la mort de son père en 1921, est le seul texte connu de Marguerite Duras consacré à cet événement.

Les six récits suivants sont sans doute un peu plus tardifs. Ces nouvelles d'inspiration diversement autobiographique font partie des premiers exercices littéraires de Marguerite Duras. Elles sont dactylographiées et leurs brouillons témoignent d'un travail de réécriture. Le second récit, « C'est vous, sœur Marguerite ? », entièrement dialogué et manuscrit, constitue toutefois une exception : il s'agit d'une variation autour du texte consacré à la mort de son premier enfant qui se trouve dans le « Cahier beige » (p. 243-246), et sera repris sous le titre « L'horreur d'un pareil amour » dans la revue *Sorcières* (1976), puis dans le recueil *Outside*.

Dans ces textes de fiction se trouvent déjà un univers qui rappelle celui des deux premiers romans publiés de Marguerite Duras[1] (voir « Les pigeons volés »), ainsi que certains thèmes essentiels de son œuvre à venir (l'amour et son extinction dans « L'horreur » ou dans « La Bible », la mort et l'ennui dans « Eda ou les Feuilles »...).

1. *Les Impudents*, Paris, Plon, 1943 ; *La Vie tranquille*, Paris, Gallimard, 1944.

# L'ENFANCE ILLIMITÉE

Je ne voudrais voir dans mon enfance que de l'enfance. Et pourtant, je ne le puis. Je n'y vois même aucun signe de l'enfance. Il y a dans ce passé quelque chose d'accompli et de parfaitement défini — et au sujet duquel aucun leurre n'est possible.

Je ne m'y retrouve en aucune façon. C'est la période de ma vie que je sens la plus aride, à part quelques années qui sont en elle, comme un reposoir, où j'ai puisé des forces pour toute ma vie. Rien de plus net, de plus vécu, de moins rêvé que ma toute enfance. Aucune imagination, rien de la légende et du conte bleu qui auréolent l'enfance du nimbe des rêves.

Je ne veux rien m'expliquer. C'est ainsi pour moi et mes deux frères, qui ont vécu les mêmes années. Cette enfance me tracasse, pourtant, et suit ma vie comme une ombre. Elle ne m'attire pas par son charme, car elle n'en a guère à mes yeux, mais tout au contraire par son étrangeté. Elle n'a jamais conditionné ma vie. Elle a été solitaire et secrète — farouchement gardée et ensevelie en elle-même pendant très longtemps.

Je la dirai au gré du vent qui souffle en moi lorsque je la sens m'envahir et m'obséder comme une aventure oubliée — et non éclaircie.

Je n'ai pas eu de longues années d'habitudes, ni cette douceur qui dérive d'elles et de son rythme, de sa lenteur à se dégager du temps, à faire son charme. Non, je n'ai rien eu de tout cela, je n'ai eu ni maison familiale, ni jardins connus, ni greniers, ni grands-parents, ni livres, ni ces camarades qu'on voit grandir. Rien de tout cela. Vous vous demandez ce qu'il reste ? Il reste ma mère. Pourquoi me le cacher ?

C'est d'elle que je veux dire l'histoire, l'étonnant mystère jamais connu, ce mystère qui a été très longtemps ma joie, ma douleur, où je me retrouvais toujours et d'où je m'enfuyais souvent pour y revenir.

Ma mère a été pour nous une vaste plaine où nous avons marché longtemps sans trouver sa mesure. Je ne la vois nullement avec ce halo de douceur et de vigilance qui marche à côté de ces souvenirs lorsqu'on les suit. D'ailleurs ce n'est pas un souvenir. C'est une vaste marche qui n'a jamais fini.

J'ignore sa vie de femme, de jeune fille, d'épouse. Je la vois notre mère, c'est tout.

Ici je m'arrête car je voudrais pouvoir dire ce qu'a été et ce qu'est toujours cette maternité — et les mots me semblent inexistants. Je voudrais, pour la voir, m'écarter d'elle, repousser un moment cette actualité absorbante qu'elle est toujours. Voilà : elle devait être très impure avant nous, impure de tant de passion humaine non sanctifiée. C'est tout ce que je puis dire.

Nous sommes venus, tous les trois ; nous fûmes le sel de sa vie, le sel de cette terre qui fut dès lors somptueusement fécondée.

Elle vécut cette passion de nous, sans aucune tempérance. Elle la vécut activement. Sans cette patience, ce répit qui est versé aux mères comme une bénédiction.

Elle porta sa passion, seule, avec une violence jamais assouvie, et ses épaules sont toujours aussi belles et lourdes de porter.

Très jeunes, nous avons participé à sa vie. Nous fûmes ses amis, et je crois que c'est d'elle que nous tenions ce sens de la réalité. Sa réalité était notre rêve. Nous fûmes nourris d'elle comme les autres enfants le sont de chimères. Nous avons partagé ses malheurs et ses joies dans toute leur plénitude.

*

Nous venions de loin, toujours de loin. Départs et arrivées se succédaient dans notre vie comme dans d'autres les années cimentées les unes aux autres s'écoulent, régulières et lentes. Mon père était fonctionnaire en Extrême-Orient. Préciser serait inutile et même néfaste à l'idée qu'on se ferait de notre enfance. Il y a partout de la vie qui pousse, des enfants qui vivent et éclosent et se cherchent, et [*illis.*] — certains dans de grands jardins [seuls] et clos, d'autres dans des cuisines, dans de grands appartements très sévères, il y en a aussi sur des trottoirs arides et exposés où pourtant on peut se creuser des intimités, peut-être même des mystères. Nous faisions, nous, partie de ces familiers des wagons et des ports. [Ma foi], aucune révélation exceptionnelle n'en fut le résultat. Les enfants ont la grâce des plantes et ne prennent à la terre que ce qui peut les nourrir. Ils laissent le reste. Nous avions des étonnements aussi purs et simples que ceux de tous les autres. Les généralités, nous les ignorions, n'avions nulle notion du monde et des voyages — car nous ne vivions que sur l'actuel de tous les jours.

Je nous vois toujours sous un jour assez curieux. Hâves et fatigués toujours, le matin [*illis.*] d'arrivées dans des gares étranges et sans nom, tous entassés, blottis contre ma mère, fruits d'une même grappe, emmêlés les uns aux autres avec encore la même chair et le même sommeil. Maman nous gardait, nous couvait sans nous distinguer, avec dans sa tendresse le même désordre que dans nos chairs.

Nous avons été très longtemps tout petits. Un temps inépuisable, inouï, qu'il me semble ne jamais pouvoir mesurer. Nous étions trois, mes deux frères, Pierre et Paul, et moi la dernière — je ne me vois pas sous un nom quelconque — oui, nous avons été très longtemps de tout petits enfants. Puis un jour, et d'un coup, l'un de nous, notre aîné, Pierre, nous fut étranger. Soudain, il dépassa la marge, émergea des grands fonds de notre toute jeunesse vers des horizons beaucoup plus éclairés et précis. Cela me fut, pas de doute, fort cruel, car je sentais qu'irrémédiablement mon autre frère serait frappé de la même manière, me laissant éperdue, tout alourdie de ténèbres, dans mon premier verger.

Puis d'autres circonstances, plus tard, me retranchèrent de ce monde [auquel] [j'aspirais] et [que] j'enviais avec passion. L'indistinction de nos [vies] qui jusque-là avait régné s'évanouit bientôt et fit place à un séparatisme épouvantable qui s'infiltra jusqu'à nos moindres jeux. Malgré des efforts sublimes de ma part pour me [*illis.*] mon état, j'étais exclue et seule avec mon enfance.

Cela je [le compris] certains jours mémorables.

Nous étions très libres, lâchés dans un grand jardin à Phnom Penh. Notre père était directeur d'un grand collège sur la vie duquel nous rythmions [la] nôtre.

Le grand collège laborieux et rempli nous ignorait et vivait autour de nous sans nous émouvoir.

Nous étions encore à l'âge sublime de la parfaite ignorance et l'ardeur écolière, si enivrante pourtant, ne nous atteignait pas. Mais nous savions que ce collège se vidait vers le déjeuner et soudain devenait accessible, et à nous.

La sieste conspirait, nous était complice, [*illis.*] calme si pénétrant, si éternel qu'il nous [couvrait] de liberté et d'espace. Rien au monde ne pouvait troubler la torpeur de ces heures, et cela, nous le sentions parfaitement. Nous nous gorgions de cette liberté avec une ivresse déjà contenue dans nos longues matinées d'attente.

*

Mon frère était beau, d'une beauté qui n'a rien à voir avec la grâce, qui même dans sa toute jeunesse était parfaitement accomplie.

Non pas cette simple promesse de beauté mais déjà une sorte [de] perfection, harmonieuse dans tous ses termes. Il en est ainsi de ce jeune saint Jean de Donatello, si noble d'allure que l'on ne peut le regarder pour un simple enfant ; on se dit : il est trop cruel, trop fou dans son triomphe pour ne pas en être un. Cependant des caresses et des baisers ne lui suffisaient pas.

[Ainsi] mon frère si beau que jamais je crois n'avoir vu telle beauté plus [...] des yeux verts fauves et ineffables, perdus qui rendaient des traits d'une finesse et distinction telles qu'aucune expression ne pouvait en troubler la ligne.

Il fut beau longtemps et l'est encore sans doute. Mais un voile est venu déposer sa tristesse derrière lequel son premier visage vit toujours [d'une] vie plus secrète.

*

Elle nous envoya chez des parents à elle afin d'être seule, et partit pour une quinzaine de jours à Platoriet. Elle y trouva, je crois, deux domestiques qui l'attendaient et la reçurent ; ils lui remirent, avec les clefs, la maîtrise des lieux et d'eux-mêmes. C'étaient les seuls êtres qui avaient connu de très près les derniers jours de mon père ; ils en parlaient avec un respect et un dévouement parfaits.

Ils purent ainsi avec une rare délicatesse lui retracer parfaitement les derniers mois de sa vie. Ils avaient été très paisibles et étonnamment doux. Quoique ne les ayant pas vécus, je connais leur lumière et leur douceur : celle du parc à l'automne lorsque les dernières moiteurs montent de la vallée du Dropt, lorsque toute la vie bourdonnante, nourrie de soleil, déserte le parc et le laisse silencieux et calme comme un chœur d'église après les derniers offices.

Mon père était faible, très faible, et il mourut de cette faiblesse. Son mal, sans être grave par lui-même, l'a épuisé peu à peu. Lorsque la vie s'en va ainsi, aussi délicatement, sans aucun heurt, tel un courant ralenti, la mort vient comme un sommeil et endort la vie aussi doucement qu'une saine et bonne fatigue. Ce fut cela pour mon père.

Mon père mourut en dormant, par une bonne après-midi des premiers jours d'hiver. Le grand parc dormait aussi et son silence entrait dans la chambre comme un enchantement. Mon père vivait si peu qu'il suffit sans doute de ce silence pour l'endormir tout à fait.

Tout devait être très calme dans la vaste maison vide, à peine si la chambre vivait encore dans l'infini des derniers moments.

La croisée était ouverte sur les tilleuls, et les grands rideaux rouges enfouirent en eux ce qui restait de réveil dans les choses.

À peine quelques cris d'oiseaux venus de l'éternité furent-ils pour mon père les derniers appels de la vie. Comme il tardait à l'appeler, le domestique vint de lui-même. Il frappa, frappa plusieurs fois et comprit que ce qu'ils attendaient depuis le commencement était arrivé.

Ils savaient ce qu'il fallait faire dans ce cas-là. Ils le firent très minutieusement et avec une grandeur.

Mon père mort, ils furent maîtres des lieux et cependant n'usèrent de cette liberté qu'avec une discrétion parfaite. Ils ne quittèrent pas la propriété, car ils savaient avoir la mission d'y recevoir ma mère lorsqu'elle arriverait.

Mon père n'avait qu'eux. Ils étaient tout seuls à sa mort. Ils l'ont habillé de son grand habit noir. Il était si maigre et si léger qu'on eût dit un enfant. Henri l'étendit sur le grand lit et il alla prévenir les gars du village que son maître était mort. Jeanne resta près du lit jusqu'au soir, et aussi toute la nuit. Elle veilla le mort dans une condition de servitude dont rien ne pouvait la relever.

Tout fut donc fait de ce qui doit être fait.

On enterra mon père le lendemain, au cimetière du petit village dont dépend Platoriet.

Beaucoup de bonnes gens qui ne le connaissaient pas suivirent son cercueil, car on le savait seul et éloigné des siens.

Il est encore là-bas. Ma mère avait toujours voulu transporter son corps dans notre parc. La place était choisie à l'ombre de quelques mufliers, mais les choses traînèrent et Platoriet n'est plus à nous.

J'y suis revenue lorsqu'on a vendu la propriété. J'ai fait à pied la longue route toute baignée de soleil. C'était une très belle journée d'avril ; il faisait étonnamment beau, si beau que toutes les premières roses étaient fleuries et déjà tout alourdies d'abeilles. J'en ai cueilli un grand bouquet dont les cendres y seraient encore si quelque gardien vigilant ne les avait enlevées.

Puis, depuis, peut-être quelque âme a-t-elle porté quelques autres fleurs. Les jours, les nuits passent sur son corps, et les ombres des ifs, si merveilleusement précises par grand soleil, balaient sa pierre de filigranes d'or. Et ainsi tout est très calme, et si lent que le temps lui-même a oublié son œuvre. J'ai grandi, mais sa mort a toujours pour moi la douceur d'un sommeil d'après-midi.

*

# RÉCITS

## BALLERINES CAMBODGIENNES

C'était dans cette partie du Haut Cambodge prise entre la mer et la montagne, vers la frontière du Siam. Là il n'y a plus qu'une route de plus en plus mauvaise et qui s'arrête, vaincue, devant la mer. La chaîne de l'Éléphant la longe jusqu'au bout et plonge dans le calme golfe de Réam où quelques îlots la signalent encore, de plus en plus rares. Quelques petits villages pauvres sont semés aux bords de la route, enfouis dans la forêt. Vers le soir ils s'allument ; de grands feux de bois vert et de lourdes traînées de fumée résineuse embaument la campagne.

Cette « lokhon », cette danseuse, allait de village en village. Lorsqu'elle arriva à Ban-Teai j'y étais par hasard. Un petit tam-tam monotone l'annonçait depuis le matin ; sans répit il appelait, il implorait qu'on vînt la voir ; la nuit tombée, les chemins furent pleins de curieux, de femmes et d'hommes venus d'autres villages.

Lorsque j'y vins, la paillote était sombre et déjà pleine de monde. Au milieu, sur une estrade nue, la lokhon dansait déjà. Des lampes fumeuses semblaient l'isoler du reste du monde et de la nuit. Une vieille Cambodgienne, dans un coin de la paillote, accroupie, chantait une mélopée au rythme dur. Sa voix était creuse et éraillée. Sa voix était laide, mais elle savait y mettre la passion d'un rythme implacable ; parfois, pour le suivre, elle criait, ne pouvant plus chanter, et son cri semblait de désespoir. Ce souvenir demeure toujours pour moi une vision :

La fille danse ; elle est jeune encore, et cependant sa beauté est mûre et déjà prête au sacrifice du déclin.

Habillée de faux ors ternis, elle est mal fardée, fardée à la chaux. Ses épaules sont nues et ses bras aussi. Elle a dû marcher de longs jours sous le soleil car sa gorge est brûlée. La peau des bras est blanche et fraîche et les lourds bracelets semblent la mordre.

Elle ne sait pas danser, c'est une païenne, une fausse lokhon. Elle donne sa danse à tous, elle donne sa jeunesse, elle ne sait rien garder, et la danse finie elle donne son corps pour le reste de la nuit. Personne n'en voudrait pour servante, elle ne danse que la nuit. Le jour, elle dort dans quelque fossé ou elle marche sur les routes avec sa vieille chanteuse qui n'a plus qu'elle.

Grâce à sa danse je compris la danse khmère, celle qui depuis des siècles nourrit un peuple de sa magie, et porte un [grand] cérémonial jusque dans cette paillote sombre et [*illis*.].

Elle et la vieille commencent ensemble. Les premières notes chantées sont basses et sombres, mais on sent de suite qu'elles en appellent d'autres, plus lointaines.

La danse débute sobrement, comme par une extrême attention qu'elle met à naître au moment précis. Elle commence par un claquement du talon ; puis, elle monte, sinueuse et lente jusqu'aux hanches. Elle s'évase et vit intensément dans le torse qui devient de suite une chose close, infiniment précieuse, d'où la danse tente de s'échapper sans s'assouvir.

Les hanches s'immobilisent, les jambes se séparent l'une de l'autre et les pieds se fixent savamment. Alors les bras et le buste reçoivent tout à coup la grâce et sont gagnés par la nécessité de la danse. Les bras souples semblent brisés par le poids de l'effluve qu'ils reçoivent. Parfois ils vivent contrairement ; l'un en arrière repoussant et défendant, l'autre porté en avant, la paume enflée, implorante. La main, la divine main est cassée comme par un poids trop lourd. Elle est raidie et souffre infiniment.

Une fois partie, elle improvise sans aucun doute. On pense à l'ultime attention de la danseuse de cour emprisonnée dans sa danse, cette vie seconde qui l'a désignée et qui la possède. Elle, elle est libre, et elle trame la sienne dans une solitude parfaite avec elle-même.

On dirait qu'elle s'étire hors de son corps, lasse soudain d'[étreindre] si peu d'espace, de ne pouvoir aller plus loin hors d'elle-même.

Puis tout à coup la danse cesse.

La danseuse revint dans son petit corps étriqué et las. Haletante et moite de chaleur, elle se reposait. Chacun restait à la considérer avec une curiosité basse et cruelle. Dévêtue pour la première fois, sa nudité d'apparat était exposée ; et les hommes la désiraient tout à coup à cause de cette fatigue qui la leur livrait.

Elle dut danser toute la nuit. Longtemps le petit tam-tam lança son appel mineur. Il ne cessa que lorsque l'aube fraîche entra dans la paillote, épuisée.

Elle repartit avec le jour, car elle était de celles qui ne peuvent s'arrêter nulle part.

La très précieuse danseuse de cour rirait de sa danse et de son sort, sans comprendre qu'elle fut, elle aussi, désignée pour porter dans les campagnes lointaines le message de sa danse mal apprise.

*

## « C'EST VOUS, SŒUR MARGUERITE ?... »

— C'est vous, sœur Marguerite ?

— C'est moi.

— Où est mon enfant ?

— Dans une petite pièce près de la salle d'accouchement. Une petite morgue en somme. Il est là.

— Comment est-il ?

— C'est un beau petit garçon. On l'a mis dans du coton. Vous avez de la chance, j'ai eu le temps de le baptiser. Alors c'est un ange et il ira tout droit au ciel et ce sera votre ange gardien.

— Pourquoi l'avez-vous mis dans du coton puisqu'il est mort ?

— C'est une habitude. Ça fait mieux pour les parents qui viennent. Il est deux heures du matin, vous devriez dormir.

— Vous avez quelque chose à faire ?

— Non. Je ne demande pas mieux que de rester auprès de vous, mais il faut dormir. Tout le monde dort.

— Tout le monde dort ?

— Oui. Je vais vous apporter un [somnéryl].

— Vous êtes plus gentille que votre supérieure.

Vous allez aller me chercher mon enfant. Vous me le laisserez un moment.

— Vous n'y pensez pas sérieusement ?

— Si. Je voudrais l'avoir près de moi une heure. Il est à moi.

— C'est impossible. Il est mort. Je ne peux pas vous donner votre enfant mort. Qu'est-ce que vous en feriez ?

— Je voudrais le voir et le toucher. Si vous voulez, dix minutes.

— Il n'y a rien à faire. Je n'irai pas.

— Vous avez peur de quoi ?

— Que ça vous fasse pleurer. Vous seriez malade. Il vaut mieux ne pas les voir dans ces cas. J'ai l'habitude.

— C'est de votre supérieure que vous avez peur. Vous n'avez l'habitude de rien.

— Dormez. Votre petit ange veillera sur vous.

— Il en meurt beaucoup ?

— Il y a quinze jours. Il en est mort un. C'est-à-dire...

— C'est-à-dire ?

— C'est-à-dire que c'était un nain, en somme, un petit monstre alors...

— Alors ?

— Alors on ne l'a pas ranimé. Mais il s'est ranimé tout seul. *Il voulait vivre le pauvre petit chéri*.

— Alors ?

— Alors on lui a enfoncé une serviette de toilette dans la bouche. *Mais il voulait vivre ce pauvre petit chéri*. Ça a été difficile.

— Et la mère pendant ce temps ?

— On lui disait qu'on le ranimait, qu'on faisait ce qu'on pouvait.

— Qui a fait ça ?

— C'est moi.

— Vous l'avez baptisé avant ?

— Bien sûr. Je les baptise toujours. Comme ça on est plus sûr.

— Vous l'avez baptisé et vous l'avez tué ?

— Je l'ai baptisé et je l'ai envoyé au ciel, tout droit. C'était mieux.

— Pourquoi souriez-vous ?

— Parce que vous avez l'air étonnée.

— Je crois que vous avez eu raison de faire ça. Mais ce qui m'étonne c'est que vous en soyez aussi sûre.

— Quand on porte Dieu dans son cœur, on est toujours sûr. Vous devriez prier avec moi et vous vous endormiriez.

— Mettez-vous dans la tête que je me fous de vos prières. Si vous avez tué un enfant, vous pourriez bien m'apporter le mien, dans mon lit, un moment.

— Je ne sais même plus s'il est là.

— Qu'est-ce que vous dites ?

— On ne les garde pas longtemps.

— Qu'est-ce que vous en faites ?

— Je n'ai pas le droit de vous le dire. Dormez.

— Dites-le.

— Vous voulez vraiment ? Chez nous, on les BRÛLE. Maintenant vous savez. Dormez.

— Vous ne dormez pas encore ?

— Non. Il n'est plus là ?

— Je ne sais pas. Je n'y suis pas allée. Mais au bout de deux jours ça m'étonnerait…

— Alors vous les brûlez ?

— On les brûle. C'est très vite fait. Dans un four électrique.

— Pourquoi vous me l'avez dit ?

— Vous me le demandiez.

— Vous auriez pu mentir. C'est parce que je vous ai dit que je me foutais de vos prières. Jamais vous n'auriez dû le dire.

— Je vous plains beaucoup de ne pas croire dans le Bon Dieu et dans ses œuvres.

— Dans ses œuvres ?

— Si votre enfant est mort, ça veut dire que le Bon Dieu l'a rappelé à lui. Et c'est bien.

— Je voudrais que vous sortiez de cette chambre.

— C'est la Mère supérieure. Réveillez-vous.

— Quoi ?

— Le prêtre est là. Vous voulez le voir ?

— Non.

— Vous ne voulez pas communier ?

— Non. Laissez-moi dormir, pour une fois que je dors.

— Appelez-moi ma sœur je vous prie. Ici vous êtes dans une maison religieuse. Alors même pas le prêtre, même sans communier ?

— Rien. Que vous me tiriez les rideaux. Je suis à bout. Je veux dormir.

— Qu'est-ce que c'est que toutes ces fleurs qu'on vous apporte ?

— Pourquoi criez-vous comme ça ?

— Vous n'avez pas besoin de toutes ces fleurs. Vous allez *au moins* les donner à la Sainte Vierge.

— Pourquoi pas besoin de ces fleurs ?

— Puisque votre bébé est mort, qu'est-ce que vous en faites ? Les visites vous sont même interdites, alors ? Je vais les faire prendre pour l'autel de notre chapelle.

— Je ne veux pas.

— Vous ne voulez vraiment pas ? Ni communier, ni le prêtre, ni même un bouquet à notre Sainte Vierge ?

— Ce n'est pas la peine de crier. Je ne veux pas.

— Et vous osez vous plaindre ? *Ça* ne veut même pas donner un bouquet à notre très Sainte Vierge et ça se plaint ? Et ça se plaint que son enfant soit mort ?

— Je ne me plains pas. Sortez.

— Je suis la Mère supérieure. Je sortirai quand ça me plaira. Vous ne vous plaignez pas ? Alors pourquoi pleurez-vous toute la journée ?

— Ça me plaît.

— Et qu'est-ce que je viens de voir sur votre table ? Une orange ? Qui vous a donné cette orange ?

— C'est mon dessert. C'est sœur Marguerite.

— Et vous croyez que nous avons des oranges à gâcher comme ça ? Par les temps qui courent ?

— Sortez.

— Les oranges chez nous on les donne aux mamans. Aux mamans qui ont leur bébé. Et qui les nourrissent. Ce n'est pas à tout le monde que nous donnons des oranges nous, sachez-le.

*

## L'HORREUR

— Tiens, c'est toi, c'est bien toi ?

Il était encore sur l'autre trottoir. Immédiatement elle reconnut son pas, sa carrure, bien que la nuit fût très noire. Elle n'éprouva aucune surprise tandis qu'il traversait la rue sans se presser, s'efforçant d'être naturel.

— Toujours en retard, c'est pas chic pour une ancienne.

Il plaisantait volontiers de la sorte, un brin.

Lorsqu'il fut près d'elle de toute sa hauteur, elle s'étonna de ne pas ressentir un coup de faiblesse comme autrefois. Elle proposa d'aller prendre quelque chose. Du champagne. Naturellement : depuis six mois elle attendait son retour d'Alger, la chose valait bien ça.

Revenu. Il était là. Mais elle avait beau se hurler la chose intérieurement, quelle malchance : aucun effet.

À partir de ce moment il exista entre eux une angoisse assommante, à se fuir. Ils furent aussi séparés que les deux rives d'un même fleuve, aussi près également.

Elle essaya, tout d'un coup : il lui toucha la main. Rien. Ou plutôt, elle eut envie de la retirer. Leurs mains désormais étrangères l'une à l'autre ne se recherchaient plus. Autrefois leurs désirs affluaient et s'exprimaient dans leurs mains avides qui se nouaient sous les tables. Exsangues désormais, ces mains, insensibles. À petites gorgées, elle avalait le champagne amer. Elle souriait. Autant qu'on peut sourire avec un visage enluminé de fard. Lui détournait la tête. Pourquoi riait-elle sans raison ?

Mais il n'accueillait pas l'existence de la même façon que cette femme qui s'embarrassait d'émotions inutiles. C'était un homme lui, un rude. Il lui en fallait pour contrarier ses projets... Imperturbablement, cérémonieusement, il lui dit sa joie. La revoir, ah ! c'était bien agréable. Quel événement, hein ? Les difficultés avaient été nombreuses. Entre autres, sa mère l'attendait aussi. Oui...

Il se demandait au fond s'il n'avait pas tort d'être venu à Paris. Grosse tactique : « J'étais sans nouvelles de toi et inquiet. Tu aurais pu être malade. Je suis venu voir ce qui se passait, c'est tout... »

Il avalait son champagne sans le goûter, à petites lapées de chatte. Le verre dans la main, il regardait par transparence le liquide clair, d'un œil intensément stupide. Comme autrefois. Mais alors, elle croyait que c'était le désir qui lui creusait le regard...

Elle ne répondit pas, le laissa parler et pleurnicher.

Quelque chose avait déserté cet homme. Quelque chose s'écartait de lui et le laissait abandonné, qui ressemblait à sa raison d'être. Quel effroi de ne plus y croire. Sans le vouloir, elle l'abandonnait peu à peu à sa perdition. La seule présence de cet homme, il y a quelques mois, la comblait. Maintenant, telle était l'inanité de cette présence qu'elle en était confondue. Cependant elle continuait à encourager sa misérable confidence d'un sourire miroitant qui éclairait périodiquement son visage, comme un phare éclaire la grimace amère de l'Océan.

Puis, tout à coup, elle l'arrêta : « Viens. »

Il ne se trompa pas sur le ton faux, grasseyant et rauque, à faire pleurer un autre que lui. « Tu es chic tout de même. » Quelle horreur pour elle. L'horreur lui grignotait l'âme. Ah, si la force allait lui manquer. Mais non, voyons. Alors, serait-elle folle ?

D'un geste triomphal, elle acheva son verre comme si elle avait bu à son audace. Mais ce fut sans cynisme.

Il se prit à faire du sentiment. Il s'y croyait obligé, ayant ses principes. Le sentiment, un truc dont il n'usait que rarement. Il devenait alors irrésistible. Elles se laissaient prendre comme des mouches au miel de sa voix. Ce soir, il fit comme d'habitude.

***

— Tu te rappelles nos fiançailles ?

Une vieille plaisanterie.

Il appelait ainsi les débuts de leurs amours : ceux-ci étaient modestes, hein ? Ah, il n'avait pas espéré d'eux qu'ils prendraient jamais cette envergure, cette « maturité », comme il disait si finement, si intelligemment.

Elle exigea qu'ils aillent à l'ancienne adresse. Mais... Il avait gagné pas mal d'argent comme contremaître à Alger. Et dans le journal qu'il venait de parcourir, certaines adresses — avec tout le confort — l'avaient arrêté. Allons, allons voyons, elle devait se laisser faire. Elle refusa tout net, mauvaise. Ah, la saleté, pensa-t-il, la garce, mais qu'est-ce qu'elle a ?

Elle ne disait rien dans le taxi. Il se sentait gêné. Il cherchait ses mots, ce qui arrivait rarement. Malgré son épaisseur, sa crasse d'insensibilité, de vanité, la chose lui parvenait à l'esprit, sourdement, par petites doses, mais de tous côtés, comme l'eau assaille un navire en perdition. Dans le fond de l'auto, roide, elle se blottissait contre lui, peut-être pour qu'il la secourût. Ah ! La voix se brisa tout à coup comme une porcelaine. Il était embêté, très embêté — sa seule façon de ressentir les choses. Cependant il se fia encore à ses principes et voulut lui marquer sa reconnaissance. Il la prit par l'épaule, maladroitement, et l'embrassa derrière l'oreille. De toute sa bonne volonté. C'est qu'il était rudement embêté.

Il se mit à chanter. Un air datant de plusieurs années et qui s'égrenait dans leur échafaudage amoureux : la comédie qu'ils se jouaient autrefois en matière d'amour. Ah mon Dieu ! Ça lui fit mal partout. Quelle indécence. Quelle pitié ! Quelle vie. Elle ne lui en voulut plus. Et puis, elle ne pouvait le laisser chanter seul. Elle fredonna. Sa voix imprécise, fêlée jusqu'ici, se raffermit jusqu'à reprendre sa valeur ancienne. Sans s'en douter, elle était bien cette petite, pure et bonne comme une femme qui ne compte pas avec son ennui.

Impasse de la Bastille. Ils y tenaient quartier autrefois.

Il voulait rester un peu dans le taxi. N'allait-elle pas s'imaginer qu'il ne venait que pour la chose ? Il essaya de l'embrasser avec tendresse. Elle se débattit. Quand il la touchait, elle se sentait devenir mauvaise. Déconfit, il ne dit plus rien. En fait, il éprouvait une espèce d'angoisse qui l'ankylosait dans ses mouvements.

Inutile qu'il se mette en frais, c'était clair. Lui, si costaud, il n'eut pas la force de repartir, bien qu'il n'eût plus envie de rien. Mais il n'osait pas, impressionné. Comme elle, il attendait qu'elle s'y décidât. Il passa le premier. L'impasse sordide et noire. Il y savouraient autrefois des joies de malfaiteurs. Alors, le vent s'engouffrait avec des gémissements ; elle ployait déjà sous la perspective du plaisir et sa volonté s'effaçait dès que le vent la giflait au visage.

***

Lui peuplait la chambre de sa haute taille et traçait en se déshabillant de grands gestes à l'intérieur desquels elle inscrivait les siens, brefs. Il ne se pressait pas, la regardait à la dérobée. Il doutait de lui.

Elle enleva son manteau, arracha littéralement ses vêtements, défit le lit à toute allure comme s'il y allait de sa vie.

« Mais qu'est-ce qu'elle a, qu'est-ce qu'elle a ? », se demandait-il.

— Viens, mais viens voyons ! Une vraie colère de fille, un agacement insurmontable giclait de sa bouche.

Il restait devant elle, les bras coupés, inerte, l'œil rond.

— Causons un peu, supplia-t-il.

Carrément elle prit les choses en main.

Elle le berna. Caresses, rires, fit l'enfant, le déshabilla avec un grand cérémonial, comme un page déshabille un seigneur. Lui, au fur et à mesure, se glaçait. Elle se fichait de lui. En tout cas, cette affaire lui semblait peu claire. Ah, oui, peu claire. L'envie de la rosser, peu à peu, le chatouillait. En même temps, tout craquait, s'effondrait, disparaissait autour d'eux. Comme la fin du monde. Comme si une à une, toutes les bontés, les beautés du monde s'évanouissaient. Comme si l'aube les eût trouvés dans les rues... Qu'était-ce, qu'était-ce, cette horreur ? Ils ne disaient plus rien, ne pensaient à rien, traversés simplement de temps en temps par des réflexions froides et aiguës comme des lames.

Elle conservait sur son visage un terrible sourire, un sourire foudroyé. Elle ne bougeait pas. Il essaya à son tour de sourire. Il était pâle. Il pensa : « Maintenant, il va falloir la prendre. » Cela lui apparut l'achèvement du supplice.

***

— Tu ne me dis rien ?

D'habitude, les mots les plus fous lui venaient aux lèvres. Toujours les mêmes d'ailleurs. Ce soir, elle s'ingénia à les retrouver. Les mots : ils avaient autrefois une saveur sel-sucre et s'échappaient de ses lèvres frissonnants comme des abeilles. Maintenant ils étaient eux aussi assassinés. Leur vie sortait à flots de leurs entrailles ouvertes. Horribles personnages qui défilaient dans un ordre sensationnel et déchaînaient l'horreur.

— Mais dis-moi quelque chose bon Dieu !

Bientôt, il n'y eut dans la bouche de la femme que des cadavres de mots.

Il haletait et lui faisait mal de tout son corps pesant. Ils ressemblaient à des gens perdus qui cherchent l'issue, la lumière sur la mer, qui rament comme des fous vers la rive.

Au plus fort de la violence, le plaisir surgit. Il lui amollit les jambes, fit de son ventre une vasque de chaleur, s'échappa de ses lèvres entrouvertes, qui le murmurèrent dans un gémissement.

— Ce plaisir, ce plaisir que tu me donnes...

Elle proféra le mot. D'abord comme une insulte, puis, avec une grande douceur.

Alors, ils osèrent se regarder.

Pendant quelques secondes, ils connurent l'ineffable identité de l'amour. De n'importe quel amour. Et cela suffit. L'obligation de feindre qui les tenaillait s'évanouit. Elle rouvrit les yeux avec précaution. Son visage était triste, délivré. Sa précipitation lui parut sans objet.

***

Dans la chambre voisine, on parlait : deux voix qui s'accouplaient comme des colombes ; le silence les entourait d'un cercle noir.

Adossé au lit, la tête renversée, il fumait pour la première fois ce soir. Il fumait la cigarette du vainqueur. Il l'avait bien gagnée. Il soufflait de temps en temps pour se remettre. Ses mains, encore fébriles, étaient ouvertes. Avec ces mains-là, il l'avait caressée, pétrie. La bête qui n'en voulait pas, il l'avait égorgée avec ces mains-là. Du moins il le croyait, il était bien content. Comme après le travail.

Il baissa les yeux et lui sourit.

D'habitude, il ne tardait pas à s'endormir. Ce soir, il commença à se raconter, goguenard, d'un ton qu'il croyait être d'une sentimentalité accomplie. Il dit sa misère, sa rude vie, ses ennuis de métier. Mais bientôt — ne devinait-elle pas... ? Elle abandonnerait sa situation, ramènerait sa petite fille qu'elle élevait secrètement à la campagne, et reviendrait avec lui. Ah ! il fallait qu'elle ait une idée juste du gaillard qu'il était, dur, mais bon et compréhensif. Hélas, elle le sentait calculer ses effets, peser ses mots. « Tourne-toi, lui dit-il rudement, tu ne vas pas encore t'endormir. Il y a six mois qu'on ne s'est vus ! »

Quelle violence ! Il reprit son récit de sa voix monotone.

La soirée s'avançait. L'hôtel rendait à plein comme chaque samedi soir. On faisait et refaisait des lits sans cesse. De temps en temps, des gens passaient avec discrétion devant la chambre. Tard, il parla.

***

Au matin, il reposait encore près d'elle. Allongés l'un à côté de l'autre, ils s'évitaient jusque dans le sommeil. Comme la veille, elle ouvrit lentement les yeux. Un petit jour acide traversait les rideaux et éclairait le dessus du lit. Où donc se trouvait-elle ? Ah, oui, lui !

Hier soir, ça n'avait pas été tout seul. Elle l'entendit grommeler quelque chose : « Il y a du bruit dans ce coin-là, on ne peut pas dormir tranquille. » Son visage se mit à bâiller, sa bouche dit : « Bonjour chérie. »

Elle fit mine de dormir. Il se rendormit vite.

« C'est dimanche, profitons-en. » Ce fut tout ce qu'il se dit.

Elle promena le regard autour de la chambre. Son visage, qu'elle caressait doucement de ses paumes tièdes, devait avoir conservé le fard de la veille. Il était un peu gras.

L'aurore. Les métros grondaient sous la terre comme des torrents. De temps à autre, des klaxons gaillards avivaient l'aube ainsi que des traînées de couleur. Elle pensa au jour naissant, oblique, qui devait soulever Paris, déjà. Pour la première fois, l'idée de sa petite fille ne l'attrista pas.

Elle s'étira silencieusement, se leva avec agilité. Parmi les vêtements qui gisaient à terre, elle choisit les siens, s'habilla, tranquille ; il ne se réveillerait pas de sitôt. Sa respiration régulière et profonde signifiait qu'il en avait encore pour un bon moment.

***

Depuis six mois elle attendait ce retour. Dans la solitude, elle avait tissé et retissé sans cesse la trame de ce retour, minute par minute, point par point.

Et voici qu'il était arrivé, ce jour si désiré...

Avant de partir, bien doucement, sur la pointe des pieds, elle courut vers la fenêtre. Pour voir la rue, s'habituer à son exquise fraîcheur du matin. Mais la chambre donnait sur une cour étroite, noire de suie, dans laquelle des fenêtres ouvertes vomissaient déjà des literies. Au milieu du puits noir, tout en bas, une plante grasse, une espèce de palmier s'élevait. Il ne recevait d'air que de ces chambres puantes d'amour. Ses palmes bruissaient doucement.

Elle le regarda un long moment, ferma la fenêtre et partit.

*

# LA BIBLE

Il avait vingt ans. Elle, dix-huit. Il l'avait abordée un soir au café du Relais Saint-Michel. Il lui dit qu'il revenait d'un cours de sociologie. Quant à elle, ce ne fut que quelques jours plus tard qu'elle lui dit qu'elle était vendeuse dans un magasin de chaussures. Ils avaient pris l'habitude de se voir dans l'arrière-salle du Relais. En général c'était à six heures dix, après qu'elle [fut] sortie du magasin. Elle était contente de le retrouver, c'était une compagnie, il était poli et doux, avant de rentrer dans sa chambre elle était contente de retrouver quelqu'un avec qui elle restait jusqu'à l'heure du dîner. Elle ne lui parlait pas, c'était lui qui lui racontait des choses, il lui parlait de l'islam et de la Bible. Ca ne l'étonnait pas outre mesure, bien qu'il revînt sans cesse sur ce sujet, ça ne l'étonnait pas, rien ne l'étonnait, elle était ainsi faite que rien ne l'étonnait vraiment.

Le premier soir, il lui avait parlé de l'islam. Le lendemain il coucha avec elle et il lui parla de la Bible, il lui demanda si elle l'avait lue, elle dit qu'elle ne l'avait pas lue. Le surlendemain il avait apporté une Bible et il lui avait lu l'Écclésiaste dans la salle du fond du Relais. Il l'avait lu à haute voix, les deux mains sur les oreilles, d'une voix passionnée et suivant un rythme liturgique, ça l'avait gênée et elle s'était demandé s'il n'était pas un peu fou. Ensuite il lui demanda ce qu'elle en pensait. Elle n'avait pas très bien écouté quand il lisait parce que si gênée de l'entendre, elle dit que cela lui paraissait raisonnable, que c'était bien. Il sourit à sa réponse, il lui dit que c'était un texte fondamental et qu'il fallait l'apprendre.

Il avait vu le fragment du papyrus Nash au British Museum, il lui en parla, il était resté plusieurs heures devant la vitrine, il y était revenu le lendemain et les jours qui avaient suivi, il n'oublierait jamais ces moments. Il ne restait plus sur le papyrus Nash que quelques lignes sur l'Exode. Il lui parla de l'Exode. « Les enfants d'Israël furent féconds, ils se multiplièrent, ils s'accrurent et devinrent de plus en plus puissants... Et le pays en fut rempli... Et l'on prit en aversion les enfants d'Israël... » Il lui parla de toutes les Bibles, de la Vulgate, de la Septante et aussi du Vatican, du Sinaïticus, des Bibles hébraïque, araméenne, grecque, latine.

Il ne lui parla jamais d'elle et ne lui demandait jamais si elle était contente de travailler dans ce magasin de chaussures, ni comment elle était venue à Paris, ni de ses goûts. Ils faisaient l'amour ensemble. Elle, elle aimait faire l'amour. C'était une des choses qu'elle aimait. Pendant qu'ils faisaient l'amour, ils se taisaient. Après qu'il l'eut fait il recommençait à parler de la vie de saint Jérôme qui avait passé sa vie à traduire la Bible.

Il était maigre, un peu voûté, ses cheveux étaient noirs et ondulés, il avait des yeux bleus très beaux bordés d'épais cils noirs, il avait le teint pâle, une bouche très expressive, des lèvres pâles qui roulaient sur ses dents à fleur de bouche, un nez rond, des pommettes saillantes. Il n'était pas particulièrement propre, ses cols de chemise laissaient à désirer, ses ongles aussi qui étaient bombés et roses et qui étaient trop grands pour ses mains fines dont le bout des doigts était taillé en forme de spatules. Il avait la poitrine creuse, il était voûté. Il avait passé sa jeunesse à lire des textes saints de l'islam et de la chrétienté. Il avait appris l'hébreu, l'arabe, l'anglais, l'allemand, il continuait à apprendre l'arabe à l'École des langues orientales, en fait il le savait déjà bien qu'il fût seulement en deuxième année, il lisait déjà le Coran dans le texte lorsqu'elle le connut.

Quelquefois il l'invitait à dîner, mais c'était toujours dans des restaurants bon marché. Il lui avoua un soir qu'il achetait à tempérament une bible hébraïque du XVI^e^ siècle. Son père était riche mais il ne lui donnait que peu d'argent, cependant il n'avait pu résister à l'achat de cette bible, il en avait déjà payé le tiers, il l'aurait complètement payée le mois suivant. Il rêvait du moment où il aurait cette bible entre les mains.

Depuis trois semaines qu'ils se connaissaient ils n'avaient jamais parlé d'autre chose que de la Bible et de l'islam... Toujours il lui parlait de Dieu et de l'éternel attrait que l'idée de Dieu avait toujours présenté pour les hommes. Elle, elle ne croyait pas en Dieu, elle n'éprouvait en aucune façon le besoin de croire en Dieu. Elle savait qu'il y avait des gens qui croyaient en un Dieu, qui en éprouvaient le besoin. Elle croyait qu'elle ne resterait pas toute sa vie dans ce magasin de chaussures, qu'elle se marierait et qu'elle aurait des enfants. Elle croyait qu'elle avait sa chance sur la terre, c'était sa seule façon de croire en Dieu.

Il ne croyait pas en Dieu lui non plus mais il ne s'en consolait pas. La fortune de son père le laissait indifférent. Cette fortune était très importante, il l'avait acquise en exploitant directement un brevet de vulcanisation de pneus d'auto. Il parlait quelquefois de sa maison à Neuilly et de leur propriété d'Hossegor quand elle le lui demandait. Elle savait que jamais ils ne se marieraient ensemble. Lui ne se posait même pas la question.

Elle n'avait jamais connu d'homme qui lui ressemblât. Il lui parlait de Mahomet comme il lui aurait parlé d'un frère, il lui racontait sa vie, son mariage avec la veuve du négociant, puis avec Marie la Copte, il savait l'histoire particulière des vingt-quatre femmes de Mahomet, Mahomet qui avait entrepris de monothéiser l'islam. Ç'avait été une grande idée, il l'avait défendue avec l'arme à la main et un courage céleste. Il lui parut que c'était une étrange aventure mais elle ne lui en dit rien, elle ne lui disait pas non plus que quelquefois elle en avait assez d'essayer des chaussures toute la journée, non, elle gardait ces choses-là pour elle, elle ne pensait pas d'ailleurs qu'elles pourraient intéresser quiconque, elle pensait que c'était normal. À la fin, elle s'était habituée à ses manières et lorsqu'il récitait en arabe des sourates entières du Coran, elle le laissait dire, elle trouvait que c'était un gentil garçon. Il l'ennuyait.

Il lui avait acheté une paire de bas, il avait une gentillesse à lui. Mais depuis qu'ils couchaient ensemble elle était sans joie. Un soir, elle crut trouver : « Je ne suis pas faite pour lui... », se dit-elle. Toute sa force, sa jeune joie à vivre se stérilisaient à son contact, elle ne savait plus quoi en faire. Pourtant elle était flattée, dans un sens c'était une chance, elle se disait qu'elle apprenait des choses avec lui. Mais ces choses ne lui procuraient aucun plaisir. Il lui paraissait qu'elle les connaissait déjà tant elle avait peu le besoin de les apprendre. Pourtant elle essayait de lui plaire, le soir elle lisait l'Évangile comme il [le] lui avait demandé. Ce que le Christ disait à sa mère lui donnait envie de pleurer. Qu'il fût crucifié si jeune sous les yeux de sa mère était encore révoltant. Mais ce n'était pas de sa faute, elle ne pouvait aller au-delà d'une certaine émotion. Elle ne pensait pas qu'il fût Dieu, cet homme, elle pensait que c'était un homme qui avait eu de très nobles projets, sa mort lui rendait cette humanité qui faisait qu'elle ne pouvait lire son histoire sans penser à celle de son père qui était mort l'année d'avant, écrasé par un wagonnet, à un an de sa retraite. Il avait été victime d'une injustice qui avait commencé il y a très longtemps. Cette injustice n'avait jamais cessé sur la terre, elle se continuait à travers les générations des hommes.

*

# LES PIGEONS VOLÉS

La vieille Bousque arrivait toujours si précipitamment que le temps semblait lui manquer.

Des Bugues, on la voyait poindre, au loin, au-delà d'une haie de néfliers qui séparaient nos terres de celles de ses enfants. Un étroit sentier traversait cette haie et, à sa trouée, s'élevait une petite butte qu'elle montait et descendait aussi lestement qu'une jeune femme. Ensuite, elle longeait un rang d'artichauts, tête baissée, et toujours de ce même pas tragique. On eût dit qu'elle n'aurait pas pu marcher moins vite sans tomber.

Son corps était cassé à la taille à force de s'être penché sur son feu durant les longues après-midi d'hiver, et ses bras maigres flottaient de-ci de-là, comme les balanciers d'une machine ; ils semblaient trop longs maintenant, quoiqu'ils fussent touchés par le même roidissement qui avait atteint son corps. Pauvre vieille Bousque. Elle était devenue si petite, à la fin de sa vie, qu'elle dépassait à peine les artichauts.

On disait chaque fois :

— Tiens, voilà la vieille Bousque.

Et on s'étonnait chaque fois comme d'un événement qui vous surprend par sa régularité même.

Bien avant d'arriver, elle criait un mot d'amitié du peu de voix qui lui restait, et qui était fausse et éraillée. Et vous lui répondiez à voix haute, comme si elle eût été sourde.

Personne ne délaissait son travail pour lui parler ou l'écouter, elle venait à vous et se mettait naturellement à vous aider en vous racontant quelque chose, toujours quelque histoire.

Quelquefois cependant elle me prenait à part, et me murmurait ce qu'elle n'osait formuler tout haut.

— Dis-moi un peu, quand partirez-vous d'après toi ?

Elle craignait fort, en effet, que nous ne partions avant qu'elle ne fût morte, car elle nous aimait bien. Nous venions de loin, de si loin, qu'elle ne savait d'où exactement en vérité, mais il soufflait dans les pins des Bugues un vent chaleureux, qui réconfortait sa vieille carcasse et lui donnait, à soixante-quinze ans passés, en même temps que son plein de fantaisie et d'intérêt, l'occasion unique de sortir de son village. Les compagnes de sa jeunesse, plus ou moins impotentes maintenant, se passaient volontiers de sa compagnie. Il faut dire aussi que la vieille Bousque, si vieille fût-elle, n'était pas devenue pieuse avec l'âge, chose extravagante à la campagne. À peine la voyait-on à la messe de minuit, parce qu'elle aimait la nuit et aussi les fêtes, alors, quoiqu'on l'aimât beaucoup, on la blâmait un peu. La première de toute la région, elle s'était hasardée vers nous, et s'était liée d'amitié avec ceux qui, après tant d'années d'abandon, allaient habiter les Bugues.

Malgré son incroyable ignorance, son esprit restait exercé, et d'une curiosité très pure. Chacun la craignait un peu, comme on craint ceux qui voient bien et retiennent tout, comme on s'inquiète aussi de la vie, dans [ses] inspirations, dans son insondable poésie. C'est pourquoi on préférait la dire médisante, alors qu'elle n'était éprise que de fantaisie, mais ma mère lui portait plus d'estime qu'à aucune autre.

Pour nous autres enfants, elle s'en venait avec le soir qui nous ramenait à la maison, et aussi elle était bien cette vieille femme sur laquelle on fermait la porte, pour se garder d'une nuit qu'elle semblait enchanter. Seuls ses yeux vivaient toujours intensément, dans son visage tailladé de rides, et où, dans chacune d'elles, dormait un fin sillon noir, qui la faisait plus profonde. Mais elle n'avait de vieux que ce visage extraordinaire qu'on eût pu inventer, et il nous semblait qu'elle ne mourrait jamais, tant elle savait bien s'accommoder des années. Pourtant, il lui arriva une terrible aventure, qu'elle eût aimé sans doute s'entendre raconter, mais qui la cloua sur place à jamais.

C'était à cette source que Jeanne Bousque, sa belle-fille, abreuvait sa passion.

Louise n'avait pas eu, pour ainsi dire, de véritable jeunesse. La sienne s'était écoulée dans l'attente fébrile de la puissance, aussi son mariage ne lui avait pas rendu ni ses années perdues, ni sa joie. Cependant elle régnait dans la maison, et comme elle était avide depuis longtemps d'exercer une autorité dont elle n'avait pas pu jouir dans sa famille, elle en usait irraisonnablement dans celle de son mari. Ils n'étaient que quatre : la Bousque, la vieille, le fils, et Jean le petit-fils, et cela tombait un peu à faux à vrai dire. Mais qu'importait ! pourvu qu'aux yeux du village, elle passât désormais pour la maîtresse.

Il fallait la voir se jouer de la vieille Bousque, comme elle l'eût fait d'un enfant ! Mais la vieille était bien trop prudente pour s'en fâcher jamais, car ce n'était pas son fils qui eût osé prendre [le] parti de sa vieille contre sa femme, ni son petit-fils certes, qui n'avait que quatorze ans, et bien autre chose à faire. Elle prenait gaiement [son] parti de cette tutelle, mais c'était précisément sa bonne humeur, sur laquelle rien ne pouvait mordre, qui mettait à vif la vanité de sa belle-fille, comme si à elle seule, elle eût pu faire douter de son rang.

D'année en année, elle haussait le ton avec elle. Lorsqu'elle la regardait, ses yeux devenaient hagards, son visage était rongé par on ne savait quel désespoir.

Allez donc voir cette petite vieille, si aimable, si légère à supporter, la haïr de la sorte !

Lorsqu'on lui en demandait des nouvelles, elle vous disait hypocritement, avec un soupir :

— Évidemment, elle se fait vieille, vous n'avez pas remarqué, elle devient un peu sale, elle qui était si propre à ce qu'on dit.

Ou encore :

— Lorsque Jean sera grand, on lui donnera la chambre là-haut.

Elle la montrait du doigt, la chambre de la vieille Bousque, où elle n'allait jamais.

Mais elle avait beau faire, la vieille Bousque restait toujours, aux yeux des gens, la maîtresse des lieux. Elle s'était pourtant déjà dépouillée de tous ses biens en faveur de ses enfants, et se trouvait fort aise encore qu'on lui laissât sa petite chambre, et qu'on la nourrît.

Un jour de mars, Jeanne Bousque, à peine son ménage terminé, se dirigea vers le haut plateau des Pelgrin.

D'habitude, elle ne prenait ce raccourci que le dimanche, pour aller à sa messe. On fut donc étonné de l'y apercevoir un jour de semaine, d'autant qu'elle marchait vite et saluait à peine les uns et les autres, de crainte d'être arrêtée par quelqu'un et retardée. Elle piqua droit à travers les luzernes et prit la route qui traversait le village ; puis elle commença la montée du plateau par ce chemin qui serpentait entre nos vignes.

Elle arriva sur le grand terre-plein qui dominait le pays, vers les onze heures. Son visage était rougi par le vent et elle soufflait un peu, parce qu'elle s'était pressée pendant la dure montée.

— Hé ! Quel bon vent vous amène, Madame Bousque ?

Alors qu'on appelait sa belle-mère, la vieille Bousque, celle-là, on l'appelait Madame, parce qu'on la considérait dans le pays, mais aussi parce qu'elle venait d'un autre village.

Elle ne dit pas immédiatement ce qui l'amenait. Si au départ, les mots et les phrases lui tournoyaient dans sa tête, ils s'étaient bien ordonnés d'eux-mêmes, à mesure qu'elle marchait. Et maintenant, elle la possédait, son histoire, admirablement, l'ayant préparée tout le long du chemin. Elle en tirerait un parti inespéré !

Où allait-elle donc ? Porter son grain le plus loin possible, le semer à l'endroit le meilleur, sur le haut plateau des Pelgrin dont la médisance, comme le vent qui y soufflait, l'éparpillerait au moins sur les trois villages auxquels il touchait. Ah ! elle décochait bien son coup la Bousque, elle connaissait ses voisines !

— Vous connaissez mes cousins d'Alger…

Elle se reprit une autre fois tant sa hâte l'essoufflait, autant que la fatigue.

— Vous connaissez mes cousins d'Alger, ceux qui doivent arriver ce soir. Figurez-vous qu'hier soir, avant de monter, je leur avais préparé une paire de mes plus beaux pigeons qui étaient gras, je ne vous dis que ça ! Donc je les fais, je les « serre » dans le garde-manger et je vais me coucher. En pleine nuit, voilà que j'entends du bruit dans la salle en bas ; je touche Louis du coude et on descend tous les deux ; je lui avais même dit de prendre le fusil, on ne sait jamais vous comprenez... avec ces cheminots qui passent le soir...

Les deux Pelgrin l'écoutaient de toutes leurs oreilles ; au fond de leurs yeux, leurs prunelles brûlaient comme des charbons.

— Qu'est-ce que je vois ? continue la Bousque, j'ai cru que je rêvais ! Louis et moi, on est restés sans voix, les bras coupés. La vieille ! effrayante : assise sur son escabeau, elle dévorait mes pigeons, à deux mains, comme ça... Elle était tellement changée que je la reconnaissais mal. Ce n'est qu'au bout d'un long moment qu'elle s'est retournée, elle est restée toute raide quand elle nous a vus, j'ai cru qu'elle en tombait de saisissement mais elle s'est remise puis elle est partie en courant, en courant, elle est leste la vieille vous savez, elle a monté les escaliers quatre à quatre et elle s'est enfermée.

— Oh ! ça par exemple, reprit la Paulin, mais elle avait bien tous ses esprits pourtant, jusqu'à ces jours-ci, qui aurait pu supposer une chose pareille !

Mais lui le grand Pelgrin, il dit la chose gravement, comme il le fallait.

— Elle est finie alors la vieille Bousque, ça lui sera venu tout d'un coup.

— C'est pas que je la privais, dit la drôlesse, mais la vieillesse un jour ou l'autre, ça vous tourne la tête. Il y a des vieux qui parlent tout le jour, d'autres qui deviennent méchants. La vieille, sa folie sera de voler et de manger bêtement alors qu'elle n'a pas faim. Encore heureux, ça aurait pu être pire pour nous.

Pendant plusieurs jours, la vieille Bousque demeura dans sa chambre. À ceux qui s'étonnaient de ne pas la voir, Louise Bousque disait doucement et en riant : « Oh ! Elle a bien mangé pour deux jours, la vieille, avec cette paire de pigeons... Oh ! C'est pas que je les regrette. »

Et elle le disait bien haut pour que les mots parvinssent jusqu'à la mansarde où se tenait la petite vieille...

La vieille Bousque était honteuse...

Qu'est-ce qui l'avait prise ? C'était vrai que la vieillesse lui avait tourné la tête, comme le disait sa belle-fille. Cette envie extravagante de pigeons, qu'elle avait ressentie tout d'un coup et cette façon de les dévorer aussi, comme l'eût fait une bête. Elle était maudite pour sûr, et personne ne l'ignorait ; ceux des Bugues, le village, la terre entière le savaient...

Oh quelle chose délicieuse eût été de mourir pour la petite vieille, de mourir, quelle délivrance de ne plus penser.

Mais, malheureusement...

Pendant deux jours et deux nuits, elle regarda stupidement le ciel, les nuages qui lui passaient devant le nez et qui couraient comme, sans aucun doute, les enfants lui courraient après désormais dans le village ; elle regardait aussi, sans la voir, l'énorme lune de la mi-mars.

Assise au milieu de la chambre, plus cassée que jamais, elle n'osait même plus bouger la tête, de peur de soulever des rires que chacun de ses mouvements soulevaient et qui lui tracassaient les oreilles...

Au dire de sa belle-fille, elle tenta encore une fois de voler, mais tout était enfermé, pensez donc ! cette nuit-là. Alors, dépitée, le lendemain elle se résigna à descendre ; elle profita d'un moment où la maison était vide, dans le creux de l'après-midi, semblable à un animal que la faim oblige à sortir de son trou.

Elle reprit sa place humblement, près du feu, et ne la quitta plus. Comme, à partir de ce jour-là, elle ne dit plus rien, on ne lui parla pas non plus ; son fils ne prit même plus la peine de lui souhaiter le bonsoir en arrivant des champs, et son petit-fils ne l'embrassa bientôt plus au retour de l'école, car elle était devenue bien sale.

Ma mère, par délicatesse, la laissa mourir sans la revoir, mais elle fut seule à ne pas le faire, car personne au village ne résista au plaisir de venir la regarder, au moins une fois encore. Heureusement qu'elle ne voyait déjà plus que son feu...

Elle était devenue si grise, mais grise comme son vieux compagnon ; elle avait de la cendre partout, dans les plis de sa robe, dans ses cheveux, dans toutes les rides de sa vieille peau.

Lorsque quelqu'un venait chez les Bousque et pénétrait dans la cuisine, qui était claire et grande, sa belle-fille ne manquait pas de s'excuser de ce coin où se trouvait la vieille et qu'elle n'arrivait pas à nettoyer.

— Et si vous voyiez sa chambre, soupirait-elle, un vrai fumier.

Elle dut tout de même attendre l'automne pour nettoyer la place ; elle mit en effet huit longs mois à mourir, cette vieille Bousque, huit mois de belle saison d'été et de printemps ; c'était à croire vraiment qu'elle le faisait exprès. Mais au fond, Louise Bousque n'en eut que plus de plaisir à réunir toutes ses loques en un grand tas et à en faire un feu au milieu de la cour, un bon feu qui enfuma tout le village et qu'elle attisait de temps en temps avec un long tisonnier.

*

# EDA OU LES FEUILLES

Lorsque Jean se mit à sa fenêtre il vit ce qu'il voyait d'habitude au-delà du toit rouge de l'école municipale : la plateforme de la drague. Elle était à peu près à cent mètres de là, sur l'autre rive de l'étang. Ses pétarades régulières s'entendaient de loin. Une dizaine de détonations sèches suivies d'une sourde, et ainsi sans répit.

L'homme de la plateforme était vêtu d'un maillot vert sombre qui moulait son torse trapu. Une petite casquette brune protégeait le haut de son crâne contre le soleil ; au-dessous son cou luisait, très rouge. De temps en temps il criait quelque chose à la douzaine d'ouvriers qui remplissaient des wagonnets de sable, les poussaient et les renversaient plus loin, derrière les arbres, d'où partaient tous les quarts d'heure d'énormes camions Latil.

Jean connaissait l'homme au maillot vert. C'était Lucien. Il ne voyait pas distinctement les autres, mais d'après la place qu'ils occupaient il devinait très bien ce qu'ils étaient en train de faire. L'année d'avant il avait travaillé trois mois à la drague.

Il était six heures moins dix, Jean se dit qu'il était tard. Dans dix minutes le bruit de la drague cesserait. S'il faisait encore clair, c'est que le printemps était bien arrivé, cette fois. On était en avril. Jusqu'à ces derniers temps il avait fait encore froid. Depuis six mois qu'on attendait les beaux jours, ce n'était pas trop tôt. Jean avait eu souvent froid cet hiver. Faim aussi quelquefois. Avec Eda, naturellement. Mais lorsqu'il y repensait c'était sans amertume.

Il y avait aussi sur l'arête du toit de l'école les pigeons habituels qui marchaient à pas lents. À chacun de leurs pas leur gorge s'enflait puis s'aplatissait avec un curieux déclic, régulier. Ils s'envolaient. Revenaient. C'était une allée et venue incessante sur le toit de l'école. Mais c'était toujours les mêmes. Il n'y avait rien à tirer de ce spectacle. Il le connaissait bien. C'était sans intérêt. Même, s'il insistait, il finirait par en être incommodé, comme toujours. Les pigeons s'agitaient trop et pour rien. Il renonça à les regarder faire ; comme d'habitude.

Maintenant le ciel était uniformément gris.

Jean bâilla longuement. Le ciel était bien gris de tous les côtés. Le soir venait.

Jean laissa son regard traîner dans la cour vide de l'école.

Dans la cour il y avait les marronniers.

C'est alors qu'il remarqua comme ils étaient changés.

La seconde d'avant il voyait encore la cour d'école comme elle avait été tout l'hiver. Maintenant ils étaient là, surgis du sol. Il y en avait huit.

À partir de ce moment ils absorbèrent son attention entière.

Ils avaient déjà toutes leurs feuilles. Toutes, nées le même jour, au même instant peut-être. Il y avait peut-être de ça huit jours. Peut-être moins. Il n'avait rien remarqué. Il n'aurait pu le dire. Il se dit ce qu'elles *étaient* : elles étaient nouvelles et innocentes, innocentes et nouvelles.

Ces feuilles innocentes et nouvelles, elles étaient pâles, tendres.

Elles grandiraient encore, toutes ensemble, jusqu'à l'été. Il y en avait tout le long de chaque branche et à la pointe de chaque branche. Partout et pourtant chacune à la place juste où elle devait être. Trop jeunes encore pour se tenir bien ouvertes, elles se reposaient, molles, un peu repliées sur elles-mêmes. Chaque jour elles allaient être moins jeunes. Chaque jour les arbres les projetaient un peu plus au-dehors, après en avoir gardé si patiemment, si jalousement la substance pendant tout l'hiver qui venait de s'écouler. Mais ils les abandonnaient encore avec une espèce d'amour, avec soin. Elles étaient chaque jour plus distinctes, plus elles-mêmes, plus seules. Bientôt elles seraient ouvertes, se dit Jean, étalées et droites au bout de leur tige. Peut-être dans un mois ou dans quinze jours. Il ne savait pas au juste. On ne remarque pas, ces choses-là, le temps qu'elles mettent. Pour le moment, encore accrochées de très près à l'arbre, elles se balançaient doucement, de temps en temps, sans guère s'écarter. Elles faisaient penser à des choses, des choses qui faisaient mal. Leur chair était si vive. Plus vive, plus innocente, plus ignorée que chair d'enfant. À travers leurs nervures, dans leurs épaisseurs transparentes, une sève qui devait commencer à tiédir de soleil était en train de circuler, de s'amasser dans des craquellements veloutés. Et elles grandissaient, se dépliaient dans des mouvements si lents, si longs, qu'ils se prolongeaient des jours et des nuits.

Jean se sentit malheureux : « Quoi ? Qu'est-ce que j'ai ? »

Il les regardait, mais si mal, si mal. Il y pensait, mais si mal : « Ces feuilles-là, si… si fortes. Non, si jeunes, là. En ce moment… » Mais si mal encore. Il essayait d'être attentif. Mais à quoi ? Il ne se passait rien. À quoi être attentif ? Pourtant il y avait quelque chose à faire, c'était sûr. Mais quoi ? Et cette tête qui le gênait, le tiraillait, mobile, bonne à rien, machine à mots, à images : « Une femme s'écrase sous vous, vous l'agrandissez, agrandie, ensanglantée, meilleure. Des poings frappent, à la porte. Porte de quoi ? C'est la Porte Fermée, on la connaît bien. Nom de Dieu, nom de Dieu. Frappe, frappe. Les coups des poings usent les poings. Qui font mal. Mais dehors des volets claquent, claquent dans du vent. Et c'est l'Appel. On va vers ce qui est ouvert. Dehors. Des murs enferment des jardins couverts de tomates mûries et chaudes qu'on peut mettre en sang avec les dents facilement. » Non.

Jean sentait grandir en lui une espèce de désastre. Il se forçait à penser à des choses raisonnables, mais elles dégénéraient tout de suite en frayeur…

« Bientôt, oh, bientôt, ce sera trop tard, trop tard… »

Comment pouvait-on vivre et perdre ce temps-là.

Mais Jean ne savait que faire de ce temps ; ni pourquoi il avait l'air d'être tellement précieux tout à coup.

De sa chambre, au sixième étage, il ne pouvait pas voir distinctement les feuilles des marronniers. Et à mesure qu'il essayait d'y penser, un désir de les voir de près le gagnait, qui lui faisait venir de l'eau aux yeux, à la bouche. De les voir de très, très près. Peut-être aussi de les saisir. Avec les mains. La chose n'était pas impossible : *il suffisait de descendre et de pénétrer dans la cour de l'école.* Non, ce n'était pas impossible. Alors peut-être, arracher.

Comment savoir ? Toucher. Palper. Froisser, froisser jusqu'à... sentir, voilà, sentir. L'odeur acide, mâle et femelle. L'odeur de tout à la fois dans une seule. Sentir jusqu'à éclater, éclater par la poitrine, à cause de la bouche, du nez, trop forts.

Vraiment ce spectacle, ces feuilles, innocentes et nouvelles, elles donnaient à Jean l'envie de s'enfoncer de toutes ses forces dans un contentement de vivre si nouveau qu'il ne voyait pas où il pourrait le mener ou s'il existait.

Du moment qu'il avait trouvé qu'il fallait descendre dans la cour de l'école, il n'était plus malheureux. La perspective de ce qu'il pourrait y faire pour connaître un instant le goût rêveur des feuilles innocentes et nouvelles engourdissait son corps et sa tête d'un peu de ce rêve : il se sentait débarrassé des mots et des images, hors d'atteinte pour eux. Il était bien, enfin libre. Libre de descendre ou de ne pas descendre dans la cour de l'ecole.

À quelques mètres de lui, un peu repliées sur elles-mêmes, les jeunes feuilles reposaient toujours immobiles. Ignorantes de ce qui allait se passer. De ce que Jean allait faire.

Mais qu'est-ce qu'il allait faire ? Descendre dans la cour de l'école. Ensuite, quelque chose. Certainement il ne descendrait pas pour rien.

Il les sentait à sa merci. Ignorantes. Ce mot revenu était admirable, gonflé d'un sens qui ramassait l'instant tout entier, et le désir de Jean, et les feuilles innocentes et nouvelles — et le passé de Jean. Ce mot sauvait tout. Les hésitations de Jean se dissipaient à mesure qu'il se le répétait dans sa gorge. S'il ne l'éclairait en rien sur les gestes qu'il allait faire, Jean n'y prenait pas garde. Il avait oublié qu'il ne regardait que des feuilles. Son émotion était intense. Il éprouvait un léger vertige.

Il ferma les yeux. Peut-être quinze secondes. Énorme. Il les rouvrit. Elles étaient là. Toujours là. C'est alors qu'il se sentit délivré, à en crier, de ce qu'il avait toujours eu depuis l'enfance de dur et de clair dans la tête qui l'avait toujours retenu de faire des choses folles. Il y avait une seule pensée qui restait fixe pendant qu'il changeait ainsi. Elle était idiote ; c'était qu'il aurait honte de tout ça s'il avait fallu l'avouer à quiconque, même à Eda. Heureusement, ce qui venait de se passer comme ce qui allait se passer ne regardait que lui seul. Il allait descendre.

Il prendrait son temps. Pour commencer, il en cueillerait une. Puis, oui, c'est bien ce qu'il fallait faire, il l'exposerait face au soleil. Il n'y avait pas de soleil, mais il y en aurait. Elle resterait dans la position où il l'aurait mise. Elle se laisserait faire. Ensuite il trouverait bien. C'était trouvé d'avance, pour ainsi dire.

Du temps passait.

Le moment précis de descendre se faisait attendre. L'ordre. Et cependant les feuilles s'anéantissaient et réapparaissaient curieusement, des yeux de Jean à la cour de l'école. Elles se rapprochaient, se rapprochaient de ses yeux, grossissaient — ne grossissaient pas, mais devenaient sans changer de taille de plus en plus précises, proches, et elles s'y noyaient, dans ses yeux, et il ne pouvait les en faire sortir. Et lorsqu'il y réussissait elles étaient loin, loin aussitôt et il ne pouvait les y faire pénétrer de nouveau qu'après des efforts pénibles. Alors, il existait entre les yeux de Jean et les feuilles innocentes et nouvelles des différences qui le gênaient tellement, que tout à coup il douta de l'utilité de descendre.

Avant d'atteindre la cour de l'école, il fallait prendre l'escalier et la rue, un chemin qui d'habitude ne menait pas là.

Et il se souvint qu'il risquait de se trouver devant des feuilles qui, innocentes et nouvelles tant qu'elles pourraient, seraient aussi imbéciles que toujours et absolument indifférentes, sans intérêt.

C'était fini.

Il était comme après un grand malheur. Il se dit : « Je vais tomber malade. » Mais il commença à remuer et à respirer fort et il redevint tranquille sans s'en apercevoir, pensant à autre chose.

Il se mit à penser à Eda.

Eda était couchée dans la chambre à côté, tellement malade, et depuis si longtemps.

Il aurait dû aller acheter ce médicament dont on leur avait parlé. Déjà elle devait attendre. Mais il n'avait pas beaucoup d'argent en poche. Et il se dit que ce n'était pas la peine de descendre à la pharmacie : Eda ne guérirait pas. Si jusqu'ici il avait acheté tous les médicaments qu'on leur avait recommandés, ce n'avait été que pour faire plaisir à Eda, et encore, car ni lui ni elle depuis longtemps ne s'illusionnaient plus sur leur efficacité. Mais lorsque Jean les rapportait à Eda elle lui souriait et il était heureux : elle comprenait qu'il avait voulu être gentil. Mais ce soir — était-ce d'avoir trop regardé les feuilles innocentes et nouvelles ? — il ne déplaisait pas à Jean de faire attendre Eda. De ne pas être gentil avec elle. Avec elle précisément. Et il se disait que l'argent qui lui restait pouvait servir à autre chose qu'à l'achat d'un médicament superflu. Par exemple, à aller prendre un verre au Café de la Meuse. Lucien y serait sûrement. Jean aimait bien Lucien. Ils pourraient même faire un tour ensemble. Cette idée venue à Jean, il la considéra, et elle ne lui donna aucun remords.

C'était naturel qu'il pense à Eda ce soir avec une certaine rancune. Si elle n'avait pas été aussi malade il aurait pu calmer complètement auprès d'elle ce trouble provoqué par le spectacle des feuilles innocentes et nouvelles. Mais elle était tellement mal. Tellement qu'elle ne changeait plus ses draps, qu'elle n'avait presque plus le courage de se laver. L'idée de venir la retrouver ne pouvait même pas vraiment venir à Jean.

Les feuilles, elles, étaient pures. Elles étaient parfaites, les feuilles. Innocentes, nouvelles. Elles n'avaient jamais servi à rien, à personne. Mais au fait à rien, vraiment à rien, et à personne, absolument personne.

Décidément il irait au Café de la Meuse. Lucien y serait. Il avait dormi. Enfin c'était comme s'il avait dormi. La tête pâteuse.

C'était vrai que les feuilles ne servaient à rien ni à personne. Elles restaient entièrement innocentes et nouvelles. C'est-à-dire que tant qu'on serait de si mauvaise foi et qu'on n'oserait même pas descendre dans la cour d'une école, en effet elles ne serviraient à rien ni à personne.

Jean se sentait un peu honteux, gêné, et honteux de cette gêne.

Il en prit son parti. Il se dit que s'il avait travaillé à la drague, il ne se serait pas embarqué dans des rêvasseries aussi idiotes que celle-ci. Il passait une partie de ses journées à son balcon. C'était peut-être en regardant trop longtemps les mêmes choses qu'on devenait fou, qu'on arrivait à rêver de feuilles d'arbre comme on rêverait de femme et même avec quelque chose de plus que pour rêver d'une femme peut-être.

C'était des tours que jouait l'oisiveté. Toujours cette garce d'oisiveté. Et pourtant Jean ne croyait pas que c'était elle seule la cause de son malheur. La preuve en était que lorsqu'il travaillait à la drague il se trouvait tout aussi malheureux que lorsqu'il ne faisait rien — et même davantage, car n'ayant pas alors le loisir de penser librement à la cause de sa tristesse, il était privé de sa seule véritable occupation, quoi, comme ils disent, de son seul bonheur ici-bas.

Pour Eda, la question ne se posait pas puisque rien ne l'attristait, elle. Puisque de se voir mourir n'altérait même pas son humeur.

Pour arriver à la soigner Jean avait peu à peu vendu tout ce qu'il possédait, bien inutilement d'ailleurs, puisque son état empirait chaque jour. Ils n'avaient vraiment plus grand-chose devant eux maintenant et Jean mangeait mal. Bien sûr, lorsqu'ils avaient travaillé, par exemple l'année dernière, il avait mieux mangé. Mais maintenant Eda était malade, elle n'absorbait presque plus rien, à quoi aurait servi l'argent ? En temps normal la honte de travailler pouvait encore se justifier, mais maintenant qu'Eda était malade, non, rien ne devait s'ajouter à ce malheur, surtout pas celui de travailler.

Évidemment — mais ce n'était pas le cas — si Jean avait travaillé, si Eda avait été une fraîche et belle jeune femme, s'ils avaient eu de l'argent, si etc., enfin, il n'aurait pas éprouvé ce soir ce malaise, cette envie imbécile au sujet des feuilles innocentes et nouvelles. Il serait allé près d'Eda, il l'aurait fait très bien, sans remords. Mais ce n'était pas le cas, et Jean n'était pas sincère : il savait que lorsqu'il travaillait il devenait si morne, que rien n'arrivait à le distraire, ni Eda, ni de bien manger chaque jour, ni de pouvoir prendre les verres qu'il voulait le soir au Café de la Meuse. Seulement il aimait à se persuader qu'il était encore plus malheureux qu'il ne l'était, et à penser qu'il en avait vraiment assez de cette existence de chien — ce qui était tout aussi faux, de moins en moins il en avait assez de ne rien faire puisqu'il cherchait de moins en moins un emploi. Eda elle-même avait toujours admis qu'il ne veuille s'astreindre à aucun travail régulier. Les médisances des voisins et des parents à ce propos ne la frappaient pas et elle devait savoir à quoi s'en tenir. D'ailleurs Eda ne fréquentait régulièrement personne, et n'allait chez sa mère que pour chercher des provisions, aussi ce qu'on disait d'eux ne la gênait pas vraiment.

La dernière fois que Jean avait travaillé ç'avait été à la drague. Pendant trois mois il avait poussé les wagonnets avec conscience et régularité. Vraiment il aurait pu croire au début que cet emploi lui convenait. D'abord il faisait froid et l'effort le réchauffait. Ensuite, il en avait tiré de réelles satisfactions, parce qu'il poussait et vidait les wagonnets avec des gestes qu'il sentait chaque jour plus souples, plus aisés. Malheureusement, au bout d'un mois il travaillait si bien qu'il faisait ces mêmes gestes sans s'en apercevoir. Il s'ennuya et désira faire autre chose. Il avait quitté la drague alors qu'il était devenu un bon ouvrier. On l'avait regretté. Naturellement Eda l'y avait encouragé, décidé même, au fond, lui déclarant qu'il ne tarderait certainement pas à découvrir l'emploi de sa convenance, ou quelque chose qui avait ce sens-là. Mais c'était toujours la même histoire avec Eda : Jean se doutait bien, alors même qu'elle tenait de tels propos, qu'il n'existait pas d'emploi à sa convenance. Mais elle était si habile, Eda, si persuasive, qu'il doutait toujours un peu qu'elle ait dit ça seulement pour lui faire plaisir. C'était ce léger doute qui jusqu'ici avait permis à Jean de ne pas se dégoûter tout à fait et d'avoir du bon temps auprès d'Eda.

Eda trouvait toujours que Jean avait raison de faire ce qu'il faisait. Les autres n'avaient pas tort non plus de travailler durant une grande partie de leur existence. Mais lui, Jean, avait raison de ne vouloir rien faire. S'ils n'en parlaient jamais, Jean la soupçonnait de savoir très bien qu'il était inutile de se forcer à travailler, de le savoir bien mieux qu'il ne le saurait jamais lui-même. (À moins qu'on [n']y prenne plaisir, ce qui était peut-être le cas des autres au fond.)

Lui, Jean, se sentait compris. Inutile de se casser la tête : quand il hésitait à quitter un emploi, elle lui disait : « Pourquoi continuerais-tu ? Allez, rien ne t'oblige. » Une évidence éblouissait Jean et il donnait son congé avec bonheur. Pendant les quelques jours qui suivaient ils étaient parfaitement heureux tous les deux. Ils traînaient dans les rues de la ville et parfois aussi se saoulaient gentiment ensemble.

Ce n'était que quelques semaines plus tard que Jean se demandait pourquoi Eda l'encourageait de la sorte à la paresse. Ces moments de réflexion étaient les plus pathétiques de son existence. Ils se produisaient le plus souvent le lendemain ou le soir même des visites d'Eda chez sa mère. Eda absente, Jean passait sa journée à rêver, à l'attendre. C'était en général l'hiver. Eda rentrait à l'heure du dîner chargée des provisions de la semaine. Jean allait lui ouvrir la porte, un peu gêné à cause des provisions. Mais Eda : « Bonsoir mon Jean. » Elle l'enlaçait, le caressait, lui tendait sa bouche fraîche. Elle avait une bouche de fiancée, et racontait avec des histoires. La gêne de Jean était dissipée aussitôt.

Ce qui n'empêchait pas que la nuit qui suivait de telles journées il arrivait à Jean de se demander qui était cette femme le long de laquelle il était couché.

La beauté d'Eda, chaque fois qu'il la ressentait à nouveau, donnait à Jean une envie de mourir. Entre toutes les choses qui pouvaient donner des idées de mourir, celle-ci était la première. Jusqu'à l'arrivée des autres, là, ce soir.

De ces feuilles innocentes et nouvelles. Et encore, ce n'était pas la même chose. Couché auprès d'Eda, il aurait voulu pouvoir la fuir. Comment y tenir, en effet ! Il se rappelait alors tous les griefs qu'il avait contre cette femme, toutes ses raisons de l'aimer. Rien n'attristait Eda, rien ne l'incommodait, ne la dérangeait, rien ne la surprenait. Elle ne portait de jugement sur personne, pas même sur Jean, pas même sur les assassins des journaux. Elle n'était ni chrétienne, ni même charitable, pourtant — et comment l'aurait-elle été, elle plus libre que le vent et qui ne vivait que par plaisir ? Elle, elle, plus belle, plus naturelle, plus nouvelle qu'une feuille innocente et nouvelle.

Le souvenir d'Eda qui était là endormie étincelait dans la nuit de la chambre et il couvrait le cœur de Jean d'une clarté terrible. Plus terrible que celle de la lune sur la mer. Plus terrible que toutes les autres clartés sur la mer des choses. Que faire de cette femme ? Comment lui exprimer ce qu'il ressentait pour elle, pour cette femme-ci qui était la chance de sa vie, la chance de mourir, de bien vouloir — de sa vie ? Mourir pour elle, mais comment mourir pour Eda, comment, sans lui faire injure ? Elle qui était convaincue, oh combien, qu'il était inutile de mourir pour quoi que ce soit, aussi bien qu'il était inutile de s'empêcher de mourir lorsqu'il le fallait.

Fallait la voir dormir cette garce de femme — paisiblement — un pigeon. Elle dormait ainsi après chacun des jours de sa vie et chacun de ces jours était des exploits de grâce, et elle l'ignorait et sa grâce était de l'ignorer. Alors comment en sortir ? Fallait la voir marcher dans la rue, avoir senti ses bras se fermer sur votre cou, avoir vu la couleur exacte de ses cheveux noirs, pour comprendre ce que Jean pouvait endurer auprès de cette femme. « Saloperie », disait Jean. Et il éprouvait tant d'amour pour elle qu'il ne pouvait ni l'embrasser, ni même la toucher.

Jean se rappelait ces moments tout en regardant les feuilles innocentes et nouvelles.

Encore une fois il avait oublié la grave maladie d'Eda. Il devait toujours la rappeler à lui car sa pensée allait naturellement vers une Eda ancienne qu'il ne reverrait plus. Elle était belle, alors, toujours innocente, toujours nouvelle. Ignorante d'elle-même. Ignorante à sa façon toujours innocente et toujours nouvelle. Son secret clair et nu restait aussi impénétrable qu'autrefois, que le sombre secret des feuilles. Mais autrefois Jean pouvait aller dans le ventre d'Eda. Là, on était bien, bon Dieu on était bien. Ah ! Eda était bien la femme de Jean et en même temps toutes les femmes, toutes, même celles avec lesquelles il l'avait trompée. Et puis, elle était gaie Eda, et drôle comme personne lorsqu'elle le voulait. Lorsqu'elle le voulait elle était toujours ce qu'on n'aurait pas osé espérer. Maintenant elle était réellement très faible.

Il était rare qu'elle fût amusante. Très rare. Jean se sentit las et il quitta le balcon.

Le bruit de la drague avait cessé. De l'étang montait une odeur d'eau, fade.

Eda allait mourir. C'était sûr.

Jean alla s'étendre sur son lit. Il regarda le réveil. Six heures et en plus dix minutes. Six heures dix. La grande aiguille avait rompu la ligne faite avec l'autre et tombait lentement vers la droite. Dans un court moment, on ne pourrait plus parler de six heures, mais de sept heures moins quelque chose et ce serait tout différent. Jean se souvint : lorsqu'il était allé au balcon il était six heures moins dix. Le réveil disait maintenant six heures dix. C'était bête un réveil. Néanmoins c'était. Il y avait longtemps que Jean l'avait acheté. Il ne l'avait pas payé cher et il marchait à la perfection, exactement et courageusement. À bien l'écouter même, il s'épuisait, se tuait à marquer l'heure. Jean lui était reconnaissant. Il désirait ce soir être reconnaissant à quelque chose qui l'avait servi si fidèlement, qui ne servait, qui ne servirait alors et toujours aussi fidèlement que lui seul.

Eda allait mourir.

Car ce réveil ne servait qu'à lui seul. Eda se fichait de l'heure. S'il marchait c'était grâce à Jean qui, la veille encore, l'avait remonté. Tous les soirs il le remontait. Depuis combien de temps ? Et s'il ne le remontait plus il s'arrêterait stupide à une heure fixe, fixe, fixe, crierait « au secours Jean », fixe l'heure — FIXE — clouée, plantée là. Pff ! pour ce [à] quoi elle servait. Jamais le moment de faire quelque chose. Jamais le moment de rien. Néanmoins c'était utile un réveil ; c'était indispensable. Pour des raisons que Jean ne voulait pas prendre la peine d'éclaircir. En tout cas, il n'avait jamais pu se résoudre à le vendre. C'était une preuve.

Eda allait mourir.

Pas même à le vendre, à s'en séparer, à le mettre dans la chambre d'Eda pour l'heure des médicaments, non, Jean ne l'avait pas fait. Ce réveil lui appartenait bien et à lui seul. Il aurait bien voulu pouvoir le caresser, réchauffer contre son cœur son existence glacée, méconnue. Naturellement il n'en fit rien, parce qu'il savait bien que c'était impossible. Et il eut envie de se sourire à lui-même de toutes les tentatives, de toutes les défaites qui peuplaient sa solitude, son inaction. Mais il était devenu très paresseux, et ne prit pas la peine de sourire.

Il passa sa main lentement dans ses cheveux, et les posa l'une sur l'autre sous sa tête.

Eda allait mourir. C'était dur.

Le ciel était bleu foncé maintenant. La brise commençait à s'élever, à longer le mur à l'extérieur de la chambre, sans y entrer, car rien ne la retenait au passage. Parce que depuis longtemps tout se passait hors de cette chambre, même le vent. Tout se fomentait ailleurs. Contre ici. Même ça, cette mort, la mort d'Eda, la mort.

Elles, les feuilles, frissonnèrent sous le vent, d'une crainte enfantine et violente. Feuilles innocentes et nouvelles encore elles voulaient vivre, elles.

Peut-être aussi que tout à l'heure il faudrait songer à manger.

Que le vent passe donc, et qu'il repasse. Que le printemps passe aussi si ça lui chante. Nous savons ce qu'il en est. Ça ne nous regarde plus. Ça ne peut plus nous faire le moindre mal. Ici, nous faisons autre chose — hors du vent et du printemps — et autre chose qui ne peut se recommencer. Mais qu'on nous laisse la paix, à la fin.

Eda allait mourir. Eh bien oui, quoi, mourir.

Il arrive évidemment beaucoup d'événements dans l'existence. D'ordre divers. Exemple : avant de rencontrer Eda Jean avait aimé Lucie pendant six mois. Eda ne pouvait empêcher que dans sa vie il ait aimé Lucie.

Au fait, en ce moment, Lucien devait l'attendre au comptoir de la Meuse. Lucien aussi avait un faible pour Jean. Il était anarchiste sérieusement. Il parlait toujours de faire sauter la drague un jour que le directeur viendrait et il avait demandé l'aide de Jean. « Bien sûr », avait répondu Jean. À cause des pavillons modèles que le directeur louait à ses ouvriers au bout de quatre ans de travail à la drague. Ce truc lui avait attaché un bon nombre de types qui ne rêvaient plus que de mériter un pavillon. Cette bombe foutrait tout en l'air pour quelques semaines au moins. Ils l'auraient dans le dos leur pavillon. Lucien avait dit à Jean que le directeur allait venir bientôt et que cette fois-ci serait la bonne. Peut-être qu'on aurait l'occasion de le faire sauter avec la drague et peut-être que Jean aussi courrait le risque de sauter avec la drague et le directeur. Ah ! voilà qui était mieux. Il s'imagina en charpie, éclaté. Cette vision rassembla un trouble dans son corps. C'est vrai. Son corps toujours bien là — silencieux, puissant, toujours prêt — pour rien — depuis des mois. Il n'avait pas couché avec une femme depuis des mois, depuis qu'Eda était malade. Jean sentait à travers l'étoffe de son pantalon l'expression ramassée de son corps. Avec amitié il la plaignit, la trouva seule. Abandonnée. Mais belle. Très fidèle, tout à coup dure et arrêtée à la mesure du ventre d'Eda. En voulant.

D'Eda qui allait mourir.

Innocente et nouvelle autant que toujours.

Eda qui allait mourir nouvelle nouvelle toute nouvelle mourir.

Il n'en pouvait plus de penser à Eda. Il n'y arrivait plus. Qu'est-ce que cela voulait dire maintenant de penser encore à Eda ?

Il irait au Café de la Meuse ce soir. Il descendrait. Eda allait peut-être mourir. Sûrement.

Le ciel était sombre. Il s'assombrissait à grands jets d'encre. Et bientôt ce fut fait. À l'endroit de la terre où se trouvait Jean ce fut la nuit.

Jean se leva, alla à la fenêtre. Devant lui plus la moindre trace de soleil. Il se sentit comme d'habitude, à l'aise. Une habituelle bonté lui pénétra tous les organes et sa tête en fut tout embuée.

EDA, EDA, même si elle allait mourir...

C'était tard, mais il dînerait quand même. Au bord du lit d'Eda, de sa petite Eda, de sa femme chérie. Peut-être après ferait-il un tour à la Meuse, ce n'était pas impossible. Eda dormait profondément. Jean toussa pour la réveiller. Elle était son amour ; elle allait lui demander : « T'es là Jean ? C'est tard dis-moi ? » Il avait envie d'entendre sa voix, la sienne. Mais elle ne questionna pas et il se dirigea brusquement vers sa chambre. Eda était bien là, mais elle devait être morte. Jean s'approcha. Elle souriait. « Alors Eda t'es réveillée ? » Mais Eda était morte. Jean le comprit complètement, jusque dans la moelle de son pouvoir de comprendre quelque chose. Il ne la toucha pas du doigt. Il trouva que ce n'était pas possible d'y toucher et pas la peine. Pourtant, il hésita. Auprès du lit d'Eda il y avait une place vide par terre où il aurait pu s'affaler. Mais il choisit de descendre dans la rue.

En descendant il croyait encore qu'il n'était pas dit qu'il irait au Café de la Meuse. Mais c'était inévitable.

*

## *Table des correspondances des* Cahiers de la guerre *avec l'œuvre publiée de Marguerite Duras*

Sont mentionnés ici les passages pour lesquels la reprise dans l'œuvre publiée, sans être nécessairement littérale, est très proche du texte initial. Pour les influences, imprégnations et parentés plus diffuses, le lecteur fera les rapprochements qu'il estime s'imposer.

Les numéros de page entre parenthèses renvoient à l'édition la plus récente ou, le cas échéant, à l'édition de poche.

### ROMANS ET RÉCITS

UN BARRAGE CONTRE LE PACIFIQUE, Paris, Gallimard, collection « Folio », 1978. Première édition Gallimard, 1950.

« Cahier rose marbré » : p. 33-39 (p. 24-30), p. 89-93 (p. 185-188), p. 95-98 (p. 18-21), p. 131-132 (p. 13-17), p. 135-138 (p. 104-109), p. 138-141 (p. 33-36), p. 141-149 (p. 39-60).

« Cahier beige » : p. 235-236 (p. 36-38), p. 236-239 (p. 115-121), p. 239-242 (p. 195-205).

LE MARIN DE GIBRALTAR, Paris, Gallimard, collection « Folio », 1977. Première édition Gallimard, 1952.

« CAHIER BEIGE » : p. 277-279 (p. 84-88), p. 279-280 (p. 89-91), p. 281-283 (p. 94-95).

*Le Boa*, in *Marguerite Duras. Romans, cinéma, théâtre, un parcours.1943-1993*, Paris, Gallimard, 1997. Première édition in *Des journées entières dans les arbres*, Gallimard, 1954.

« Cahier rose marbré » : p. 31-33 (p. 387-395).

MADAME DODIN, in *Marguerite Duras. Romans, cinéma, théâtre, un parcours. 1943-1993*, Paris, Gallimard, 1997. Première édition in *Des journées entières dans les arbres*, Gallimard, 1954.

« Cahier beige » : p. 268-269 (p. 419), p. 285-288 (p. 399-400), p. 292-294 (p. 406-408), p. 295 (p. 412), p. 295-297 (p. 417-418), p. 305-306 (p. 413), p. 306-310 (p. 420-426), p. 312-314 (p. 421, 425, 427), p. 315-316 (p. 414-416), p. 316-318 (p. 408-410), p. 318-319 (p. 399-400, 402-405), p. 320-321 (p. 430).

LA DOULEUR, Paris, Gallimard, collection « Folio », 1993. Première édition P.O.L, 1985. Réédité dans le volume *Marguerite Duras. Romans, cinéma, théâtre, un parcours. 1943-1993*, Paris, Gallimard, 1997.

***La Douleur***
« Cahier Presses du XXe siècle » : p. 169-196 (p. 13-41).
« Cahier de cent pages » : p. 201-230 (p. 41-73).
« Cahier beige » : p. 250-255 (p. 82-83), p. 256 (p. 85), p. 265-267 (p. 76-78), p. 271-276 (p. 69-76).

***Albert des capitales***
« Cahier rose marbré » : p. 111-127 (p. 139-169).

***Ter le milicien***
« Cahier rose marbré » : p. 99-108 (p. 171-192).

## RECUEIL

OUTSIDE, Paris, P.O.L, 1984. Première édition Albin Michel, 1981. Réédité aux éditions Gallimard, collection « Folio », 1995.

**« L'horreur d'un pareil amour »**
« Cahier beige » : p. 243-246 (p. 351-353).

**« Pas mort en déportation »**
« Cahier beige » : p. 256, 265-267, 271-276 (p. 361-366).

**« Les enfants maigres et jaunes »**
« Cahier beige » : p. 236-238 (p. 347-350).

### REVUES

*CONFLUENCES* n° 8, octobre 1945

« Récits » : p. 393-409, « Eda ou les Feuilles » (paru sous le titre « Les Feuilles »

*SORCIÈRES*, 1976

**« Les enfants maigres et jaunes »**
« Cahier beige » : p. 236-238.

**« L'horreur d'un pareil amour »**
« Cahier beige » : p. 243-246.

**« Pas mort en déportation »** (premier fragment)
« Cahier beige » : p. 256, 265-267, 271-276.

**« Pas mort en déportation »** (deuxième fragment)
« Cahier Presses du XX^e siècle » : p. 185-187.
« Cahier de cent pages » : p. 206-211.

## *Index raisonné des personnages fictifs (en italiques) et des proches (en romain) de Marguerite Duras apparaissant dans les* Cahiers de la guerre

Les titres en romain ont été conçus
par les responsables de cette édition.
Dans la Table, les blancs signalent une solution
de continuité dans le texte de Marguerite Duras.

## DU MÊME AUTEUR

*Aux Éditions Gallimard*

LES IMPUDENTS, 1992 (1e parution, Plon, 1943) (Folio nº 2325, nouvelle édition)

LA VIE TRANQUILLE, 1944 (Folio nº 1341)

UN BARRAGE CONTRE LE PACIFIQUE, 1950 (Folio nº 882) (Folioplus classiques nº 51)

LE MARIN DE GIBRALTAR, 1952 (Folio nº 943)

LES PETITS CHEVAUX DE TARQUINIA, 1953 (Folio nº 187)

DES JOURNÉES ENTIÈRES DANS LES ARBRES, 1954 (Folio nº 2993)

LE SQUARE, 1955 (Folio nº 2136)

DIX HEURES ET DEMIE DU SOIR EN ÉTÉ, 1960 (Folio nº 1699)

HIROSHIMA MON AMOUR, scénario et dialogues, 1960. Réalisation d'Alain Resnais, (Folio nº 9)

UNE AUSSI LONGUE ABSENCE, 1961

LES VIADUCS DE LA SEINE-ET-OISE, 1960

L'APRÈS-MIDI DE MONSIEUR ANDESMAS, 1962 (L'Imaginaire nº 49)

LE RAVISSEMENT DE LOL V. STEIN, 1964 (Folio nº 810)

THÉÂTRE,

TOME I : *Les Eaux et forêts — Le Square — La Musica*, 1965

TOME II : *Suzanna Andler — Des Journées entières dans les arbres — Yes, peut-être — Le Shaga — Un Homme est venu me voir*, 1968

TOME III : *La Bête dans la jungle — Les Papiers d'Aspern — La Danse de mort.* Adaptations d'après deux nouvelles de Henry James et l'œuvre d'August Strinberg, 1984

TOME IV : *Véra Baxter ou Les plages de l'Atlantique — L'Éden Cinéma — Le Théâtre de L'Amante anglaise.* Adaptations de *Home*, de David Storey, et de *La Mouette*, d'Anton Tchékhov, 1999

LE VICE-CONSUL, 1965 (L'Imaginaire nº 12)

L'AMANTE ANGLAISE, 1967 (L'Imaginaire nº 168)

ABAHN SABANA DAVID, 1970 (L'Imaginaire nº 418)

L'AMOUR, 1971 (Folio nº 2418)

INDIA SONG, texte théâtre film, 1973 (L'Imaginaire nº 263)

NATHALIE GRANGER suivi de LA FEMME DU GANGE, 1973

LA MUSICA DEUXIÈME, 1985

LA VIE TRANQUILLE – UN BARRAGE CONTRE LE PACIFIQUE – LE MARIN DE GIBRALTAR – LES PETITS CHEVAUX DE TARQUINIA – DES JOURNÉES ENTIÈRES DANS LES ARBRES, coll. « Biblos », 1990

L'AMANT DE LA CHINE DU NORD, 1991 (Folio nº 2509)

LE THÉÂTRE DE L'AMANTE ANGLAISE, 1991 (L'Imaginaire nº 265)

ÉCRIRE, 1993 (Folio nº 2754)

ROMANS, CINÉMA, THÉÂTRE, UN PARCOURS. 1943-1993 : *La Vie tranquille — Un Barrage contre le Pacifique — Le Boa — Madame Dodin — Les Chantiers — Le Square — Hiroshima mon amour — Dix heures et demie du soir en été — Le Ravissement de Lol V. Stein — Le Vice-Consul — Les Eaux et forêts — La Musica — Des Journées entières dans les arbres — India Song — Le Navire Night — Césarée — Les Mains négatives — La Douleur — L'Amant de la Chine du Nord*, coll. « Quarto », 1997

*Dans la collection Écoutez lire*

LE VICE-CONSUL (4 CD)

*Aux Éditions de Minuit*

MODERATO CANTABILE, 1958

DÉTRUIRE DIT-ELLE, 1969

LES PARLEUSES, entretiens avec Xavière Gauthier, 1974

LE CAMION, suivi de ENTRETIEN AVEC MICHELLE PORTE, 1977

LES LIEUX DE MARGUERITE DURAS, 1977

L'HOMME ASSIS DANS LE COULOIR, 1980

L'ÉTÉ 80, 1980

AGATHA, 1981

L'HOMME ATLANTIQUE, 1982

SAVANNAH BAY, 1982

LA MALADIE DE LA MORT, 1983

L'AMANT, 1984

LES YEUX BLEUS CHEVEUX NOIRS, 1986

LA PUTE DE LA CÔTE NORMANDE, 1986

EMILY L., 1987

*Aux Éditions P.O.L*

OUTSIDE, 1984 (1e parution, Albin Michel, 1981) (Folio nº 2755)

LA DOULEUR, 1985 (Folio nº 2469)

LA VIE MATÉRIELLE, Marguerite Duras parle à Jérôme Beaujour, 1987 (Folio nº 2623)

LA PLUIE D'ÉTÉ, 1990 (Folio nº 2568)

YANN ANDRÉA STEINER, 1992 (Folio nº 3503)

LE MONDE EXTERIEUR, OUTSIDE 2, 1993

C'EST TOUT, 1999

CAHIERS DE LA GUERRE ET AUTRES TEXTES, 2006 (Folio nº 4698)

*Au Mercure de France*

L'ÉDEN CINÉMA, 1977 (Folio nº 2051)

LE NAVIRE NIGHT – CÉSARÉE – LES MAINS NÉGATIVES – AURELIA STEINER, AURELIA STEINER, AURELIA STEINER, textes, 1979 (Folio nº 2009)

*Chez d'autres éditeurs*

L'AMANTE ANGLAISE, 1968, *théâtre*, Cahiers du théâtre national populaire

VERA BAXTER OU LES PLAGES DE L'ATLANTIQUE, 1980, éditions Albatros

LES YEUX VERTS, 1980, Cahiers du Cinéma

LA JEUNE FILLE ET L'ENFANT, adaptation de L'ÉTÉ 80 par Yann Andréa, lue par Marguerite Duras, 1981, *cassette*, Éditions des Femmes

LA MER ÉCRITE, photographies de Hélène Bamberger, 1996, Marval

*Films*

LA MUSICA, 1966, film coréalisé par Paul Seban, distr. Artistes associés

DÉTRUIRE DIT-ELLE, 1969, distr. Benoît-Jacob

JAUNE LE SOLEIL, 1971, distr. Benoît-Jacob

NATHALIE GRANGER, 1972, distr. Films Moullet et Compagnie

LA FEMME DU GANGE, 1973, distr. Benoît-Jacob

INDIA SONG, 1975, distr. Films Sunshine Productions

BAXTER, VERA BAXTER, 1976, distr. Sunshine Productions

SON NOM DE VENISE DANS CALCUTTA DÉSERT, 1976, distr. D.D. productions

LE CAMION, 1977, distr. D.D. Prod

LE NAVIRE NIGHT, 1979, distr. Films du Losange

CÉSARÉE, 1979, distr. Benoît Jacob

LES MAINS NÉGATIVES, 1979, distr. Benoît Jacob

AURÉLIA STEINER dit AURÉLIA MELBOURNE, 1979, distr. Benoît Jacob

AURÉLIA STEINER dit AURÉLIA VANCOUVER, 1979, distr. Benoît Jacob

AGATHA ET LES LECTURES ILLIMITÉES, 1981, distr. Benoît Jacob

DIALOGUE DE ROME, 1982, prod. Coop. Longa Gittata, Rome

L'HOMME ATLANTIQUE, 1981, distr. Benoît Jacob

LES ENFANTS, avec Jean Mascolo et Jean-Marc Turine, 1985, distr. Benoît Jacob

### *Adaptations*

MIRACLE EN ALABAMA de William Gibson. Adaptation de Marguerite Duras et Gérard Jarlot, L'Avant-Scène, 1963

LES PAPIERS D'ASPERN de Michael Redgrave d'après une nouvelle de Henry James. Adaptation de Marguerite Duras et Robert Antelme, Ed. Paris-Théâtre, 1970

## SUR MARGUERITE DURAS

C. Blot-Labarrère commente *Dix heures et demie du soir en été* de Marguerite Duras, 1999 (Foliothèque n° 82)

Laure Adler, MARGUERITE DURAS, Gallimard, 1998 (Folio n° 3417)

M. Borgomano commente LE RAVISSEMENT DE LOL V. STEIN de Marguerite Duras, 1997 (Foliothèque n° 60)

M.-P. Fernandes, TRAVAILLER AVEC DURAS, Gallimard, 1986

M. -Th. Ligot commente UN BARRAGE CONTRE LE PACIFIQUE de Marguerite Duras, 1992 (Foliothèque n° 18)

J. Kristeva, « *La maladie de la douleur : Duras* » in SOLEIL NOIR. Dépression et mélancolie, 1987 (Folio Essais n° 123)

*Composition Interligne.*
*Impression Maury-Imprimeur*
*à Malesherbes, le 11 mars 2008*
*Dépôt légal : mars 2008*
*N° d'imprimeur : 136284*
ISBN 978-2-07-035560-0 / Imprimé en France.

**156235**